Verbum ✳ ENSAYO

EL ATLÁNTICO COMO FRONTERA.
MEDIACIONES CULTURALES
ENTRE CUBA Y ESPAÑA

colección **Ensayo**

Dirigida por: JOSÉ MANUEL LÓPEZ DE ABIADA

Verbum Ensayo se enfoca en los campos de la filología, la estética, la filosofía y la historia. Entre otros, ha recogido obras de autores como F. Schiller, J. P. Richter, K. Krause, G. H. von Wright, E. R. Curtius, G. Santayana, M. Milá y Fontanals, J. Rizal, José Lezama Lima, José Olivio Jiménez, J. M. López de Abiada, Severo Sarduy, Roberto González Echevarría, et. al. Gran parte de estos títulos forman parte de las referencias bibliográficas de numerosos cursos doctorales, másters y grados en universidades de España, resto de Europa y EE.UU.

DAMARIS PUÑALES ALPÍZAR
(EDITORA)

El Atlántico como frontera. Mediaciones culturales entre Cuba y España

EDITORIAL Verbum

© de cada ensayo su autor, 2014

© Editorial Verbum, S. L., 2014
Manzana, 9, bajo único. 28015 Madrid
✆ 91 446 88 41
e-mail: editorialverbum@gmail.com
www.verbumeditorial.com

I. S. B. N.: 978-84-9074-095-8
Depósito Legal: M-28626-2014

Diseño de cubierta: Pérez Fabo
Imagen de cubierta: *Mapamundi*, de Mayra Alpízar.
Preimpresión: Origen Gráfico, S. L.
Printed in Spain /Impreso en España por
ULZAMA

A la memoria de Antonio Candau,
ejemplo y amigo,
cuya presencia pervive en nosotros.

AGRADECIMIENTOS Y PEQUEÑA NOTA NECESARIA

La génesis de este libro se remonta a un tiempo muy anterior a la primera vez en que, los que hoy nos unimos en este proyecto, pensáramos en convertir nuestras inquietudes y conversaciones en un texto publicable. Yo acababa de recibir mi primer trabajo luego de terminar la escuela graduada y llegaba a Case Western Reserve University sin saber muy bien de qué iba el asunto de convertirme en profesora/investigadora.

Era el año 2010 y yo acababa de poner pie en Cleveland, Ohio. Antonio Candau me recibió como jefe del departamento de Lenguas Modernas y Literatura, como mentor y como amigo. Desde hacía tiempo él andaba detrás del *Romancero de Martí*, esa parte de la obra del poeta catalán José María Fonollosa que nadie había podido localizar; de la que todos hablaban pero que no había sido vista. Antonio me preguntaba entonces si era posible localizar el *Romancero* en Cuba. Fue así como, sin pensar premeditadamente en ello, este libro comenzó a adquirir una forma futura para mirar al Atlántico como una frontera líquida que, en lugar de separar, había unido históricamente, y une, a Cuba y a España.

Luego de muchos intentos, y con la ayuda de amigos como Mabel Cuesta y Amauri Gutiérrez Coto, y otro grupo de amigos de ellos, pudimos localizar en la Biblioteca Nacional José Martí, de Cuba, estos versos de Fonollosa. Era el año 2013 y para entonces otro acontecimiento ya había ocurrido que marcaría el inicio de este proyecto conjunto y su concreción: el XXXIX Congreso del Instituto Internacional de Literatura Iberoamericana, IILI, en Cádiz en el verano del 2012. En esa ocasión, habíamos organizado un panel titulado, precisamente, "El Atlántico como frontera. Mediaciones y cruces culturales entre España y las ínsulas caribeñas". Y eso nos hizo pensar en intercambiar ideas y "armar" un libro, como se arma un rompecabezas, con pedazos disímiles pero con el objetivo último de ofrecer un panorama general de las relaciones entre Cuba y España. Otros amigos y colegas se fueron sumando para dar forma a esta propuesta que presentamos ahora.

Lamentablemente, Antonio Candau ya no está con nosotros. No pudo ver concluido el libro, ni su artículo sobre Fonollosa, que escribió con más voluntad que fuerzas, estando ya muy enfermo. A su memoria está dedicado este libro: a su talento y curiosidad intelectuales, a su entrega y pasión por la investigación, a su bondad, nobleza y gallardía, al ejemplo de inteligencia, humanidad y luz que nos legó. También está dedicado a su familia: su esposa

Cindy Candau y sus hijos Rosalie y Frank, que han mostrado una entere-
za digna de Antonio. Nuestro agradecimiento, entonces, a ellos y a Antonio
en primerísimo lugar. También a nuestros colegas de la sección de Español
del Departamento de Lenguas Modernas y Literatura, Jacqueline Nanfito y
Gabriela Copertari, por el apoyo y aliento en estos primeros años en Case
Western Reserve University; también al resto del Departamento; al Colegio de Artes y Ciencias y al Decano Cyrus Taylor, y la vicepresidencia para
investigaciones de CWRU, que hizo posible la publicación de este libro.

ÍNDICE

SECCIÓN ESPECIAL: JOSÉ MARÍA FONOLLOSA:

Algunos apuntes para repensar el Atlántico como frontera

DAMARIS PUÑALES ALPÍZAR

De todas las colonias de España en ultramar, Cuba fue con la que más larga relación tuvo en términos imperiales, y aunque tales relaciones coloniales tienen fechas precisas de inicio y de caducidad: 28 de octubre de 1492 –del calendario juliano; 10 de noviembre del gregoriano–, cuando Cristóbal Colón vio por primera vez las costas de la isla, y el 10 de diciembre de 1898, cuando se firma el Tratado de París[1], mediante el que España renunciaba a la soberanía sobre Cuba, lo cierto es que no se puede (re)escribir la historia cubana sin tener en cuenta los fuertes lazos con los españoles, tanto antes como después de la independencia. Y viceversa.

En los más de 520 años que ya dura el conocimiento mutuo, las relaciones han pasado por etapas distintas. Los estrechos vínculos familiares y culturales entre las dos naciones permitieron que luego de la independencia continuara un flujo de intercambio humano, cultural, económico y político en ambas direcciones. Joaquín Roy afirma que después de 1898 Cuba "fue receptora de una de las cifras más altas de inmigrantes españoles en América Latina" ("España y Cuba: ¿una relación *muy* especial?", 147). Esta inmigración española hacia Cuba se extendió hasta mediados del siglo XX. A fines de ese mismo siglo, la dirección migratoria cambió y España comenzó a recibir a muchísimos cubanos, en una tendencia que todavía hoy, en la segunda década del XXI, no disminuye.

---

[1] Este tratado, que merecería mucho más que un pie de página, en su artículo primero estipulaba que "España renuncia todo derecho de soberanía y propiedad sobre Cuba. En atención a que dicha isla, cuando sea evacuada por España, va a ser ocupada por los Estados Unidos, los Estados Unidos mientras dure su ocupación, tomarán sobre sí y cumplirán las obligaciones que por el hecho de ocuparla, les impone el Derecho Internacional, para la protección de vidas y haciendas". < http://islanueva.webs.com/Documentos%20PDF/Tratado%20de%20Paris%20de%201898.pdf>.

En este mismo sentido, Ángel Esteban, antologador de *Madrid habanece* (2011), afirmaba en *GranadaDigital.com*, que la independencia de Cuba en 1898

> no supuso una ruptura de la excolonia con la exmetrópoli, sino una nueva etapa en una realidad fructífera de intercambios de todo tipo. De hecho, todavía en Cuba nos llaman gallegos a los españoles, por el intenso flujo que hubo entre Galicia y Cuba en todo el siglo XX. (Web)

Durante la época republicana existieron asociaciones que agrupaban a los españoles, como la Casa de Cultura y Asistencia Social, el Círculo Republicano Español y la Unión de Mujeres Españolas, y se estima[2] que en 1960 había en Cuba unos 300,000 españoles, cifra que constituye el 4.2 % de la población de aquel entonces –7,077,190 habitantes[3]. Este número de españoles en Cuba era poco más del doble de los que había a principios del siglo XX (140,000) y poco menos de la mitad de los que se contaron en el censo de 1931 (625,449)[4]. Según Margalit Bejarano, "entre 1899 y 1923, más de 750,000 emigrantes españoles se dirigieron hacia Cuba; muchos de ellos volvieron a su país natal, pero alrededor del 40% se radicó en la isla". (Web)

Después de 1959, estas agrupaciones se unieron en el Frente Democrático Español, una organización antifranquista, y se creó también la Sociedad de Amistad Cubano-Española, en el año 1961. En ese año, además, cuando comienza a sovietizarse el gobierno cubano, llegaron a Cuba los primeros asesores militares y especialistas soviéticos, muchos de origen hispano que se incorporaron a esa Sociedad de Amistad. Hasta el fin del franquismo, las relaciones entre los dos países fueron moderadas en lo político y fluidas en lo comercial.

Tras el fin de la URSS y la profunda crisis que trajo aparejada a todos los niveles en Cuba, España –y otros muchos países– se convirtieron en una especie de tabla de salvación. España –al margen de la emigración que ha estado acogiendo cientos de cubanos por la ley

---

[2] Cfr: Roger González Martell

[3] Información obtenida de "Población de Cuba según censos de población". *Ecured*. Web. 9 July 2013. <http://www.ecured.cu/index.php/Anexo:Poblaci%C3%B3n_de_Cuba>.

[4] Cfr: Jorge Domingo Cuadriello (4, 7).

de nacionalidad[5] española–, se ha transformado en uno de los principales sitios de emigración cubana desde los noventa. En el año 2011 se estimaba que había unos 55 mil cubanos residiendo en España[6]. Si antes de la entrada en vigor de la también conocida como "Ley de los Nietos" se calculaba en 28 mil el número de personas pertenecientes a la comunidad española en la isla, se estima que tras la ley la cantidad de cubanos con pasaporte español ascendió a una cifra entre los 200 y los 300 mil[7].

Para los años noventa, luego del fin de la Unión Soviética y debido a la crisis económica cubana, España se convirtió en uno de los principales aliados de la isla. Si por una parte se incrementó la cantidad de empresas de capital mixto, principalmente en el sector turístico, por otra se impulsaron mecanismos bilaterales que favorecieron las coproducciones cinematográficas y la edición y publicación de obras literarias, tanto de residentes en Cuba como en Europa. España acogió y sigue acogiendo a numerosos intelectuales y artistas que, por diferentes vías, se han establecido de manera más o menos permanente en tierras ibéricas. Las posturas de esos intelectuales son variadas respecto a Cuba y su gobierno, pero todos han hecho aportes significativos a la difusión de la cultura cubana fuera de la isla. En primerísimo lugar habría que recordar a Jesús Díaz y su proyecto de "Encuentro de la cultura cubana" desde 1992; *Diario de Cuba*, dirigido e impulsado

---

[5] Ley 52/2007 (conocida como Ley de Memoria Histórica): 1. "Las personas cuyo padre o madre hubiese sido originariamente español podrán optar a la nacionalidad española de origen. Es decir que se reconoce el derecho de opción a la nacionalidad para aquellas personas cuyo padre o madre hubiera sido originariamente español. 2. Este derecho también se reconocerá a los nietos de quienes perdieron o tuvieron que renunciar a la nacionalidad española como consecuencia del exilio". Esta ley estuvo en vigencia hasta el 27 de diciembre del 2011.

[6] Cfr: http://inmigrantes.ucoz.org/index/informacion_oficial_sobre_inmigracion_en_espana/0-58. Esta cifra, sin embargo, no incluye a los ciudadanos españoles nacidos en Cuba que se han acogido a la ley de nacionalidad (Ley de Memoria Histórica) entre el 2007 y el 2011.

[7] Cfr: "El 'boom' de los *cubañoles*". *El Mundo*. 22 diciembre 2011. Web. 16 Jan. 2014. <http://www.elmundo.es/elmundo/2011/12/22/espana/1324547003. html#comentarios>. Cfr. también: Ferrán Núñez. *Cuba española. Un proyecto para el siglo XXI.*

por Antonio José Ponte; Milena Rodríguez, en la organización de festivales de poesía; Jorge Ferrer y Ernesto Hernández Bustos, a través de la traducción y la crítica literaria; las editoriales Verbum, que liderea Pío E. Serrano, y Betania, de Felipe Lázaro; el impulso al teatro de la mano de Abel González Melo y Amado del Pino... y un largo etcétera. Ellos y muchos más que han encontrado en España no solo un sitio para vivir sino sobre todo un espacio de enunciación literaria e intelectual.

No hay que perder de vista, sin embargo, que este impulso editorial a la publicación de autores cubanos en España fue parte de un proceso mucho más amplio, como bien explica Jorge Fornet en "Nuevos paradigmas en la literatura latinoamericana":

> ... el retorno a la ebullición latinoamericanista está asociado con la política de las grandes editoriales y sus estrategias de mercado, tras el agotamiento del boom (bastante artificial, dicho sea de paso) de la narrativa española. A partir de la segunda mitad de la década del noventa proliferaron los premios relevantes entregados a escritores de este lado del Atlántico: el Herralde a Jaime Bayly y Roberto Bolaño; el Alfaguara a Sergio Ramírez, Eliseo Alberto, Elena Poniatowska, Tomás Eloy Martínez y Xavier Velasco; el Biblioteca Breve de Seix Barral a Jorge Volpi y Mario Mendoza; el Primavera a Ignacio Padilla [...] Sería ingenuo atribuir esa ebullición, exclusivamente, a mecanismos de marketing. (3)

Aunque lo trasatlántico como categoría académica no surgiera sino hasta fecha muy reciente, el intercambio entre las dos riberas del Atlántico existe desde que Cristóbal Colón hiciera el viaje de regreso a Europa, y convirtiera en mito y otredad el mundo recién avistado. La llamada 'contra-celebración', en 1992, de los quinientos años del encuentro entre europeos –españoles, específicamente– y americanos propició una visión de conjunto que impulsó la consolidación del Atlántico como frontera cultural, lingüística y sobre todo crítica a la hora de leer y entender las propuestas culturales tanto de España como de América Latina y catapultó lo que luego se ha dado en llamar 'estudios trasatlánticos'.

Los estudios trasatlánticos surgen –entre otras muchísimas razones– por la necesidad de negociación del hispanismo tras el desinterés cada vez más creciente que siguió al fin de la guerra fría. En ese perío-

do, América Latina dejó de ser centro de interés de agencias finan-
ciadoras de la estrategia política norteamericana. Esto, que a primera
vista implicaría el debilitamiento de los estudios latinoamericanos
y peninsulares, potenció las posibilidades de perspectivas analíticas
para las que el estudio comparado del mundo hispano representó nuevas formas de pensarnos, vernos y proyectarnos en el mundo.
    Como bien afirma Abril Trigo:

> Transatlantic Studies are the outcome of a dual shift: a geographical
> displacement provoked by the geopolitical de-bunking of area studies and an
> epistemological rift produced by the new global regime of capitalist accumu-
> lation. The geographical shift in the focus from continental regions to oceanic
> ranges was meant to salvage area studies from their virtual obsolescence; the
> epistemological rift from hardcore, neo-positivistic and development social
> sciences to relativistic, postmodern and postcolonial interculturalism was a
> response to the economically driven and globally experienced cultural turn.
> This combined shift, from which Transatlantic Studies emerged, translates
> profound geopolitical realignments, economic transformations and epistemo-
> logical quandaries that traverse and make up our global age. (2)

    Debido a lo importante que han sido las relaciones entre Cuba
y España para la configuración cultural y política de ambas naciones,
sobre todo de la antillana, existen numerosos estudios sobre el tema.
En 1995, Manuel Moreno Fraginals, desde su exilio en Miami, publicaba el que sería su último libro: *Cuba/España, España/Cuba. Historia común*. Una de las tesis más provocadoras y lúcidas del estudio de
Moreno Fraginals es la de la involución española debido a la conquista
de Cuba y a las condiciones de esclavitud implementadas en el proceso de dominio colonial. Afirmaba el historiador cubano:

> el conquistador español que llega a Cuba en esta época es un hombre en plena
> transición entre los patrones feudales del señorío y los albores del orden capi-
> talista. Este choque de fuerzas contradictorias, configurado por una empresa
> conquistadora moderna, un ejecutor de cultura aún feudal y una comunidad
> india en estadio primitivo, no pudo generar otra cosa que un fenómeno de
> involución histórica. (29)

    En el 2011, Angel Esteban publicó una muy útil compilación
con trabajos de 14 intelectuales, actores y cantantes sobre las relacio-

nes entre Cuba y España. Bajo el título de *Madrid habanece*. *Cuba y España en el punto de mira transatlántico* y publicado por el sello editorial Vervuert Verlag, el libro recoge tanto acercamientos académicos como testimonios sobre las relaciones entre los dos países a partir de los años noventa, principalmente.

Jorge Domingo Cuadriello es uno de los intelectuales que con más perseverancia se ha dedicado al estudio de las relaciones entre los dos países. En su libro *El exilio republicano español en Cuba* (2009) hace una exhaustiva recopilación de información sobre los españoles que llegaron a Cuba entre 1936 y 1976; las instituciones que formaron; las publicaciones que hicieron. Debido al alto número de ciudadanos de España en Cuba en esos años, las implicaciones culturales de esta presencia en la sociedad cubana de la época fueron importantes y dejaron huella perdurable.

Dos hechos puntuales, entre otros muchos, sostienen este libro: en primer lugar, la localización y análisis del "Romancero de Martí", aquellos versos escritos por el poeta español José María Fonollosa a principios de los años cincuenta del siglo XX en Cuba. Este Romancero, citado varias veces pero hasta ahora nunca antes (re)publicado –solo se conoció en el año 1955 en *El País Gráfico*, en La Habana–, nos ofrece una visión mucho más de conjunto del crecimiento poético de Fonollosa en esa década silenciosa y oscura en que vivió en Cuba, entre 1951 y 1961. Poco se sabe de esos años del catalán en La Habana: alguna que otra mención en algún texto; la alusión reiterada de la escritura de esos versos… y poco más. Ha habido incluso quien afirme que Fonollosa no existió, ni tampoco el Romancero.

En las palabras de introducción al Romancero, Antonio Candau establece una cronología mínima del quehacer poético de Fonollosa e intenta explicar esos versos, que constituyen una rareza dentro de la obra fonollosina, en relación a su producción posterior. Como bien señala Candau, existe una distancia formal y temática entre estos versos de Fonollosa y el resto de su obra. Los motivos que pudo haber tenido el entonces joven poeta radicado en La Habana desde apenas unos cuatro años antes, según especula Candau, podrían haber sido el de satisfacer un pedido de Juan Ramón Jiménez o intentar ganarse el favor de un país y campo cultural que acababa de acogerle.

Parte de nuestra intención, con la publicación del Romancero dentro de este volumen, es incentivar la curiosidad y por tanto, la investigación sobre los años habaneros de Fonollosa, y sobre todo, ofrecer a los lectores un material "casi" inédito, luego de más de diez años en que no se publica nada nuevo del autor catalán.

El vínculo que establece Fonollosa entre España y Cuba va mucho más allá del hecho de ser un poeta catalán escribiendo en La Habana sobre el Apóstol de la independencia cubana, José Martí. La utilización de una forma poética completamente castiza, como es el romancero, para contener un homenaje a un cubano como Martí, desterrado en España por conspirar contra la corona, y muerto en el campo de batalla luchando contra el ejército español, enriquecen la perspectiva de cualquier análisis no solo de esta composición poética y su autor en particular, sino también de las relaciones entre Cuba y España y los hondos lazos afectivos y culturales que han unido a los dos pueblos, por encima de gobiernos y políticas estatales.

Un segundo hecho, además, impulsa nuestro deseo de publicar este libro: el aniversario doscientos del nacimiento de Gertrudis Gómez de Avellaneda, epítome por excelencia de las relaciones entre Cuba y España. Brígida Pastor y Mirta Suquet ofrecen sendos ensayos sobre *La peregrina*. Pastor explora la ideología femenina de Gertrudis Gómez de Avellaneda construida desde el "exilio", independientemente de que el contexto cultural fuese Cuba o España. Suquet propone repensar la subjetividad peregrina de Gertrudis Gómez de Avellaneda a partir de su voluntad deslocalizadora al elegir su seudónimo. La subjetividad a la que alude Suquet, emerge en los relatos de viajes de Avellaneda y condiciona un ejercicio de escritura como desencuentro, deslocalización, marcado, sin dudas, por la fractura geocultural que experimenta la autora a su partida de Cuba. Este libro es, también, un homenaje a Gertrudis Gómez de Avellaneda y su condición trasatlántica.

En "Bartolomé de Las Casas, Juan Francisco Manzano y la campaña antiesclavista de Richard Robert Madden", Armando Chávez Rivera articula las causas de la aparición coincidente del sacerdote jesuita y el esclavo cubano en el libro del abolicionista irlandés Madden. Chávez Rivera lee el libro del irlandés como una reivindicación del sacerdote dominico, al establecer este una continuidad entre el ámbito colectivo descrito por Las Casas hasta el doméstico trazado por Manzano, en sus respectivos escritos.

Ana Serra en su artículo "La extraña familia: intelectuales españoles exiliados en Cuba (1936-1943)", sostiene que la cercanía cultural entre dos países tan diferentes, otorgó al exilio español una experiencia de lo *unheimlich*, en términos freudianos –aquello que es familiar pero al estar fuera de contexto se hace extraño e inquietante. La convivencia entre intelectuales de ambas naciones, afirma Serra, fue difícil pero por eso mismo, productiva.

Ana Serra y Amauri Gutiérrez Coto coinciden en señalar que el elemento español tuvo un peso fundamental en la configuración de la intelectualidad cubana en los años cercanos a la Guerra Civil Española, sobre todo por la presencia e influencia de importantes intelectuales y pensadores españoles en la isla.

Gutiérrez Coto estima que la sociedad civil cubana de los años cuarenta se sensibilizó de manera especial frente al sufrimiento ajeno y nació una profunda vocación de solidaridad humanista independiente de las voluntades políticas. Ahí reside la herencia ética fundamental de la Guerra Civil española en Cuba.

Como comentábamos antes, Brígida M. Pastor analiza la ideología femenina de Gertrudis Gómez de Avellaneda y su propósito de inscribir a la mujer real, la identidad puramente femenina, en su lenguaje y en su cultura, independientemente de que ese contexto cultural sea Cuba o España.

Mamadou Badiane discute cómo la incorporación del son en la poesía de Nicolás Guillén constituye el reconocimiento a una nueva cultura, la cubana, que se sabe negra y blanca, africana y española. "Al incorporar el son a la literatura, Guillén unió las dos razas presentes en la isla para que formaran una simbiosis necesaria para una nación mestiza. Un ritmo que se practicaba solamente entre las bajas capas de la población se veía así acceder a los peldaños más altos de la cultura cubana".

María Hernández-Ojeda y Germán Santana Pérez analizan la inmigración canaria a Cuba y los cambios epistémicos en las relaciones entre canarios y cubanos, en las que por medio de un intercambio de experiencias, el isleño (o los isleños, si consideramos a cubanos y canarios) no constituye un conocimiento periférico, sino una pluriversalidad concebida por medio de su comunicación intercultural.

Madeline Cámara Betancourt explora las relaciones que unieron a María Zambrano y a Lydia Cabrera a partir de lo que llama un "dispositivo de sororidad". Este micro proyecto entre mujeres permitió que sus respectivas visiones –la etnológica cabreriana y la filosófica zambraniana– se cruzaran en un concepto como *"conocimiento poético"* que resulta útil para analizar las estéticas de ambas escritoras. Cámara Betancourt va más allá de los textos literarios, para leerlos a la luz de los más íntimos circuitos de producción y circulación que fueron posibles por la especial relación de apoyo y complicidad femenina entre las dos intelectuales.

Rita Martin y Walfrido Dorta establecen un diálogo entre las percepciones cubana y española de la cultura, en una muy estrecha relación con las características naturales e históricas de la isla antillana, pero también, desde una perspectiva religiosa. Ambos tratan la relación entre los origenistas y los intelectuales españoles: María Zambrano y Juan Ramón Jiménez, respectivamente. En el caso de Martin, el contrapunteo se establece a partir de las visiones de María Zambrano y Virgilio Piñera acerca del sujeto y el objeto poético y lo cubano. Para Zambrano, la isla es un espacio joven, apenas naciente, abundante en su naturaleza y por tanto sagrado; para Piñera, tal espacio es de aire y representa el caos; no es sagrado. Dorta centra su análisis en la visión católica en la conformación del grupo Orígenes. En ambos casos, se discute la existencia de un espacio fundacional, preadámico (Dorta), prenatal (Martin) como puntos de partida de la identidad (poética) cubana, y el papel del poeta como fundador, como restaurador de ese espacio.

Mirta Suquet analiza cómo las políticas de representación de la experiencia de la Avellaneda son políticas de *deslocalización*, y abunda sobre el valor semántico-ideológico del término "peregrina" en contraste con el de exiliada, inmigrante.

Mabel Cuesta y Cristián Gómez Olivares fijan sus estudios en torno a la construcción de subjetividades tanto autorales como ficticias de escritores y personajes cuyo centro de gravitación escritural y vivencial es el espacio geográfico español. Cuesta analiza dos textos de Mylene Fernández Pintado en los que se desestabilizan tópicos recurrentes de la literatura cubana posnoventa: el jineterismo y la emigración. Gómez Olivares analiza lo que él denomina la situación 'geopoética' de Rogelio Saunders, uno de los poetas más importantes del grupo Diáspora(s), muchos de cuyos integrantes radican precisamente en España. Pese a la importancia de la poesía de Saunders, casi no existen estudios críticos que la estudien. La propuesta de Gómez Olivares es pionera en ese sentido.

Los trabajos críticos aquí reunidos hacen suyas las palabras de Julio Ortega al describir los textos trasatlánticos:

> Esa visión del texto como un proceso constituido por todas sus etapas de escritura, que era ya parte de nuestro trabajo editorial en la Colección Archivos de la Literatura Latinoamericana, en París, coincidía con nuestra noción teórica de una textualidad procesal, que no se resignaba al museo de las nacionalidades; y se abría, con plenitud de diferencia, como un objeto no acabado, desplegado entre orillas y discursos. La idea de que un texto leído fuera de su marco local, en tensión con otros escenarios de contradicción y entramado, desencadena un precipitado de nueva información, parte de estas consideraciones de una práctica crítica des-centradora y una teoría de sistemas transfronterizos, de inclusión y debate, de pertenencia y apertura. (93-94)

Puede establecerse una analogía entre esta descripción que ofrece Ortega y que cruza el análisis de los ensayos reunidos, con el Mar Atlántico que une y separa a Cuba y a España: un espacio inabarcable, insumiso, impredecible... como los textos literarios aquí analizados.

Tal vez sea innecesario aclarar que este no es un libro de historia, ni pretende esbozar historiografía alguna. Nuestro objetivo es ofrecer diferentes acercamientos al tema de las mediaciones culturales trasatlánticas, específicamente entre Cuba y España, a partir de la percepción individual de cada uno de los autores respecto a las implicaciones de estos más de 500 años de historia compartida. Nuestra intención, entonces, es explorar estas mediaciones en diferentes épocas pero sobre todo, abrir un diálogo que será siempre inacabado y abierto a nuevas interpretaciones y lecturas.

Bibliografía

ALBACETE, J. "Cuba/España, España/Cuba: una historia común". *De Verdad digital*. Web. 28 Dec. 2013.

BEJARANO, MARGALIT. "La inmigración a Cuba y la política migratoria de los EE.UU. (1902-1933)". *Estudios Interdisciplinarios de América Latina y el Caribe*. Vol. 4. No. 2. Julio-Diciembre 1993. Web. 02 January 2014.

CUADRIELLO, JORGE DOMINGO. *Los españoles en las letras cubanas durante el siglo XX*. Editorial Renacimiento: Sevilla, 2002.

DE LA FUENTE, ALEJANDRO. *Havana and the Atlantic in the Sixteenth Century*. Chapel Hill: The University of North Carolina Press, 2008.

ESTEBAN, ANGEL. *Madrid Habanece. Cuba y España en el punto de mira trasatlántico*. Madrid: Iberoamericana Vervuert, 2011.

GALÁN, JULIO CÉSAR. "Artificios y deslindes (sobre heteronimia y otras alteridades)". *Cuadernos hispanoamericanos*. N° 756, 2013: (31-42)

MARTÍN, MARÍA EULALIA. "*Madrid habanece* refleja las relaciones culturales entre Cuba y España". *GranadaDigital.com*. 12 Mayo 2011. Web. 7 July 2013.

MORENO FRAGINALS, MANUEL. *Cuba/España, España/Cuba: Historia común*. Barcelona: Planeta, 2004.

NÚÑEZ, FERRÁN. *Cuba Española. Un proyecto para el siglo XXI*. París: Les Éditions du Net, 2013.

ORTEGA, JULIO. "Crítica trasatlántica a comienzos del siglo XXI". *Trabajo crítico*. La Habana: Fondo Editorial Casa de las Américas, 2012: (213-227).

—————. "Los estudios transatlánticos al primer lustro del siglo XXI. A modo de presentación". (Introducción al *Dossier Transatlántica: Idas y vueltas de la literatura y la cultura hispano-americana en el siglo XX). Iberoamericana. America Latina-España-Portugal*. Año 2006. No. 21. Marzo 2006.

PINO, JULIO. "Lecturas de *Cuba-España/España-Cuba. Una historia común*". *La Jiribilla*. Web. 7 July 2013.

ROJAS, RAFAEL. "Un nuevo pasado para Cuba". *Encuentro* 53/54. Verano-Otoño 1998. pp. 11-16. Web. 7 July 2013.

ROY, JOAQUÍN. "España y Cuba: ¿una relación *muy* especial?". *Afers Internacionals*. 31 (1996): 147-166.

—————. "Las relaciones actuales entre España y Cuba". *Política Exterior* 3.1, Summer (1987): 282-286.

TRIGO, ABRIL. "Global Realignments and the Geopolitics of Transatlantic Studies: An Inquiry". Presented at the Title VI 50th Anniversary Conference, Washington, 19 March 2009.

Bartolomé de Las Casas, Juan Francisco Manzano y la campaña antiesclavista de Richard Robert Madden

ARMANDO CHÁVEZ RIVERA

A finales de la década del treinta del siglo XIX los escritores agrupados en torno al crítico, editor y mecenas Domingo del Monte (1804-1853) estaban escribiendo un conjunto de obras fundacionales de la literatura cubana en las cuales la crítica moral marcaba la pauta para abordar la trata africana, la persistencia del esclavismo y la corrupción de las autoridades. Cirilo Villaverde (1812-1894), Anselmo Suárez y Romero (1818-1878) y Félix Tanco y Bosmeniel (1797-1871), entre otros narradores, describían por entonces una sociedad envilecida y de escasa religiosidad. Mientras muchos de esos textos circulaban en copias manuscritas en la tertulia de Del Monte y tendrían que esperar años para ser impresos, paradójicamente la autobiografía de un criollo mulato recién manumitido, el poeta Juan Francisco Manzano (1797-1853), aparecía traducida al inglés en Londres en 1840 en un mismo volumen en que emergen sistemáticas referencias al padre Bartolomé de Las Casas (1484-1566).

La *Autobiografía* de Manzano, la única en Hispanoamérica que haya sido escrita en condiciones de esclavitud, ha sido sometida a un escrutinio tan minucioso durante décadas que por momentos queda la impresión de que ya no existen novedosas aristas para analizar el texto y las condiciones novelescas en que fue difundido gracias al abolicionista Richard Robert Madden (1798-1886), fervoroso católico irlandés que radicó en La Habana de 1836 a 1840 como superintendente de esclavos libertos y juez árbitro de la comisión mixta anglo-hispana para asuntos de la trata[1]. Sin embargo, en las siguientes páginas vol-

---

[1] Ver aportes de Abdeslam Azougarh, Robert R. Ellis, Roberto Friol, José Gomáriz, Adriana Lewis Galanes, José Luciano Franco, William Luis, Sylvia Molloy, Iván Schulman y otros especialistas incluidos en la bibliografía.

vemos sobre algunos puntos de estos acontecimientos iluminando específicamente las causas que propiciaron que el fraile español y el poeta cubano hayan coincidido en un mismo libro, y las cuales tienen relación con perspectivas ideológicas compartidas por el empleado de la corona británica con los contertulios delmontinos, la influencia de sus lecturas comunes y el interés por la historia de Cuba.

A continuación se reconstruyen nexos entre la *Autobiografía* y las restantes secciones de *Poems by a Slave in the Island of Cuba, Recently Liberated; Translated from the Spanish, by R. R. Madden, M.D., with the History of the Early Life of the Negro Poet, Written by Himself; to Which are Prefixed Two Pieces Descriptive of Cuban Slavery and the Slave-Traffic*[2]. Madden articuló un libro en que el discurso del esclavo aparece contextualizado por el legado del sacerdote dominico, colocando así un trasfondo histórico que va desde la conquista hasta la colonia. Si bien la escritura de la *Autobiografía* fue requerida por Del Monte a Manzano antes de que Madden desembarcara en La Habana en julio de 1836, su publicación fue acompañada de otros documentos, entre ellos una sección de reivindicación del legado de Las Casas. De ese modo, las referencias al sacerdote y las memorias del esclavo dialogan gracias a la intuición editorial de Madden y los aportes de Del Monte. La coincidencia del español y el cubano puede comprenderse además a partir de la pasión bibliográfica del círculo delmontino, el acento en la crítica moral y religiosa, y la condición de testigos de sociedades esclavistas.

La pasión bibliográfica: colecciones, manuscritos y lecturas compartidas

Todas las evocaciones sobre la estancia de Madden en Cuba se refieren a sus vínculos con Del Monte, quien le entregara el manuscrito de Manzano como parte de un portafolio de obras antiesclavistas que también incluía narraciones de Suárez y Romero, Tanco y Bosmeniel, y Pedro José Morillas (1803-1881). Del Monte había imaginado un conjunto diverso y de amplias proporciones con la pretensión de

---

[2] Adoptamos la forma abreviada *PSIC* para aludir al libro.

darlo a conocer fuera de la isla. Hasta ahí pareciera que el influjo de
Del Monte se limitó a suministrar esos documentos y también a responder dos cuestionarios de Madden, el primero sobre la trata esclava
y el segundo sobre la situación de la religión católica en la isla. Sin
embargo, las referencias a Las Casas, la situación de la moral y el
catolicismo en *PSIC* llevan a considerar otras probables contribuciones del círculo delmontino. Desde esta perspectiva, la presencia de
Las Casas no resulta fortuita, sino que tiene relación con otros proyectos de intelectuales cubanos.

Conocido por su dedicación a la literatura, pero también a la historia, Del Monte había propiciado la publicación de obras del político
José Martín Félix de Arrate (1701-1765) y del obispo Pedro Agustín Morell de Santa Cruz (1694-1768) que incluyeron encomiásti-
cas menciones a Las Casas[3]. Otros dos intelectuales cercanos a Del
Monte también se habían remitido a Las Casas: Felipe Poey (1799-
1891) había difundido en 1837 extractos de referencias a Cuba en la
obra del sacerdote[4] mientras este era mencionado en una narración
de Ramón de Palma (1812-1860), "Matanzas y Yumurí" (1837), ini-
ciadora del siboneyismo. Resulta poco probable que Madden hubiese
vivido en La Habana y preparado un libro con referencias tan profu-
sas sin consultar la espléndida colección literaria de Del Monte. Tanto en la vindicación de Las Casas por Madden en *PSIC* como en las
respuestas de Del Monte a los cuestionarios aparecen referencias al
escritor español Manuel José Quintana (1772-1857) y al tercer tomo

---

[3] En la sección de Historia de la Real Sociedad Patriótica de La Habana, Del
Monte propició la publicación de *Llave del Nuevo Mundo, antemanual de las Indias*,
del regidor habanero Arrate. El nombre de Del Monte aparece en las páginas previas
en que se deja constancia de los integrantes de la comisión y los redactores de la
introducción. Además, Del Monte tuvo la iniciativa de publicar *Historia de la Isla
y Catedral de Cuba*, y *Relación histórica de los primitivos obispos y gobernadores
de la Isla de Cub*a, ambas de Morell de Santa Cruz, recogidas en las *Memorias de la
Sociedad Patriótica de la Habana*, tomos XII y XIII correspondientes a 1841 y 1842,
respectivamente. Ver además *Centón epistolario*, t. 1, p. 19, y t. 2, pp. 14-15.

[4] Poey le llama "santo varón" en "Fray Bartolomé de Las Casas. Obispo de
Chiapas". En una nota al pie aclara que ese artículo "formaba parte de una Lista inédita de las obras impresas y manuscritas de Fray Bartolomé de las Casas, redactada por
mí en 1824.". Más información en las *Obras literarias* de Poey (265).

de su *Vidas de españoles célebres* (1833). Ese volumen, para ambos
una de las referencias más objetivas a la hora de evocar al dominico,
formaba parte de la biblioteca delmontina. Una prueba del trasiego
de publicaciones queda reflejado en una carta de septiembre de 1839
en que Madden le anuncia a Del Monte que le devolverá un libro
de Las Casas. Los contertulios de Del Monte recibían préstamos de
sus actualizados anaqueles, según queda constancia en el cuaderno
empastado en cuero y de filetes dorados en que el crítico anotaba con
letra minúscula las obras de su colección, clasificadas temáticamen-
te. Semejante cuaderno nunca es citado en las reconstrucciones del
círculo delmontino, como si fuera desconocido por los investigadores.
Dejamos aquí constancia de esa joya bibliográfica conservada en la
Colección Herencia Cubana de la Universidad de Miami y que ahora
resulta propicia para corroborar la gravitación de la impronta lascasia-
na en la Habana decimonónica[5].

Del Monte muestra también su interés por las denuncias de Las
Casas al transcribir su carta del 15 de septiembre de 1544 dirigida al
príncipe Felipe, la cual pertenece desde el siglo XIX a la colección
del filósofo e historiador Juan Bautista Muñoz (1745-1799) y ahora
se encuentra en la Real Academia de Historia de España[6]. Aparen-
temente, la carta fue transcrita por Del Monte en Madrid como parte
de su objetivo de escribir una historia de Cuba, uno de sus últimos y
frustrados proyectos. La misiva de Las Casas acusa a Juan de Ávila
de gobernar tiránicamente en Cuba (1544-1546) y de propiciar la trata
de indios, los cuales eran llevados a la isla desde territorio continental
americano. Por esa época ya Las Casas había comenzado la redacción
de *Brevísima relación de la destrucción de las Indias*, la cual también
dedica al príncipe Felipe.

Asimismo, las obras de Las Casas aparecen mencionadas en la
biblioteca embarcada rumbo a Nueva York por Leonardo del Monte,

---

[5] Agradezco el apoyo de Lesbia y Esperanza Varona durante mis investigaciones en la CHC.

[6] El documento es copia de folios de la colección de Muñoz, conformada a
partir de la solicitud del rey Carlos III de escribir la Historia del Nuevo Mundo. La
carta aparece mencionada en el *Catálogo de la colección de D. Juan Bautista Muñoz
II* (Referencia 1166, p. 100), publicado por la Real Academia de Historia de España.

años después de que su padre abandonara definitivamente la isla, el 1 de mayo de 1843. La lista de embarque de los libros, con fecha del 28 de abril de 1869, se conserva en la New York Public Library[7]. La colección delmontina, conformada a lo largo de décadas de adquisiciones en Estados Unidos, España y Francia, se desperdigó en universidades y archivos estadounidenses luego de ser subastada en 1877 y 1882 en Nueva York. En los catálogos de las subastas queda constancia de que Del Monte atesoraba obras de Las Casas impresas en el siglo XVII[8]. De igual modo, su figura es citada por Del Monte en su lista de libros sobre Cuba, que preparó en París en 1842 pero no fue publicada hasta 1882[9].

José Antonio Saco, otro de los allegados a Del Monte, una de las figuras más citadas por Madden en *PSIC*, emplazó a la Real Academia de Historia de España en 1865 por haber rechazado en 1832 la publicación de *Historia general de las Indias* (escrita de 1552 a 1561), arguyendo principalmente razones de estilo cuando previamente, en 1818 y 1819, esa misma institución había expresado interés en publicarla. En un artículo en la *Revista Hispano-Americana*, Saco argumentó que la decisión de la Academia se debía a razones políticas, específicamente el temor a que las menciones de Las Casas a la

---

[7] Agradezco el patrocinio de la New York Public Library en estas pesquisas y el apoyo del curador Thomas Lannon.

[8] El *Catalogue of the Third Part of the Remarkable Library Collected in Spain, Cuba and the United States by de Family of Delmonte*, preparado para la subasta del 21 y 22 de junio de 1888, incluye raras ediciones de libros de Las Casas con fecha de 1620 y 1645, así como otros documentos y manuscritos sobre el sacerdote. No queda especificado cuándo Del Monte adquirió estas obras ni si ya estaban en sus manos en La Habana, o solo en su última etapa de vida en Europa. La colección fue expuesta en Nueva York durante los tres días previos a la subasta.

[9] Se trata de "Biblioteca Cubana: Lista cronológica de los libros inéditos e impresos que se han escrito sobre la isla de Cuba y de los que hablan de la misma desde su descubrimiento y conquista hasta nuestros días". Del Monte menciona al "venerable Obispo" Las Casas y su *Historia de las Indias* (6), de la cual Poey extrajo referencias a Cuba y las publicó en las *Memorias de la Real Sociedad Patriótica* en 1837 (280-293). Confirmando el conocimiento sobre esas referencias, Del Monte agrega que el manuscrito original e incluso los borradores se hallaban en la biblioteca de la Academia de la Historia en Madrid, y recomienda leer "su vida, escrita con singular elegancia de lenguaje y no común filosofía de concepto" en *Vidas de españoles célebres*, de Quintana.

violencia de la conquista levantaran en Hispanoamérica más repudio hacia la otrora metrópoli. La Academia había rechazado la publicación de esas obras de Las Casas en la misma década en que el círculo antiesclavista cubano y Madden desplegaban en La Habana la ofensiva contra las autoridades coloniales por su complicidad con la trata africana. Como demuestra Madden en *PSIC*, años antes del reclamo de Saco, el legado de Las Casas resultaba altamente funcional para señalar el estrecho vínculo entre esclavismo, corrupción administrativa y opresión colonial.

Al igual que Madden, Saco desmintió posteriormente en su *Historia de la esclavitud de la raza africana* (1875-1879) que Las Casas hubiera sido el responsable de la primera introducción de esclavos africanos en el Nuevo Mundo (92-109). Tanto el irlandés como el cubano se adentraron en un recuento de referencias documentales para absolver al religioso de semejante responsabilidad y ambos terminaron coincidiendo en la sinceridad de su arrepentimiento por haber sugerido el alivio de los aborígenes con fuerza de esclavos africanos (Saco 109). Madden dedica todo un acápite a Las Casas en *La isla de Cuba* (la primera edición en inglés fue en 1849 y en español, en 1964), en que desplegó aún más información sobre su experiencia cubana y citó frecuentemente a Saco[10]. El interés de intelectuales como Madden, Del Monte y Saco por Las Casas entronca con un fenómeno

---

[10] Madden culpa de la proliferación de versiones negativas sobre Las Casas a Juan Ginés de Sepúlveda (1490-1573) y al cronista e historiador Antonio de Herrera (1549-1626), pero confiesa con pesar que no ha encontrado en la propia obra de Las Casas mayores expresiones de condena contra la esclavitud africana. Del texto de Quintana cita la frase clave de arrepentimiento de Las Casas de haber sugerido el uso de esclavos africanos: "Because they (the negroes) had the same rights as the Indians" – "porque la misma razón es de ellos que de los Indios" (*PSIC* 49). Madden se vale de otros autores para subrayar que la introducción y comercio de negros en América existió desde 1510, antes de la sugerencia hecha por Las Casas (*PSIC* 153). En *La isla de Cuba*, Madden afirma: "Ninguno de los historiadores de las Antillas, contemporáneos de Las Casas, se refiere a los cargos imputados por Herrera contra éste" (43), reafirmándolo así como principal propagador de versiones negativas sobre Las Casas. La obra de Herrera que Madden cuestiona es *Historia general de los hechos de los castellanos en las islas y tierra firme del mar Océano que llaman Indias Occidentales*, publicada entre 1601 y 1615 y conocida como *Décadas*.

más profundo: su figura se halla en el centro mismo de la irrupción de
Cuba en la historia y el imaginario europeos, así como en los análisis
que trazan vínculos entre esclavismo y opresión política en el Nuevo
Mundo. Las Casas y Manzano no coinciden de modo fortuito en los
libros de Madden, sino como resultado de una perspectiva que tiende
un puente de tres siglos entre el sometimiento de los aborígenes y el
de los africanos, así como entre la violencia y la tiranía de la conquista
con la situación colonial de Cuba cuando ya otras naciones hispanoa-
mericanas se habían liberado.

EL APOSTOLADO DE LAS CASAS Y EL FERVOR CRISTIANO DE MANZANO

PSIC y *La isla de Cuba* desligan al cristianismo como doctrina que fundamente la explotación de los indígenas y de los africanos
en nombre de la evangelización. Madden descarta que el cristianismo
concuerde con la esclavitud y en cambio culpa al clero de permisibi-
lidad debido a su alianza con el poder español[11]. Una composición
poética de Madden incluida a continuación del prefacio de *PSIC*, "The
Slave Trade Merchant" (14), brinda un contexto de la esclavitud en la
isla y llega a decir en una estrofa clave que: "Is there no sacred minis-
ter of peace/ To raise his voice, and bid these horrors cease?/ No holy
priest in all this ruthless clime,/ To warn these men, or to denounce
their crime? No one Las Casas to be found once more" (14)[12]. Más
adelante, en otra sección del mismo libro, "Necessity of separating
the Irish in America from the sin of Slavery" (*PSIC* 135-145), aboga
a favor de que los emigrantes irlandeses que viajaban a los Estados
Unidos debían ser advertidos previamente de que el cristianismo no
avalaba la esclavitud y para corroborarlo incluyó un resumen de las

---

[11] Durante la Convención Antiesclavista en Londres, Madden asevera que en
Cuba el esclavismo es cometido "por un pueblo, en fin, que profesa la religión de
Cristo, y que se atreve a asociar la santidad de este nombre con la rapiña, el asesinato y
la muerte de la esclavitud misma, que se ejecutan aun en su nombre y defendidos con
argumentos, con el objeto, dicen, de hacer cristianos de incrédulos africanos" (*Adress
on Slavery in Cuba* 30).

[12] Madden incluyó en *PSIC* un segundo poema suyo de contenido religioso:
"The sugar state".

bulas pontificias de tónica antiesclavista. Reivindicar a Las Casas cumplía con la función de exponer la excepcionalidad de un sacerdote enfrentado a personajes e intereses poderosos de su época pero, sobre todo, mostrar que el cristianismo podía servir de basamento a una gesta emancipadora.

A la par de su celo por los intereses políticos y económicos inherentes a su cargo como enviado de la corona británica, Madden ofreció en Cuba muestras de ardor religioso. Durante su estancia, publicó el poemario religioso *Breathings of Prayer in Many Lands* (1838) en una edición de veinte ejemplares que hizo circular entre amigos. Thomas More Madden, hijo de Madden nacido en La Habana en 1838, reprodujo dos de esos poemas en *The Memoirs (chiefly Autobiographical) from 1798 to 1886 of Richard Robert Madden* (1891), volumen armado a partir de documentos de su padre y recuerdos familiares, el cual confirma que en aquella etapa el catolicismo se reforzó en la familia. En 1837 su madre se convirtió a esa religión, decisión que marcó la existencia de quien era estrecha colaboradora intelectual de Madden, según la evocación del hijo de ambos[13]. La extensa producción intelectual de Madden, estimada por sus biógrafos en casi medio centenar de libros, incluye títulos sobre la historia de la iglesia católica.

Coincidentemente, Madden describe la situación de la Cuba esclavista y evoca a Las Casas en su informe ante la Convención Mundial Antiesclavista celebrada en Londres en junio de 1840 y en cuyos cimientos organizativos estuvo la Sociedad de Amigos o movimiento cristiano cuáquero[14]. La existencia de este circuito trasatlántico, en

---

[13] Sobre la conversión, More Madden precisa: "It may be added that some years after her marriage Mrs. Madden, when in Cuba in 1837, from sincere conviction-and from a circumstance of a character too solemn to be here referred to became a convert to the Catholic Faith, into which she was received in the Havana by a Spanish Franciscan friar, Padre Moreno, a man remarkable for the singular piety and self-denial of is life" (*The Memoirs* 61).

[14] La Convención fue organizada por la British and Foreign Anti-Slavery Society (BFASS), considerada actualmente la organización mundial más antigua de derechos humanos. La BFASS tuvo sus orígenes en la Anti-Slavery Society fundada en 1823 para la abolición de la esclavitud en el imperio britanico y en la Society for the Abolition of the Slave Trade, ambas con fuerte presencia de figuras del movimiento cuáquero. La BFASS fue refundada en 1990 como Anti-Slavery International

los cuales el antiesclavismo y el cristianismo se combinaban, puede
resultar más evidente en los vínculos soterrados que permitieron la
llegada a España de composiciones de Manzano gracias a la relación
de Madden con el filólogo Benjamin Barron Wiffen, quien le remitió
copias a Luis de Usoz, documentos que actualmente reposan en la
Biblioteca Nacional de Madrid[15]. Wiffen y Usoz fueron eruditos en
temas de historia del cristianismo y publicaron en conjunto. En Manzano se unía el perfil propicio del esclavo en condiciones para relatar
su cautiverio, pero también el de devoto. El humilde poeta mulato
entra en esa órbita transnacional en buena medida por el perfil marca-
damente religioso de varias de las trece composiciones copiadas por
Wiffen para Usoz.

La autobiografía de Manzano rezuma religiosidad, así como
varios de los siete poemas suyos traducidos por Madden para *PSIC*,
entre ellos "Oda a la religión" y "Treinta años", posiblemente su composición más celebrada y que le abrió las puertas al círculo delmontino
a mediados de la década del treinta[16]. Desde las escenas iniciales de
la *Autobiografía* hasta las últimas, Manzano da cuenta de su firme
religiosidad. Los orígenes de su formación religiosa estuvieron imbri-
cados con la literatura. Varias escenas autobiográficas y poemas están
permeados del imaginario cristiano y remiten al sufrimiento de Jesu-
cristo. Este aspecto tan notorio en la obra de Manzano seguramente
llamó la atención de Madden y resultó propicio para la coherencia
ideológica y estética de *PSIC*. Él mismo rememora: "de diez años
daba de memoria los más largos sermones de Fray Luis de Granada

---

y mantiene su lucha contra la esclavitud. Más información en la página: http://www.
antislavery.org/english/ (Fecha de acceso: 8 de julio de 2013).

[15] Ver amplias referencias en *Poesía de J. F. Manzano, esclavo en la isla de
Cuba*, de Lewis Galanes.

[16] Los poemas de Manzano incluidos en *PSIC* son: "Ode to Death", "Ode to
Calumny", "Ode to Religion", "Thirty Years", "The Cucuya; or Fire-Fly", "The Clock
that Gains" y "The Dream". Friol aporta las fechas de publicación de esas obras en
orden cronológico: "A la muerte", en *Poesías líricas* (1821), "Oda a la religión", en
Diario de la Habana (1831), "Treinta años", "La Cocuyera" y "Al reloj adelantado"
en *Aguinaldo Habanero* (1837) y "Un sueño", en *El Álbum* (1838), e indica que quedaba pendiente localizar el original de "A la calumnia" y que tal vez estuvo efectivamente inédito hasta 1840.

(1505-1588), sabía todo el Catecismo, y cuanto puede enseñar de religión una mujer" (ctd. en *Poetas de color* 53). Se refiere a su madrina de bautismo, Trinidad de Zayas. La fe deviene asidero para su liberación en la escena final de su recuento existencial, cuando invoca la protección divina y furtivamente huye de sus propietarios.

La religiosidad de Manzano también fue subrayada por Francisco Calcagno quien en su *Poetas de color* publicó los primeros fragmentos en español de la *Autobiografía*, llamando la atención sobre su estilo cuasibíblico, el cual compara con el del escritor italiano Silvio Pellico (1789-1854), trasladando así al poeta cubano a una órbita de referencias europeas y haciendo un elogio de la supuesta elocuente simplicidad de estilo de ambos[17]. Calcagno concluye que "Manzano era devoto, con aquella devoción mezclada de fanatismo de las personas ignorantes de su época" (*Poetas de color* 77). Coincidentemente, este biógrafo cubano menciona a Las Casas concordando con la perspectiva de Madden de que fue la desesperación lo que le empujó a sugerir el traslado de esclavos africanos al Nuevo Mundo[18]. Calcagno, pudo consultar el libro de Madden gracias a que "el único ejemplar de esta traducción" (52) pertenecía a José Antonio Echeverría (1815-1888) y tal vez evocó a Las Casas endeudado con esas lecturas previas[19].

---

[17] Resulta asombrosa la coincidente perspectiva de Madden para estructurar su *PSIC* con la inspiración religiosa de la *Autobiografía* y de varios poemas de Manzano. Manzano continuó escribiendo poesía de inspiración religiosa, tal como demuestran sus octavas reales "A Jesús en la cruz", publicadas en el *Diario de La Habana* el 9 de abril de 1841 (*Suite para Juan Francisco Manzano* 132-134).

[18] Calcagno subraya la degeneración social en la Cuba esclavista y se sorprende de los excesos cometidos por la segunda propietaria de Manzano, la marquesa de Prado Ameno, "cuyo corazón estaba maleado por el hálito impuro que se respira en todo país esclavista" (64). Arguye que esa conducta formaba parte de circunstancias generalizadas en una sociedad en que tanto los propietarios como sus descendientes habían quedado implicados: "Los delitos sociales no son de los individuos, sino de la época y todos saben que en asuntos de esclavitud, pocos entre nosotros pueden, impecables, tirar la primera piedra. Nuestros padres utilizaron ese crimen social, nosotros lo estamos utilizando hoy; y a todos poseedores y no poseedores, nos toca parte de la mancha" (64).

[19] Echeverría formaba parte del círculo delmontino. Habitualmente es recordado por su hallazgo en 1836 del poema fundacional de la literatura cubana, "Espejo de Paciencia" (1608), de Silvestre de Balboa, en la biblioteca de la Real Sociedad

El interés por el catolicismo y su papel en la sociedad colonial cubana emerge en varias obras del círculo delmontino como una confirmación de que la situación de deterioro moral de la población se debe precisamente a deficiencias de la instrucción religiosa, la expandida incredulidad y el ejemplo poco edificante del clero. Uno de los textos incluidos en el portafolio antiesclavista, pero que quedó inédito, aborda frontalmente el tema. Se trata de "El hombre misterioso"/"El cura" (1838), de Tanco y Bosmeniel, parte de su trilogía *Escenas de la vida privada en la isla de Cuba*. El protagonista del relato es un sacerdote ignorante y disoluto de las inmediaciones de La Habana. Tanco y Bosmeniel era uno de los contertulios delmontinos allegados a Madden y leyó manuscritos del irlandés, según confirman cartas del *Centón epistolario*. Cabe preguntarse qué intercambios entre ellos pesaron en la gestación de una afilada crítica como "El hombre misterioso"/"El cura" y su inclusión en la carpeta antiesclavista[20].

Del Monte consideraba que los problemas morales de la sociedad cubana entonces se derivaban en alguna medida de fallas del clero. Sus respuestas al cuestionario de Madden son contundentes. En *La isla de Cuba*, le confía: "Nuestros curas no acostumbran predicar el Evangelio a sus feligreses ni de palabra ni de obra" (124). Las respuestas de Del Monte hacen un completo recorrido desde la presencia de Las Casas en la isla hasta la educación religiosa de la población, la labor del clero y el escaso fervor religioso. Del Monte confirma que la instrucción religiosa de los esclavos se limita a la repetición del rosario durante el tiempo de la zafra y que ni siquiera los propios amos entienden la doctrina. Describe una sociedad donde, en su opinión, predomina la indiferencia religiosa. Sorprendentemente, revela que la religión católica tiene sus principales seguidores entre "amongst the free negroes and coloured people" (*PSIC* 132), aunque también

---

Patriótica de La Habana, institución en la cual colaboró en las comisiones de literatura e historia junto a Del Monte. Fue abolicionista y por su labor política fue deportado a España en 1855. Apoyó la guerra de independencia de 1868 y promovió la causa independentista cubana desde Nueva York.

[20] Ver "El hombre misterioso" / "El cura": el texto del segundo relato en las *Escenas de La vida privada en la isla de Cuba* por Félix Manuel Tanco y Bosmeniel", de Lewis Galanes.

entre muchas antiguas familias. *Cecilia Valdés* (1839, 1882), cuya gestación se ubica en el entorno delmontino, muestra que las mayores expresiones de fervor religioso proceden de descendientes de africanos, como el personaje de la anciana negra Chepilla, y subraya la inhumanidad de esclavistas como la criolla Rosa Gamboa, la cual por momentos se asemeja a la cruel y caprichosa María de la Concepción del Manzano y Jústiz, marquesa de Prado Ameno, segunda propietaria de Manzano.

Existe una coincidencia ideológica de perspectivas entre las referencias incluidas por Madden y las respuestas de Del Monte en los dos cuestionarios de *PSIC*. Del Monte confiesa que en el país prevalece la desmoralización como resultado del despotismo, la esclavitud y la ignorancia (*PSIC* 132). Asimismo, citado nuevamente por Madden en *La isla de Cuba*, resume sobre los campos cubanos: "No es extraño que hombres selváticos, rodeados de esclavos sin buenos consejos que seguir ni buenos ejemplos que imitar, se encuentren impotentes ante el vicio y se entreguen a él, como malignos, irreligiosos e ignorantes" (124) y prosigue: "muchos hombres hay y muchas mujeres en los campos de la isla de Cuba, que después que se bautizan no vuelven a entrar en una iglesia hasta que se casan; y miles que ni aun por este rito acuden al templo, porque viven toda su vida en asqueroso contubernio" (124). Faltaban pocos años para que Domingo Faustino Sarmiento (1811-1888) planteara en *Facundo: Civilización y barbarie* (1845) los efectos de la carencia de escuelas e iglesias en recónditos parajes de la geografía argentina.

Algunas correcciones para esta situación son presentadas por Del Monte en "Informe sobre el estado actual de la enseñanza primaria en la Isla de Cuba en 1836, su costo y mejoras de que es susceptible". Un ejemplo explícito de la certidumbre de Del Monte en la capacidad correctiva de la educación, la religión y la literatura aparece en ese mismo artículo al referir que en ciudades estadounidenses existen "Casas o Asilos de corrección para adolescentes" (79) para que los jóvenes castigados por la policía no vayan a cárceles comunes y, en cambio, se les brinda "instrucción moral y literaria, y el aprendizaje de algún oficio, se les hace adquirir hábitos de laboriosidad y de economía, y se les inspiran por medio de pláticas religiosas sentimientos honrados y de vergüenza [...]" (79). Esta misma perspectiva sobre el poder de la educación y la religión sustenta el elogio de Manzano a su primera propietaria, Beatriz de Jústiz, marquesa de Santa Ana (1733-1803), y su costumbre de instruir a adolescentes esclavas para liberarlas cuando ya podían valerse por sí mismas. Para críticos como Luisa Campuzano, Jústiz es la primera mujer en Cuba de quien se conocen textos con propósitos letrados y literarios[21]. Manzano proviene precisamente de esa cuna; ese es su origen espiritual y artístico. En sus primeras líneas autobiográficas describe enaltecedoramente el influjo de la marquesa para reafirmar aquel mundo ideal que era una promesa de otro orden posible en la isla. Manzano se expresa como esclavizado en que han calado valores cristianos haciéndole funcional a la sociedad y con grandes potencialidades, tal como se desprende de la cruzada de Las Casas en defensa de los aborígenes. El poeta cubano se describe emergido de un proyecto formativo tronchado en sus años de infancia el cual vinculaba humanismo, cristianismo e incluso un acercamiento a la literatura a través de los sermones de Fray Luis de Granada, coincidentemente un dominico contemporáneo de Las Casas[22].

VIAJEROS Y TESTIMONIOS: DE LA OBJETIVIDAD DE LOS SENTIDOS Y LA VERDAD AHOGADA EN EL VINO

Un aspecto que concede gran coherencia editorial a *PSIC* y explica la presencia de Las Casas, Manzano y Del Monte es la búsqueda de datos y testimonios confiables sobre el esclavismo en Cuba. Su autor ya había publicado sobre la esclavitud en el Caribe, luego de radicar

---

[21] Ver su libro *Las muchachas de La Habana no tienen temor de Dios: escritoras cubanas (s. XVIII-XXI)*.

[22] Otra influencia decisiva para Manzano fueron sus lecturas de Juan Bautista Arriaza (1770-1837), autor de poesía amorosa, laudatoria y patriótica, cuyo tono determinó que el rey Fernando VII lo declarara poeta oficial de la corte. Los sonetos de Arriaza están salpicados de referencias grecolatinas y neoclásicas, así como de motivos románticos, tal como observamos en la poesía de Manzano. Los confines en que se mueve la obra de Manzano lindan por un lado con la religiosidad cristiana y por otro con el romanticismo más típico.

en Jamaica[23]. Madden estaba consciente de que se desenvolvía en un contexto de versiones sesgadas por intereses políticos y económicos, obstáculos e intimidaciones. Similar interés por la credibilidad también se corrobora en *La isla de Cuba*, en que incluye mayor riqueza de fuentes. Madden se ubica como émulo de Las Casas asumiendo riesgos y en el papel de proveer noticias sobre el Nuevo Mundo al territorio europeo, para lo cual insiste continuamente en su solvencia intelectual.

Desde el primer párrafo de *PSIC* subraya la respetabilidad de sus fuentes en Cuba y la autenticidad de los manuscritos del esclavo: "A COLLECTION of Poems written by a slave recently liberated in the Island of Cuba, was presented to me in the year 1838, by a gentleman at Havana, a Creole, highly distinguished, not only in Cuba, but in Spain, for his literary attainments." (*PSIC* i). Semejante referencia prestigia al colaborador –que evidentemente es Del Monte– como un personaje distinguido no solo en el ámbito colonial, sino también europeo y metropolitano. De ahí que toda prueba incorporada a *PSIC* es avalada directamente por Madden, lo cual al mismo tiempo contribuye a mostrar ante el lector la calidad de sus vínculos directos con la sociedad cubana y los criollos. Madden se presenta como una figura que ha radicado en la isla y se distancia de los viajeros de paso que supuestamente se han dejado engañar por esclavistas. A partir de ese punto cuestiona versiones sobre la benignidad que presuntamente ha predominado en el tratamiento a los esclavos en las colonias españolas. No duda en tachar de ingenuos a los viajeros y de poner en duda su capacidad de objetividad: "They eat and drink, no doubt, in the houses of the opulent planters in the towns, and they reason on the strength of the goodness of their entertainments, that the slaves of their hosts are treated like their guests." (*PSIC* 160). Estos mismos viajeros no estarían en condiciones, reprocha Madden, de responder preguntas básicas

---

[23] Madden había publicado previamente *A Twelve Month's Residence in the West Indies, during the Transition from Slavery to Apprenticeship; with Incidental Notice of the State of Society Prospects, and Natural Resources of Jamaica and other Islands* (1835), dos volúmenes que dan cuenta de sus labores como "Special Magistrate" designado en Jamaica para la ejecución de la ley inglesa sobre la abolición de la esclavitud.

como: "Had they seen these properties in the absence of their friends, the planters?--Did they know how many hours the slaves worked?– How great is the mortality on their estates?–What is the proportion of the sexes? What modes of punishment are in use?", cuyas respuestas, en cambio se desprenden de *PSIC*. Por tanto, Madden concluye que no hay objetividad en las versiones de viajeros ni de religiosos sobre Cuba. Enfáticamente descree de esos testimonios originados en la mesa de los esclavistas, compartiendo su vino y donde "truth is drowned in hospitality" (*Address on Slavery in Cuba* 6), alega ante los delegados procedentes de varios países en la convención londinense en 1840[24].

En sus dos libros sobre Cuba y en la alocución, Madden contrapone las versiones librescas a lo que han constatado sus sentidos: "I have heard or read of the atrocities of Spanish slavery, but I saw them with my own eyes" (*Address on Slavery in Cuba* 10). Se describe visitando plantaciones donde interroga a esclavos y mayorales. Su testimonio está dirigido a cuestionar los pronunciamientos de políticos que nunca han estado en la isla. Madden rebate específicamente la intervención de Alexis de Tocqueville (1805-1859) ante la Cámara Francesa de Diputados el 23 de julio de 1839 cuando afirmó que "it is of public notoriety in the New World, that, among the Spaniards, slavery has always been pecualiarly softener" (19). Años antes el barón Alexander von Humboldt había publicado su *Ensayo político y económico sobre la isla de Cuba* (la primera edición definitiva en francés fue en 1826 y en español en 1827) en que también se refiere a la esclavitud y la figura de Las Casas poniendo en duda un genocidio aborigen porque en la isla supuestamente no habrían vivido tantos nativos. Pese a describir la crudeza del esclavismo en Cuba, Humboldt afirma que "la legislación española contraria enteramente a las legislaciones francesa e inglesa favorece extraordinariamente la libertad no poniéndole

---

[24] La traducción de este informe presentado en la Convención fue publicada en Barcelona en 1841. Al final se incluyó una nota de "Los Editores al Lector" con la siguiente exhortación: "¡Ojalá se levanten todos los hombres honrados de España, y formando asociaciones, pidan al gobierno la abolición de un sistema tan inicuo!" (68). La voz de Madden y de los antiesclavistas cubanos se expandía así en la propia metrópoli.

trabas ni haciéndola onerosa" (124) y desconfía de las versiones de Las Casas diciendo que "todas cuantas noticias estadísticas se hallan en los escritos del obispo de Chiapa [*sic*] están llenas de contradicciones" (127). Madden conocía el libro de Humboldt, como revela en *PSIC* (157), pero no lo toma como referente. En cambio, exalta *Travels in the West: Cuba, with Notices of Porto Rico, and the Slave Trade* (1840) del periodista inglés David Turnbull, nombrado sucesor de Madden en La Habana[25]. Al reverenciar a Turnbull como autor fiable, Madden se prestigia públicamente por haber compartido las mismas incursiones en las plantaciones isleñas. Años después, Thomas More Madden insistió igualmente en la credibilidad de su padre y su conocimiento de primera mano del país:

> Dr. Madden found time for exploring the natural wonders of that great island, a large part of the interior of which to the present time still remains a veritable terra incognita to European travelers. These journeys through the remote, sparsely populated, and semi-civilized mountain districts of Cuba, were by no means facile of performance, nor in some instances by any means void of personal danger. (*The Memoirs* 83)

En *PSIC* y otros textos de Madden aflora el ancestral debate historiográfico sobre la legitimidad de las fuentes librescas en contraste con la experiencia sensorial, el cual asoma previamente en textos de Las Casas, quien sostiene sobre "[Gonzalo Fernández de] Oviedo que presumió de escribir historia de lo que nunca vio ni conoció" (ctd. en *Memorias de la Real Sociedad* 289). Madden se interna en un proyecto más ambicioso que abarca la inclusión de fuentes del Nuevo Mundo, lo cual implica a Las Casas, pero también al dominico Servando Teresa de Mier (1763-1827), quien fue perseguido y estuvo en prisión en La Habana en 1820. Los dos religiosos fueron figuras incómodas

---

[25] Turnbull fue un experimentado corresponsal de prensa en Europa y miembro de la English Anti-Slavery Society, que radicó en Cuba de 1840 a 1842 como cónsul y superintendente de esclavos liberados. Sus actividades antiesclavistas, denuncias y recorridos por zonas cañeras motivaron el rechazo de las autoridades e incluso amenazas de muerte. Fue expulsado de la isla en noviembre de 1842 y sus actividades fueron vinculadas a los incidentes de la Conspiración de la Escalera en 1844. Fuente: *Oxford Dictionary of National Biography*.

para autoridades coloniales. De igual modo, Madden honra a un criollo como Del Monte y concede protagonismo a la voz y el talento de
un esclavo[26]. Si en su tiempo el sacerdote Las Casas brindó la posibilidad de la entrada documental de los aborígenes al espacio metropolitano, tres siglos después Madden propició la irrupción en Europa de un
cubano criollo, mulato, descendiente de africanos. La potencia de sus
alegatos abolicionistas resulta de la combinación de fuentes europeas
con las del Nuevo Mundo.

Madden enmarca la publicación de Manzano al subrayar que el
autor de la autobiografía había escrito en cautiverio: "it is necessary to
consider the circumstances under which they were written, and how
are these circumstances to be estimated by one ignorant of the nature of
Cuban slavery" (*PSIC* ii). Hay una inquietud sobre el entorno de sur-
gimiento del texto y cómo debía ser leído. Esa obra de Manzano deja
evidencia de las veces que el autor fue silenciado y sus imposibilidades previas para acceder a la escritura. El esclavo fija constancia de la
urgencia expresiva, creativa y escritural. La inquietud por la credibilidad como testigo no compete solo a la vindicación de Las Casas por
Madden, sino que gravita en especial sobre el proceso de escritura de
Manzano, tal como este le explica a Del Monte el 25 de junio de 1835:

> he estado más de cuatro ocaciones pr. no seguirla, un cuadro de tantas cala-
> midades, no parece sino un abultado protocolo de embusterías, y más desde
> tan tierna edad los crueles azotes me asian conocer mi umilde condision; me
> abochorna el contarlo, y no se como demostrar los hechos dejando la parte
> mas terrible en el tintero. (*Autobiografía, cartas y versos*, 83-84)

Para Manzano, lanzar una denuncia conllevaba la posibilidad de
ser cuestionado. De ahí que muestre una pertinaz preocupación por
dejar constancia sobre quiénes estuvieron presentes, escucharon, vieron o supieron. El esclavo escribe dejando pistas para una posible veri-

---

[26] Madden ratifica la solvencia intelectual del libro con un glosario de términos
utilizados en la isla que aluden a la esclavitud, la trata africana y la producción de
azúcar. El glosario lleva como firma las iniciales de Madden pero ha sido atribuido
a Del Monte. Salvador Bueno indica que entre las investigaciones inéditas de Del
Monte se encuentra el "Diccionario de provincialismos cubanos", proyecto que habría
iniciado en 1828 (25).

ficación posterior de los incidentes. Esa inquietud de documentar su denuncia resulta paralela al énfasis de Madden y Del Monte por aportar información constatable. Como esclavo y sujeto desposeído, Manzano trata de dar mayor credibilidad a su testimonio colocando como constancia su cuerpo hambriento, maltratado y exhausto. Como Las Casas y Manzano, Madden también describe el cuerpo, el agotamiento, la enfermedad y la muerte de los esclavizados. La insistencia de Madden, médico de profesión, lleva el matiz de su criterio profesional.

Madden se inquieta sobre su capacidad para demostrar la crueldad del esclavismo cubano y su aptitud para referir lo que ha visto: "when I have dwelt on the appalling scenes I have witnessed, it often seemed hopeless to me, and even imprudent for me, to attempt to disabuse the public mind, and to set my experience against the opinions of many people whose sentiments on any other subject I considered entitled to respect." (*Address on Slavery in Cuba* 5) Madden revela así su ansiedad de ser creído luego de las versiones de viajeros y políticos europeos. Las denuncias de Las Casas forcejeaban en su credibilidad con los encomenderos, y Manzano, como esclavo, "un ser muerto ante su señor" (*Autobiografía, cartas y versos*, 83-84), había temido eventuales represalias de sus amos. En el texto de Manzano el cuerpo se convierte en documento de los maltratos recibidos, pero también del grado de interiorización de su fe; ese mismo cuerpo sometido y vejado, puede mostrarse en varios momentos como cuerpo cristianizado. Si la crueldad del esclavismo desfigura el cuerpo de Manzano, la fe cristiana lo reconstruye al elevarlo a poses representativas del imaginario cristiano. Manzano insiste en las cicatrices de su cuerpo de modo paralelo al que Madden enfatiza en los abusos contemplados con sus propios ojos. Manzano invoca las heridas mientras Madden insiste en la capacidad de percepción de sus sentidos. El cuerpo de Manzano es su clave para corroborar su vivencia del esclavismo y mostrar la altura de su fe. Es un cuerpo que padece en la esclavitud y se redime en el cristianismo. Para Manzano la fe cristiana es un refugio; para Madden, clave de su credibilidad.

Llama la atención que al titular *PSIC* Madden señale en primer lugar que se publican poemas de un esclavo y luego mencione la inclusión de la autobiografía. Tal vez el hecho de colocar el énfasis del título en que el otrora esclavo era un artista realzaba, ante los potenciales lectores, su habilidad para redactar la autobiografía. No es solo la autobiografía de un esclavo, sino de un sujeto más excepcional, con mayores capacidades expresivas. Resaltar la condición de esclavo poeta brindaba una imagen de autonomía intelectual y personal para redactar por sí mismo sus memorias, todo lo cual pesaba a su favor para concederle mayor credibilidad.

CONTINUIDADES, INTERCAMBIOS Y DIÁLOGOS. CONCLUSIONES

PSIC revela un dominio de fuentes bibliográficas que corrobora la pasión bibliofílica de Madden, así como de Del Monte y sus allegados. No es solamente un libro sobre la esclavitud en la isla, sino también un sugerente conjunto de textos sobre los modos en que circulan las ideas desde los espacios coloniales hacia los metropolitanos y viceversa. Desde sus respectivos enclaves Del Monte y Madden se convierten en referencia para su época. La denuncia, el reclamo de libertad y la común invocación de una justicia más cristiana que política unifican estos discursos tendiendo entre sí un puente delineado por Madden como editor. La *Autobiografía* recuerda las cartas de relación de la conquista, en las cuales se rinde testimonio a una autoridad de la cual se esperan justicia y respaldo; Las Casas escribe a la corona y el esclavo, a Del Monte y sus contertulios para invocar gestiones libertarias. Con sus respectivas distancias, las obras de Las Casas y Manzano, atraviesan reescrituras, correcciones, circulación furtiva y silenciamientos. La segunda parte de la autobiografía de Manzano desapareció en manos de Ramón de Palma[27]. *Historia general de las Indias* tardó tres siglos para ser publicada, en 1875, mientras que la *Autobiografía* demoró un siglo para aparecer íntegramente en español, en 1937. En la dilación editorial para publicar al dominico en España y al cubano en la isla influyó el contexto político y la censura.

---

[27] Del Monte atribuyó a Ramón de Palma la pérdida de la segunda parte de la autobiografía, recuerda una carta de Anselmo Suárez y Romero (*Centón epistolario*, t. 2, 391-392). Madden se refiere a la desaparición de ese manuscrito agregando que cayó en manos de personas vinculadas con los otrora propietarios de Manzano (*PSIC* iv).

El legado de Las Casas y la *Autobiografía* corroboraban que la esclavitud impedía el progreso mientras arraigaba la opresión. Las Casas, Madden e incluso Manzano coinciden en un mismo punto en la manera que demuestran que aborígenes y descendientes de africanos pueden incorporarse al aparato productivo sin que mediara el esclavismo. Así lo corrobora Manzano, que se presenta siempre como un fiel trabajador, aunque desgastado por el esclavismo. Madden hace un elogio de ese sujeto ya manumitido que busca su propio camino productivo en la sociedad colonial: "He obtained employment as a tailor for some time after he got his freedom, subsequently, he went out to service-then tried the business of a house-painter, and was not successful-was advised to set up as a confectioner, and lost all his money in that line, and eventually, has settled down as a 'chef de cuisine' in occasional service" (*PSIC* iv). La defensa humanista y la invocación cristiana de que se vale Madden no pone en dudas las aptitudes ni posibilidades de participación de Manzano en la vida económica.

Resulta mucho más estimulante la lectura de la *Autobiografía* y de las novelas emergidas del grupo delmontino, junto a las referencias de reivindicación sobre el sacerdote dominico, si se contemplan como una continuidad: desde la conquista hasta la colonia, desde el ámbito colectivo descrito por Las Casas hasta el doméstico trazado por Manzano, desde el componente aborigen al africano y criollo. Manzano sufre en los salones de la aristocracia del XIX el perfeccionado engranaje de instituciones cuyos cimientos fueron descritos por Las Casas. Las memorias del esclavo lacerado tienen como telón de fondo el genocidio aborigen. Todos estos antecedentes permiten proponer que la *Autobiografía* pueda ser leída estableciendo continuidades temáticas, históricas, literarias y poéticas, vinculando el discurso del esclavo cubano con el del sacerdote español en virtud de la perspicacia de Richard Robert Madden y Domingo del Monte como editores y del influjo de otros criollos cubanos cercanos colaboradores e interlocutores.

Bibliografía

Arias, Salvador (Ed.) *Esclavitud y narrativa en el siglo XIX cubano: Enfoques recientes*. La Habana: Editorial Academia, 1995.

Arrate, José Martín Félix de. *Memorias de la Sección de Historia de la Real Sociedad Patriótica de La Habana*. Tomo 1. La Habana: Imprenta de las Viudas de Arazoza y Soler, 1830. (I-XVI).

Barnet, Miguel. *Biografía de un cimarrón*. La Habana: Editorial Letras Cubanas, 1993.

Barreda, Pedro. *The Black Protagonist in the Cuban Novel*. Amherst, Mass: University of Massachusetts Press, 1979.

Blanchet, Emilio. "La tertulia literaria de Delmonte." *Revista de la Facultad de Ciencias y Letras* 14 (1912): 49-50.

Blassingame, John W. *Slave Testimony: Two Centuries of Letters, Speeches, Interviews, and Autobiographies*. Baton Rouge: Louisiana State University Press, 1977.

Bottiglieri, Nicola. "La escritura de la piel: la autobiografía de Juan Francisco Manzano." *Problemas 5. Esclavitud y narrativa en el siglo XIX cubano. Enfoques recientes*. Salvador Arias (Ed.) La Habana: Editorial Academia, 1995. (58-53).

Branche, Jerome. "'Mulato entre negros' (y blancos): Writing, Race, the Antislavery Question, and Juan Francisco Manzano's Autobiografía." *Bulletin of Latin American Research* 20.1 (2001): 63-87.

Brickhouse, Anna. "Manzano, Madden, 'El Negro Mártir,' and the Revisionist Geographies of Abolitionism." *American Literary Geographies: Spatial Practice and Cultural Production, 1500-1900*. Newark: University of Delaware Press, 2007. (209-235).

Bueno, Salvador. *¿Quién fue Domingo del Monte?* La Habana: UNEAC, 1986.

Burton, Gera. *Ambivalence and the Postcolonial Subject: the Strategic Alliance of Juan Francisco Manzano and Richard Robert Madden*. New York: Peter Lang, 2004.

Cairo Ballester, Ana y Amauri F. Gutiérrez Coto. *El Padre Las Casas y los cubanos*. La Habana: Editorial Ciencias Sociales, 2011.

Calcagno, Francisco. *Poetas de color*. Cuarta edición. La Habana: Imprenta Mercantil, 1887.

Campuzano, Luisa. *Las muchachas bonitas no tienen temor de Dios (s. XVIII-XXI)*. La Habana: Unión, 2004.

Catalogue of the Third Part of the Remarkable Library Collected in Spain, Cuba and the United States by de Family of Delmonte. New York: G.A. Leavitt & Co., 1888.

Draper, Susana. "Voluntad de intelectual: Juan Francisco Manzano entre las redes de un humanismo sin derechos." *Chasqui* 31.1 (2002): 3-17.

Ellis, Robert R. *They Dream Not of Angels but of Men: Homoeroticism, Gender, and Race in Latin American Autobiography*. Gainesville: UP of Florida, 2002.

——————. "Reading Through the Veil of Juan Francisco Manzano: from Homoerotic Violence to the Dream of a Homoracial Bond." *PMLA* 113.3 (1998): 422-435.

FERNÁNDEZ DE CASTRO, JOSÉ ANTONIO. *Tema Negro en las letras de Cuba (1608-1935)*. La Habana: Ediciones Mirador, 1943.

FRIOL, ROBERTO. *En La cabaña del tío Tom*. La Habana: Biblioteca Nacional, 1967.

——————. *Suite para Juan Francisco Manzano*. La Habana: Editorial Arte y Literatura, 1977.

GARCÍA, ENILDO A. *Índice de los documentos y manuscritos delmontinos en la biblioteca Otto G. Richter de la Universidad de Miami*. Miami, Fla: Ediciones Universal, 1979.

GARCÍA MARRUZ, FINA. *Estudios delmontinos*. La Habana: Ediciones Unión, 2008.

GOMÁRIZ, JOSÉ. *Colonialismo e independencia cultural: La narración del artista e intelectual hispanoamericano del siglo XIX*. Madrid: Editorial Verbum, 2005.

——————. "La poética de la resistencia en Juan Francisco Manzano." *Casa de las Américas* 219 (2000): 115-120.

GONZÁLEZ DEL VALLE, JOSÉ ZACARÍAS. *La vida literaria en Cuba (1836-1840)*. La Habana: Secretaría de Educación. Dirección de Cultura, 1938.

HENRÍQUEZ UREÑA, MAX. *Panorama histórico de la literatura cubana*. Tomo 1. La Habana: Editora Revolucionaria, 1967.

HUMBOLDT, ALEJANDRO DE. *Ensayo político sobre la isla de Cuba*. París: Jules Renouard, 1827.

KNIGHT, FRANKLIN W. *Slave Society in Cuba during the Nineteenth Century*. Madison: University of Wisconsin Press, 1970.

LABRADOR-RODRÍGUEZ, SONIA. "La intelectualidad negra en Cuba en el siglo XIX: el caso de Manzano." *Revista Iberoamericana* 62:174 (1996): 13-25.

LAS CASAS, BARTOLOMÉ. "Descripción de la isla de Cuba y de sus primeros habitantes copiada del tercer volumen manuscrito de la *Historia General de las Indias por el Fr. Bartolomé de Las Casas, Obispo de Chiapa*. Materiales para la historia del descubrimiento de la América, y en particular de la Isla de Cuba, comunicados por D. Felipe Poey." *Memorias de la Real Sociedad Patriótica de La Habana*. Tomo 4. La Habana: Oficina del Gobierno y Capitanía General por S. M., 1837. (280-293).

——————. *Obras de D. Bartolomé de Las Casas*. Juan Antonio Llorente (Ed.) París, 1822.

LEWIS GALANES, ADRIANA. "El Álbum de Domingo del Monte (Cuba 1838-1839)." *Cuadernos Hipanoamericanos* 451-2 (1988): 255-265.

——————. "El hombre misterioso" / "El cura": el texto del segundo relato en las *Escenas de La vida privada en la isla de Cuba* por Félix Manuel Tanco y Bosmeniel." *Anuario de Estudios Americanos* 51.1 (1994): 185-211.

——————. *Poesías de Juan Francisco Manzano, esclavo en la isla de Cuba*. Madrid: Betania, 1991.

46 ARMANDO CHÁVEZ RIVERA

LUIS, WILLIAM. *Literary Bondage: Slavery in Cuban Narrative*. Austin: University of Texas Press, 1990.

LLORCA-JAÑA, MANUEL. "David Turnbull (1793-1851), journalist and slave abolitionist." *Oxford Dictionary of National Biography*, Oxford University Press (2009). Web. 8 July 2013.

MADDEN, RICHARD ROBERT. *A Twelve Month's Residence in the West Indies, During the Transition from Slavery to Apprenticeship; with Incidental Notice of the State of Society, Prospects, and Natural Resources of Jamaica and other Islands*. Philadelphia: Carey, Lea and Blanchard, 1835.

——————. *The History of the Penal Laws Enacted against Roman Catholics: The Operation and Results of that System of Legalized Plunder, Persecution, and Proscription: Originating in Rapacity and Fraudulent Designs, Concealed under False Pretences, Figments of Reform, and a Simulated Zeal for the Interests of True Religion*. London: T. Richardson, 1847.

——————. "La isla de Cuba en 1836." *Escritos de Domingo del Monte*. Tomo 1. Introducción y notas de José A. Fernández de Castro. La Habana: Cultural S.A., 1929. 3-30.

——————. *The Island of Cuba: its Resources, Progress, and Prospects, Considered in Relation Especially to the Influence of its Prosperity on the Interests of the British West India Colonies*. London: C. Gilpin, 1849.

—————— y J. G. Alexander. *Observaciones sobre la esclavitud y comercio de esclavos*. Barcelona: A. Bergnes, 1841.

——————. *Poems by a Slave in the Island of Cuba, Recently Liberated; Translated from the Spanish, by R. R. Madden, M.D., with the History of the Early Life of the Negro Poet, Written by Himself; to which are Prefixed Two Pieces Descriptive of Cuban Slavery and the Slave-Traffic*. London: T. Ward & Co., 1840.

——————. *The Turkish Empire: In Its relations with Christianity and Civilization*. Dos tomos. London: T.C. Newby, 1862.

——————. *A Twelve Month's Residence in the West Indies, During the Transition from Slavery to Apprenticeship; with Incidental Notice of the State of Society, Prospects, and Natural Resources of Jamaica and other Islands*. Philadelphia: Carey, Lea and Blanchard, 1835.

MONTE Y APONTE, DOMINGO DEL. *Centón epistolario*. Ensayo introductorio, compilación y notas de Sophie Andioc. Cuatro tomos. La Habana: Imagen Contemporánea, 2002.

——————. *Biblioteca Cubana: Lista cronológica de los libros inéditos e impresos que se han escrito sobre la isla de Cuba y de los que hablan de la misma desde su descubrimiento y conquista hasta nuestros días*. La Habana: Establecimiento tipográfico de la Viuda de Soler, 1882.

——————. "Dos poetas negros." *Escritos de Domingo del Monte*. Tomo 1. Introducción y notas de José A. Fernández de Castro. La Habana: Cultural, S.A., 1929. (149-150).

——————. *Humanismo y humanitarismo: Ensayos críticos y literarios*. La Habana: Publicaciones de la Secretaría de Educación, Dirección de Cultura, 1936.

——————. "Informe sobre el estado actual de la enseñanza primaria en la Isla de Cuba en 1836, su costo y mejoras de que es susceptible". *Escritos de Domingo del Monte*. Tomo 2. Introducción y notas de José A. Fernández de Castro. La Habana: Cultural S.A. 1929. (7-66).

——————. "Moral religiosa." *El Plantel* 1, no. 3 (1838): 83-86.

MORE MADDEN, THOMAS. *The Memoirs (chiefly Autobiographical) from 1798 to 1886 of Richard Robert Madden*. London: Ward & Downey, 1891.

MARTÍNEZ CARMENATE, URBANO. *Domingo del Monte y su tiempo*. La Habana: Unión, 1997.

MANZANO, JUAN FRANCISCO. *Autobiografía: cartas y versos de Juan Francisco Manzano. Cuadernos de historia habanera*. José Luciano Franco y Emilio Roig de Leuchsenring (Ed.) La Habana: Beruff Mendieta, 1937.

——————. *Autobiografía de un esclavo*. Iván A. Schulman (Ed.) Madrid: Guadarrama, 1975.

——————. *Autobiografía del esclavo poeta y otros escritos*. William Luis (Ed.) Madrid: Iberoamericana, 2007.

——————. *Juan Francisco Manzano. Esclavo poeta en la Isla de Cuba*. Abdeslam Azougarh (Ed.) Valencia, España: Humanitas, 2000.

——————. *The Life and Poems of a Cuban Slave: Juan Francisco Manzano, 1797-1854*. Edward J. Mullen (Ed.) Hamden, Conn: Archon Books, 1981.

——————. *Obras*. José Luciano Franco e Israel M. Moliner (Eds.) La Habana: Instituto Cubano del Libro, 1972.

—————— y RICHARD ROBERT MADDEN. *Poems by a Slave in the Island of Cuba. Recently Liberated; Translated from the Spanish, by R. R. Madden, M.D. With the History of the Early Life of the Negro Poet, Written by Himself; to Which Are Prefixed Two Pieces Descriptive of Cuban Slavery and the Slave-Traffic*, by R. R. M. London: T. Ward & Co., 1840.

Memorias de la Sociedad Patriótica de La Habana. V. XII. La Habana, 1841.

MILLER, MARILYN G. "Reading Juan Francisco Manzano in the Wake of Alexander Von Humboldt." *Atlantic Studies* 7.2 (2010): 163-189.

MOLLOY, SYLVIA. *Acto de presencia: La escritura autobiográfica en Hispanoamérica*. México: El Colegio de México, 1996.

MORENO FRAGINALS, MANUEL. *El Ingenio: complejo económico social cubano del azúcar*. La Habana: Editorial Ciencias Sociales, 1978.

MUÑOZ, JUAN BAUTISTA. *Catálogo de la colección de Don Juan Bautista Muñoz*. Dos tomos. Madrid: Impr. & Ed. Maestre, 1955.

PALMA, RAMÓN DE. *Obras de Ramón de Palma*. La Habana: Imprenta del Tiempo, 1861.

POEY, FELIPE. *Compendio de la geografía de la isla de Cuba*. La Habana: Imprenta del Gobierno y Capitanía General por S.M, 1845.

—————. "Fray Bartolomé de Las Casas. Obispo de Chiapa." *Obras literarias de Felipe Poey*. La Habana: La Propaganda Literaria, 1888. (265-267).

QUINTANA, MANUEL JOSÉ. *Vidas de españoles célebres* Tomo 3. Madrid: Imprenta de Miguel de Burgos, 1833.

QUINTANA GARCÍA, JOSÉ ANTONIO. "Madden and the Abolition of Slavery in Cuba." *Irish Migration Studies in Latin America* 7.1 (2009).

Real Academia de Historia de España. *Catálogo de la colección de D. Juan Bautista Muñoz*. Dos tomos. Madrid: Imprenta y Editorial Maestre, 1955.

REDDIN, M G. *Memorials of Dr. Richard Robert Madden*. Dublin: John Falconer, 53 Upper Sackville-Street, 1886.

SACO, JOSÉ ANTONIO. "Historia de las Indias por el P. Casas." *Historia de la esclavitud de la raza africana en el Nuevo Mundo y en especial en los países Américo-Hispanos*. París: Tipografia Lahure, 1875.

—————. *El juego y la vagancia en Cuba*. Estudio sobre la esclavitud. La Habana: Editorial Lex, 1960.

SCHOELCHER, VICTOR. *Abolition de l'esclavage: Examen critique du préjugé contre la couleur des africains et des sang-mêlés*. Paris: Pagnerre, 1840.

SUÁREZ Y ROMERO, ANSELMO. *Francisco: El Ingenio o Las delicias del campo*. La Habana: Instituto del Libro, 1970.

TOCQUEVILLE, ALEXIS. *Report Made to the Chamber of Deputies on the Abolition of Slavery in the French Colonies*. Boston: J. Munroe and Co., 1840.

TURNBULL, DAVID. *Travels in the West: Cuba, with Notices of Porto Rico, and the Slave Trade*. New York: Negro Universities Press, 1969.

USOZ Y RÍO, LUIS DE. *Antología:* introducción y selección de Eugenio Cobo. Madrid: Ediciones Pleroma S. A., 1986.

UXO, CARLOS. "Juan Francisco Manzano, Autobiografía del esclavo poeta y otros escritos." *Revista Iberoamericana* 75.229 (2009): 1293.

VERA-LEÓN, ANTONIO. "Juan Francisco Manzano: El estilo bárbaro de la Nación." *Hispamérica* 20.60 (1991): 3-22.

VILLAVERDE, CIRILO. *Cecilia Valdés*. Iván A. Schulman (Ed.) Caracas: Editorial Ayacucho, 1981.

WILLIAMS, LORNA V. *The Representation of Slavery in Cuban Fiction*. Columbia: University of Missouri Press, 1994.

La extraña familia: intelectuales españoles exiliados en Cuba (1936-1943)

ANA SERRA

> "El destierro de los poetas españoles puede verse como un episo-
> dio de la historia de la emigración republicana que, a su vez, fue
> una de las consecuencias de la guerra civil española que, a su vez,
> es un capítulo particularmente dramático de la historia de las gue-
> rras ideológicas del siglo XX [...]
>
> Hay todavía otra perspectiva: la de las relaciones entre México y
> España [...] Es la historia de un conocimiento, un desconocimien-
> to y un reconocimiento [...] El encuentro de los poetas españoles
> republicanos con la realidad mexicana cobra todo su sentido desde
> esta perspectiva"
> OCTAVIO PAZ, "México y los poetas del exilio español" (49-50)

Para el escritor mexicano Octavio Paz las relaciones entre los países de América Latina y España han pasado por una larga historia de encuentros o "conocimiento" (durante la conquista), desencuentros o "desconocimiento" (durante y después de los movimientos de independencia) y finalmente un reconocimiento, o incluso un verdadero "descubrimiento" a causa de la guerra civil española y el exilio republicano. Aunque Paz se refiere específicamente a México al subrayar la importancia del exilio republicano español para la historia intelectual de las relaciones entre América Latina y España, no cabe duda de que este exilio tuvo también una profunda impronta en Cuba. Es sabido que Cuba y Puerto Rico fueron las colonias que más tiempo duraron bajo la dominación española, aquellas que sirvieron de puente entre Europa y América, y aquellas cuya pérdida causó el "desastre" al que aludían los poetas y ensayistas españoles de la llamada Generación del 98. España extendió su influencia en la isla mucho después de la época colonial, gracias a un flujo constante de emigrantes. En palabras de Joaquín Roy, la presencia española había disfrutado des- de la época poscolonial de "soft power" o influencia de baja intensi-

49

dad en la isla, y los emigrantes se esforzaban en mantener tal nivel de influencia en un momento en que la antigua potencia colonial se hallaba empobrecida, y gran parte de su población yacía humillada y derrotada, o aislada (Roy 14). A su vez la isla caribeña dejó una honda huella a efectos prácticos así como ideológicos en España: durante la guerra civil española, numerosos protagonistas de ambos bandos eran de origen cubano[1].

Dada su importancia histórica y la coyuntura política por la que ha pasado recientemente España, el estudio del exilio republicano español a América Latina ha experimentado un auge en los últimos años. El exilio español en México, propiciado por la presidencia de Lázaro Cárdenas y prolongado por campañas de blanqueamiento de la población en presidencias posteriores, ha sido objeto de numerosos estudios. En menor grado se ha estudiado el exilio a Argentina o Chile tras la guerra civil española, a pesar de que estos intercambios fueron también muy productivos[2]. Comparativamente el exilio español en Cuba se ha estudiado relativamente poco, a excepción de algunas monografías como la de Jorge Domingo Cuadriello (2004), que hace un recuento exhaustivo de los españoles de todas las profesiones que emigraron a Cuba entre los treinta y los cuarenta, así como el libro editado por Consuelo Naranjo Orovio y Carlos Serrano, y la monografía de esta última (1988); particularmente enjundioso es el último libro de Cuadriello (2009). Por su parte, el GEXEL (Grupo español del exilio literario) fundado en 1993, surge del intento a otros niveles también institucionales de restituir y reparar la memoria histórica de España tras la guerra civil y la dictadura franquista, por ejemplo, rescatando escritores y obras literarias que habían sido silenciados o relegados a la marginalidad. Con el trasfondo de los estudios de Cuadriello y el GEXEL, mis propósitos en este ensayo son los siguientes: examinar cuidadosamente el contexto de las relaciones intelectuales entre Cuba

---

[1] Para una lista de tales protagonistas véase Jorge Domingo Cuadriello (2009) 42-43. Joaquín Roy, por su parte, menciona a Alberto Bayo, que entrenó a los guerrilleros castristas en México, y a Eloy Gutiérrez Menoyo, líder de la revolución del 59, como soldados de la guerra de España que desempeñaron papeles significativos incluso en la posterior revolución cubana (Roy 18).

[2] Véase Andrea Pagni (Ed.), 2011.

y España tras la guerra civil española, y en un contexto poscolonial; centrarme en la figura del poeta español Juan Ramón Jiménez como caso paradigmático de la actuación beneficiosa pero también impositiva de intelectuales españoles exiliados en Cuba; e interpretar textos claves para una redefinición del campo cultural de ambos países, con amplias repercusiones tanto para el canon de la literatura cubana actual como para la del exilio español.

La estancia de los españoles exiliados en Cuba tras la guerra civil es clave para una historia de la intelectualidad de izquierda de ambos países, en un contexto hostil y en circunstancias de inicial desconfianza, por el largo hiato de relaciones hispanocubanas entre el fin de la colonia y la época de la preguerra civil. Por otra parte, al final de la década de los años treinta el fracaso de la segunda república española se alineaba con el fracaso de la primera etapa de la llamada pseudo-república cubana, la caída del régimen de Gerardo Machado y Morales y la instauración del gobierno de Ramón Grau San Martín. En ese momento de la historia de Cuba, como ya ha recordado Rafael Rojas en su libro de ensayos *El arte de la espera. Notas al margen de la política cubana* (1998), se produce una profunda despolitización de los intelectuales progresistas cubanos, al haber sido frustradas sus aspiraciones democráticas (83). A pesar de la fuerte presencia española en la isla, citada más arriba, la ocupación norteamericana y las secuelas de la época colonial habían creado recelo y una voluntad de distancia por parte de los cubanos. Sin embargo, tras la guerra civil intelectuales cubanos y españoles resultaron estar unidos en la misma causa: ambos irradiaron su entusiasmo hacia otros países en los que los ideales de izquierda y los refugiados, primero de la república y luego de la guerra, tuvieron gran acogida.

Es necesario tener en cuenta también que la herencia española en la isla es fuerte, pero no es en absoluto la única. Es sabido que en muchos niveles y áreas geográficas la herencia africana es ubicua, y en menor grado asiática. Tal como en México los inmigrantes españoles chocaron con una herencia indígena o una trayectoria revolucionaria que les eran totalmente ajenas, el elemento afrocubano era del todo foráneo para los españoles en Cuba. La supuesta cercanía cultural entre España y Cuba, dos países que son al fin y al cabo tan diferentes,

situó la experiencia del exilio español en el ámbito de lo *unheimlich*,
en términos freudianos –aquello que es familiar pero al estar fuera de
contexto se hace extraño e inquietante. Como se verá más adelante, el
contraste entre lo que se quería reconocer como propio y lo profundamente ajeno, la *familia* a la vez *extraña*, a veces hizo la convivencia
entre intelectuales de ambos países harto difícil, aunque también productiva[3].

El encuentro entre intelectuales cubanos y españoles, en teoría
culturalmente emparentados, se sitúa en lo que Mary Louise Pratt
denomina "zona de contacto":

> un espacio donde se encuentran culturas diferentes, chocándose y tratando de
> entenderse unas a otras, a menudo en condiciones de gran asimetría, domina-
> ción y subordinación, como es el caso del colonialismo, la esclavitud, o sus
> consecuencias, tal como se viven en el mundo actualmente (Pratt 4)[4];

es en esta zona en la que se inicia un diálogo entre el sujeto del exilio
y el sujeto no exiliado. En este contexto me refiero a un exilio siempre
político, y por lo tanto marcado por el trauma de la separación. Esta
zona de contacto podría llamarse también una frontera, el ámbito liminal en el que se encuentran los espacios y horizontes recreados por el
exiliado y el nuevo lugar. Este último, representado por Cuba en este
caso, es receptivo a lo que viene de afuera, pero se acerca al exiliado
español a través del recuerdo de sus antepasados. Al mismo tiempo,
la frontera es el espacio de la controversia, el lugar disputado, la línea
donde se manifiesta la tensión entre distintos modelos de expresión o
la abierta lucha por una hegemonía cultural. Es por esto que, aunque
es claro que la mayoría de los exiliados de esta época eran de la clase
trabajadora y los intelectuales eran una minoría, merece la pena fijarse

---

[3] Es interesante también el proceso de adaptación contrario, desde Cuba a
España. Para un recuento de una emigración más reciente, y comentarios sobre este
parentesco entre Cuba y España véase la experiencia de Pío E. Serrano en *Romano*
147-152.

[4] Mi traducción; en el original "social spaces where disparate cultures meet,
clash, and grapple with each other, often in highly asymmetrical relations of domina-
tion and subordination-like colonialism, slavery, or their aftermaths as they are lived
out across the globe today".

en el caso de los intelectuales, pues ellos proveen los documentos que atestiguan los intentos de construir una nación desde la frontera. Si la ciudad escrituraria ofrece los textos fundacionales de la nación, sobre todo en el contexto de un exilio político, el desplazamiento de los intelectuales españoles implica por un lado la construcción de la nación post-republicana desde otro lugar, pero además la erosión y el intento de reconstrucción de la nación cubana desde el lugar fronterizo.

Comparado con otros exilios españoles en América Latina, el exilio de los intelectuales republicanos españoles en Cuba fue tan efímero como literalmente accidental. Por dar algunos ejemplos, Juan Ramón Jiménez llegó a Cuba en diciembre de 1936 para dar tres conferencias en el Instituto Hispano Cubano de Cultura, dirigido en aquel momento por Fernando Ortiz, y acabó quedándose hasta enero de 1939, cuando marchó a México. Manuel Altolaguirre estaba de escala en Cuba de camino a México en 1936, se enfermó su hija y proyectó quedarse a descansar unos días, pero permaneció en la isla hasta 1943. María Zambrano llegó también invitada a dar unas conferencias en 1939, y se quedó hasta 1953, con excepción de algunas estancias en México y viajes a Puerto Rico y Francia. Hubo pues por lo general menos de una década de intercambios entre intelectuales exiliados españoles y cubanos, pero esta época es sin embargo muy reveladora de ciertos patrones en las relaciones entre ambos países y dejó una impronta profunda en ambas partes de la relación.

Cuba para la emigración republicana fue un lugar estratégico, lugar de paso, pero también lugar aislado de todas las controversias políticas que se desencadenaron por ejemplo en México. Como isla, Cuba propició cierto tipo de exilio: un exilio apolítico, se puede decir, pero de intensa actividad editorial y poética. Sin embargo, aunque poetas y escritores canónicos como Altolaguirre, Jiménez y Zambrano eludieran la política en sus escritos, es claro que su actividad casi febril en la isla obedecía a un impulso político: ante una España dividida y una situación política vergonzosa, los intelectuales pensaban que les correspondía la labor de reparación y restitución. Aunque este proceso tuvo lugar en todos los países latinoamericanos en los que se dieron cita los republicanos españoles, el citado "desastre" o pérdida de Cuba reconfiguró el exilio como una manera de recuperar España *desde Cuba.* En ambos campos culturales se reavivó el interés por restablecer las relaciones, sin olvidar del todo el bagaje de su relación anterior.

LA GUERRA CIVIL ESPAÑOLA, LA "BUENA ESPAÑA",
Y EL RETORNO DE LO REPRIMIDO

El entusiasmo cubano por la contienda civil española hizo que Cuba contribuyera con más soldados en el bando republicano español que ningún otro país extranjero, y mandara la más nutrida delegación de escritores al Segundo Congreso Internacional de Defensa de la Cultura de 1937, celebrado en Madrid, Valencia y Barcelona simultáneamente[5]. La explicación de este cambio total de actitud desde las décadas previas en las que una masiva emigración española no impedía un fuerte sentimiento antipeninsular se debe a una especie de blanqueamiento de la leyenda negra que había pesado sobre los españoles del exterior (Hennessy 130-131). Si los españoles antes de la guerra se habían considerado como aves de rapiña que se aprovechaban de las riquezas y las posibilidades en Cuba, apelando a lo que Rafael Rojas ha llamado la resistencia a la "moral instrumental" siempre presente en el pensamiento cubano (*Isla sin fin* 50), los republicanos venían a encarnar la razón moral, o el intento de defender los valores de "el pueblo". En palabras de Nicolás Guillén en dicho Congreso Internacional de Escritores:

> Madrid [es] la heroica, el asombro del mundo y el honor de la raza humana [...] a las guerras de la conquista territorial y el engrandecimiento imperial ha sucedido la guerra por la afirmación de los valores permanentes del hombre, la guerra por la defensa de la cultura y el amor. (Guillén 83)

En efecto, para los cubanos del momento la España contra la que se rebelaron los independentistas era la de los terratenientes, la monárquica y retrógrada; por el contrario, la España de la República era la España auténtica, con una tradición de tolerancia y libertad, manifestadas contra el estado fascista. En el caso cubano y de otros

---

[5] El primero había sido en París en 1935.

países, la guerra civil española reconcilió a los latinoamericanos con una "madre patria" de la que habían renegado. Así lo expresó Juan Marinello, portavoz oficial de la delegación cubana en el citado congreso, quien evocó la diferencia que había establecido Martí entre los españoles "buenos" y los "malos", y formuló el deseo que muriera la España militarista, aristocrática y católica, representada por la colonia y ahora nuevamente por Franco (citado en Hennessy 142). En la década del cuarenta, la lucha cubana contra el yugo colonial español se hermanaba paradójicamente con la lucha republicana española. Como dijo Guillén, "¿Cómo no va a sentir [el negro] en lo más hondo de su tragedia la tragedia del pueblo español?" (85). Para Guillén, sorprendentemente, la misión del afrocubano y la del republicano español eran equiparables, pues ambos grupos estaban igualmente enzarzados en una lucha por la liberación de la "raza humana" (Guillén 85).

Aún así, este apoyo incondicional a la causa republicana española sufrió muchos altibajos, debidos fundamentalmente a las presiones de los españoles que se habían establecido en Cuba mucho antes del 36, la inestabilidad política y la crisis económica en Cuba, y la fuerte presencia de Batista primero como Comandante en Jefe del ejército y después como Presidente. Para empezar, el exilio republicano español era tan complejo y variado ideológicamente como el Frente Popular mismo (Cuadriello 2009, 34). Muchos exiliados españoles ni siquiera apoyaban la República, aunque eran violentamente opuestos al régimen de Franco[6]. Por otro lado, muchos españoles residentes en Cuba también favorecían a Franco. Durante la guerra comenzaron a vislumbrarse estos desacuerdos, y los bandos dividieron a la misma población cubana hasta el punto de que Batista como Comandante en Jefe elaboró un decreto por el cual se prohibía a los cubanos participar o contribuir monetariamente con las causas españolas. El decreto advertía a los españoles que podían permanecer en suelo cubano con la condición de que contribuyeran a la paz y estabilidad de la nación cubana, pero comprensiblemente recomendaba que si deseaban luchar

---

[6] Es el caso por ejemplo del mismo Juan Ramón Jiménez, quien dada su postura apolítica no se sentía cómodo con el calificativo "republicano". Véase López Parada 81-83.

por España debían hacerlo en su país de origen (Cuadriello 24). En
1937 el gobierno cubano prohibió numerosos grupos vinculados con
la causa republicana, tales como "Izquierda republicana española"; sin
embargo, dejó el campo libre a organizaciones de la falange y con
simpatías fascistas (Cuadriello 24-25).

Pocos meses más tarde emergió curiosamente en la comunidad
española en Cuba una serie de asociaciones como la Casa de la Cultura y la Asistencia Social, con el objetivo de promocionar la cultura,
la solidaridad, el recreo y los deportes, en otras palabras, asociaciones en las que la actividad política se disfrazaba de actividad cultural
(Cuadriello 26-27). El año 1939 vio la fundación de la Confederación
de Trabajadores Cubanos, de filiación comunista, y un debate muy
activo sobre la caída de la República en los periódicos de la época.
En 1939 la Unión de Escritores y Artistas de Cuba (UEAC) firmó un
manifiesto declarando que los intelectuales españoles eran "como una
transfusión de sangre" en Cuba (citado en Cuadriello 48). Sin embargo, paralelamente se formaba en la misma Universidad de La Habana
el Frente Cubano, que promovía la expulsión de todos los extranjeros,
especialmente los republicanos españoles (Baquero 212, Cuadriello
2009, 38-39).

La Constitución cubana de 1940 estaba ideológicamente mucho
más cerca de los ideales progresistas de la República española; no obstante, recrudeció la resistencia contra los exiliados españoles. Según
esta constitución, el aspirante a un empleo en Cuba debía haber sido
naturalizado cubano cinco años atrás, con lo cual se dejaban de lado
a los exiliados tras el fracaso de la República española (Cuadriello
64-65)[7]. Las restricciones se hicieron particularmente fuertes en la
Universidad de La Habana, al dificultar el proceso de convalidación
de diplomas extranjeros, y por el hecho de que los profesores mismos
se mantuvieron firmes contra la admisión de cualquier colega español.
En resumidas cuentas, si el estallido de la guerra civil española motivó
un fuerte apoyo ideológico, el temor a que los enfrentamientos entre
las diferentes tendencias fueran a trasladarse a la isla, las dificultades

---

[7] Para más información sobre otras restricciones introducidas con la constitución de 1940, véase Bobes.

económicas, los inmigrantes de la Alemania nazi y de la guerra europea, unidos a la amenaza de una oleada incontenible de refugiados españoles, desencadenaron una fuerte reticencia a admitir intelectuales españoles en la isla.

PRESENCIA ESPAÑOLA EN LA ISLA TRAS LA INDEPENDENCIA. LOS EDITORES ESPAÑOLES

La lucha republicana en Cuba se desarrolló además en el contexto de otras controversias que resultan de la relación poscolonial entre ambos países. El Instituto Hispano Cubano de Cultura, la institución que ofreció todas las invitaciones iniciales a los intelectuales españoles republicanos, tenía una historia de haber promovido durante la colonia la idea de la unidad de España y América Latina a través de la lengua. Décadas después de la independencia, el filólogo español Ramón Menéndez Pidal había visitado Cuba y abogado por una utopía lingüística, o un estándar universal del español, como antesala para la utopía política pan-hispánica. Implícitamente, el estándar lingüístico de prestigio del español se acercaba notablemente al castellano peninsular (del Valle 148-158). Asimismo, como indica Ambrosio Fornet, desde la época de la colonia gran parte de las actividades editoriales, incluyendo publicaciones, librerías y publicación de libros importados, estaba en manos del "impresor metropolitano" o el que fuera o se sintiera español (*El libro en Cuba* 35-36). Aún en las dos primeras décadas del siglo, en la época poscolonial, tanto los inversionistas norteamericanos como los empresarios cubanos dejaron de lado la actividad editorial, al no ser un negocio suficientemente lucrativo. Ambos dejaron la industria editorial a la comunidad española que tradicionalmente se había dedicado a esto (Cuadriello 2004, 63).

El sentido de misión lingüística y la tradición editorial de los españoles en Cuba deben haber alentado a Manuel Altolaguirre y Juan Ramón Jiménez a una intensa labor editorial. Altolaguirre fundó una casa editorial llamada La Verónica, que dio a la luz a más de 200 libros, y fundó numerosas revistas como *Espuela de plata*, *La hora de España*, *Nuestra España* y *Atentamente*; también organizó numerosos coloquios y colaboraciones entre intelectuales de España y Cuba.

Como indica Ambrosio Fornet, la generación del treinta en Cuba, entre los que se cuentan José María Chacón y Calvo y Raúl Roa, intentaba en ese momento efectuar una suerte de "rescate cultural que pudiera servir de fundamento ideológico a una nación en vilo, afectada por sucesivas crisis de identidad y legitimidad" (Fornet 2006, 35-36). Dicho rescate se llevaba a cabo mayormente a través de la actividad editorial, y Fornet nombra a Altolaguirre como sabedor de que la imprenta contribuía a esta "vocación de poesía y servicio". La Verónica, por lo tanto, sostenía dos grupos muy frágiles: los del exilio republicano español y la débil sociedad literaria en Cuba. En la próxima sección me refiero a la principal tarea editorial que desempeñó Juan Ramón Jiménez durante su visita.

"'GRANERO' O 'FLORILEGIO' DE LO MEJOR DE LA POESÍA CUBANA"

Apenas un mes después de su llegada a la isla, Juan Ramón Jiménez organizó una edición de poesía cubana, auspiciada de nuevo por el Instituto Hispano Cubano de Cultura, dirigido en este momento por Fernando Ortiz. La idea inicial era celebrar un encuentro de poetas todos los años, y editar un libro como resultado, pero solo el concurso de 1936 llegó a materializarse en una edición. En su prólogo a *La poesía cubana de 1936* titulado "Estado poético cubano", Juan Ramón Jiménez estableció que la poesía cubana debía emanar de Cuba misma, sin recurso a la tradición española; sin embargo, en el gesto mismo de organizar esta edición nada más llegar a Cuba, y en el criterio de selección que aplica, se evidencia que Juan Ramón Jiménez aspiraba a ser el juez, maestro y conductor de la tradición cubana.

Al ser presidida la edición por Fernando Ortiz, Juan Ramón Jiménez se somete en el prólogo al deber de restitución de la cultura cubana, con implicaciones claras en la posición suya propia como sujeto crítico. Ortiz había presidido en el mismo Instituto Hispano Cubano la polémica de que Cuba no debía españolizarse sino americanizarse, o renegar del yugo español y buscar su raigambre americana (Ortiz 104). No es de extrañar entonces que Jiménez subrayara que "Cuba empieza a tocar lo universal (es decir, lo íntimo) en poesía, porque lo busca o lo siente, por los caminos ciertos y con plenitud, *desde sí misma*" (Jiménez 2008, XIII, énfasis mío). El autor español se desautorizaba a sí mismo como extranjero, sin derecho a juzgar la producción cubana. Al mismo tiempo, el prólogo revela un afán deliberado de demarcar el territorio de la poesía cubana, aunque con un criterio de exclusión de todo lo que la hiciera particularista. Ante la idea de que la nación cubana, supuestamente resurgiendo en aquel momento político, debía expresarse con una voz poética nueva, Jiménez responde airado: "¿hasta cuándo vamos a esperar esta voz y hasta cuándo va a ser nuevo este mundo?" La voz de Neruda, que se alzaba en aquel momento como insigne poeta latinoamericano, la descalifica Jiménez como "otra voz vieja o andrajosa, chocanera o nerudona, que 'quiere' pasar por nueva" (XVI).

Si bien en este prólogo Jiménez reconoce las múltiples influencias de la América española e inglesa presentes en la poesía cubana, en última instancia Jiménez *prescribe* una mirada al interior de Cuba, para reconectar implícitamente con una *esencia* que él supone hispana. En otras palabras, trascendiendo su carácter de "extranjero", la labor magisterial de Jiménez solo tiene sentido partiendo del tácito vínculo entre esencia cubana y españolidad. Como desde hacía décadas habían notado ya los integrantes del Partido Independiente de Color (Bobes 227), tal vínculo se mantiene a expensas de la expresión de la herencia africana en Cuba. Así, en el mismo prólogo Jiménez asegura que ha optado por una selección de poemas bajo tres rúbricas: "1) Una poesía interior, intelectual o sensitiva con palabra misma, libre de tópico y floreo nacionales"; 2) Una popular "que nada tiene que ver fatalmente con la poesía mulata, bajo la que se incluyen algunos poemas de Nicolás Guillén"; 3) Una media, de "un patetismo injenuo", entre las que cuenta algunas de Emilio Ballagas (XVIII-XIX). A pesar de la propia redefinición del autor español como indigno de "elegir la poesía cubana", el objetivo de Jiménez es claramente trazar un camino, lo que se acentúa también en las recomendaciones finales: "hay que ir al centro siempre, no ponerse en la orilla a aullar a otra vida mejor o peor de nuestro mismo mundo, peoría o mejoría que puede ser la muerte" (XX-XXI). En un último intento de conminar a Cuba a aprovechar lo suyo propio, Jiménez aprovecha para aportar razones de peso por las que Cuba debe alejarse de la entonces muy presente influencia nortea-

mericana y conectar con el lazo natural de su raíz española. El gesto de
hacer una edición responde a la certeza de cuál es el camino correcto
para volver a esa raíz esencial.

A pesar de esta actitud algo impositiva, numerosos críticos y
poetas cubanos han ponderado la honda impronta de Jiménez en los
jóvenes poetas cubanos durante su estancia en Cuba[8]. Hay que tener
en cuenta también las circunstancias políticas y el estado del campo
cultural cubano en aquel momento. Cintio Vitier relató que la antología del 36 causó enorme expectación en la isla, y que el día en que
se presentó la edición y se leyeron los poemas el ámbito de la poesía cubana, un poco dormido en esa época, pareció renacer. En sus
palabras, la importancia de esta edición "sólo es medible referida a la
dispersión, el aislamiento, el desaliento y la soledad en la que vivían
muchos poetas cubanos, mayores o menores, en los años que iniciaban
el período de frustración de la esperanza revolucionaria liquidada con
la muerte de Guiteras el 8 de mayo de 1935" (Vitier 21). En el prólogo a dicha edición Juan Ramón ofrecía la poesía como el culto a una
belleza que parecía estar ausente en la realidad cubana del momento.
El poeta español, que vivía el trauma del exilio y la guerra en su país,
conectaba de esta forma con la frustración política cubana; ese fue
el móvil quizás de su etapa de "arte por el arte, poesía por la poesía,
esfuerzo como premio" que ya había promocionado Jiménez en su
primera conferencia en Cuba, donde trocó su ideología política por un
"comunismo poético" o un culto a "el trabajo gustoso" (Jiménez 1982,
22). Vitier, católico ferviente, evocaba su amplia identificación con
Jiménez especialmente en cuanto a su "lección de ética social a partir
de la poesía" (Vitier 20).

El mismo José Lezama Lima recordaba la estancia de Jiménez en
Cuba con gran afecto, y resaltaba los buenos consejos y el ejemplo de
"amistosa exigencia" que les había prodigado (citado en Leante, 206).
Intelectuales como Miguel Iturria aseguran que Jiménez es "uno de los
fundadores de la cultura poética cubana" (Iturria 198). López Parada
asegura que la poética de Orígenes se debe sin duda a Juan Ramón
Jiménez, y que el "mito de la insularidad" emana del canon poéti-

---

[8] Véase, por ejemplo, Gastón Baquero y César Leante.

co establecido por el escritor español desde la antología publicada en 1931 (95). Sin embargo, llama la atención que en el documento donde Lezama precisamente introduce su "teleología insular" hay una notable dificultad de comunicación entre ambos autores, e incluso franco desacuerdo. La próxima sección está dedicada a analizar un diálogo entre Juan Ramón Jiménez y José Lezama Lima que revela que a pesar del respeto y hasta amistad, la relación entre el poeta español y sus coetáneos cubanos puede no haber sido siempre tan fácil.

EL COLOQUIO ENTRE DOS MONÓLOGOS

Dentro de estas labores editoriales y las relaciones que se entablaron entre intelectuales españoles y cubanos en ese espacio fronterizo del exilio, merece la pena examinar el coloquio entre José Lezama Lima y Juan Ramón Jiménez. Aunque se hizo ampliamente conocido, este intercambio revela las dificultades de comunicación de este lugar de encuentro, que en este caso parece más bien un desencuentro, o un despropósito. Para empezar, el formato de "El coloquio con Juan Ramón Jiménez" es una especie de contrapunteo, al estilo de Fernando Ortiz, o mejor aún, un contrapunto en términos musicales, o "una concordancia armoniosa de voces contrapuestas" (Real Academia de la Lengua). Más específicamente, dado que Lezama es el que escribe el coloquio y se refiere a sí mismo en primera persona, el coloquio sirve para exponer las ideas de Lezama, y Jiménez es usado como interlocutor. El mismo Jiménez confiesa que no se reconoce enteramente en algunas palabras que Lezama cita como suyas, y que "el diálogo está en algunos momentos fundido, no es del uno ni del otro, sino del espacio y el tiempo medios" (Lezama en Vitier 155). El poeta español de esta forma elude la autoría de una serie de ideas que no comparte, pero que Lezama hábilmente ha enmarcado en un contexto crípticamente metafórico a la vez que vagamente familiar. En su posición magisterial, con la clara intención de sentar el canon cubano, Jiménez muestra resistencia abierta a "la abundante noción y la expresión borbotante" de Lezama (Vitier 155). A Jiménez le choca el lenguaje prolijo y barroco del poeta cubano, pero condesciende hasta afirmar que no desautoriza por completo el coloquio por "la calidad" de lo que allí se expresa. Tanto Lezama como Jiménez se sitúan en ese tercer espacio liminal, entre el escritor exiliado y el situado en su tierra en una nación todavía en ciernes, ambos tratando de delimitar su zona de influencia.

Lezama por su parte muestra indicios de un tipo de comportamiento discursivo que se ha invocado frecuentemente dentro de los estudios poscoloniales, la mímica o el remedo del sujeto colonial, lo que Homi Bhabha llamó "mimicry"[9]. Bien está que los presupuestos de los que parte Lezama en el coloquio son comunes a los de Jiménez, tales como la necesidad de "salir de su piel", trascender lo concreto y en el caso cubano en particular, eludir el énfasis en el color. Pero pronto se hace patente que el concepto del insularismo, aunque parece partir de la misma receta que había ofrecido Jiménez en el prólogo a la antología poética de 1936[10], diverge considerablemente de la prescripción de Jiménez y desbarata su presunción de universalidad. El insularismo es la versión lezamiana de "mirar hacia dentro": "Las islas plantean cuestiones diferentes a las culturas del litoral" y citando a Frobenius, que Lezama corrobora, "el insular ha de vivir hacia dentro" (Lezama en Vitier 157). Para Lezama, la geografía y la naturaleza explican que las islas tengan una forma de cultura privativa y convergente hacia dentro. Sin embargo, Jiménez parece estar contrariado con esta noción de Lezama, y responde que si hubiera tal sensibilidad insular, Cuba y Gran Bretaña serían comparables. Jiménez rehúye parentescos entre Cuba y otras naciones, aspirando en su lugar a una universalidad que él llama "internación, la vida hacia el centro, la única manera de legitimarse" (Lezama en Vitier 159). El ideal desterritorializado de Jiménez solo se explica desde una frustración política y una inevitable nostalgia de España muy personales: la mirada hacia dentro a la que invita

---

[9] En palabras de Bhabha, "colonial mimicry is the desired for a reformed, recognizable Other, *as a subject of a difference that is almost the same, but not quite*. [...] (t)he discourse of mimicry is constructed around an *ambivalence*; in order to be effective, mimicry must continually produce its slippage, its excess, its difference [...] (M)imicry emerges as a representation of a difference that is itself a process of disavowal" (86).

[10] Ver aseveraciones tales como la ya citada "Cuba empieza a tocar lo universal (es decir, lo íntimo) en poesía, [...] *desde sí misma*" (énfasis mío) o "Cuba es ahora Cuba. Su poesía, que tiene ya plenitud, debe seguir teniendo acento propio..." (XIX-XX)

Jiménez constituye una abstracción de toda sombra de marca identitaria cubana, hacia una esencia universalista que conecta con España. Por eso Juan Ramón critica la insularidad como un "orgullo disociativo" (160) y una "atomización de la personalidad", y a la postre la equipara con la otra cara de "la expresión poética mestiza", y con "el retorno de una raza [...] a su expresión diferente, rencorosa" (Lezama en Vitier 162-163).

En su respuesta a estas puntualizaciones algo irritadas de Juan Ramón Jiménez, Lezama niega que la insularidad coincida con la expresión mestiza ("las exigencias de una sensibilidad insular no tienen tangencias posibles con una solución de mestizaje artístico") pero aún subraya la necesidad de que Cuba encuentre su propia expresión, concepto que desarrollará más en su ensayo "Razón que sea" (1939). El ensayo concluye con unas consideraciones generales sobre metros populares en España, y Juan Ramón exalta dichos metros poéticos como "la forma de la verdadera aristocracia humana española". La propuesta lezamiana de una nueva expresión queda sin resolución, sin que las últimas reflexiones de Juan Ramón Jiménez respondan de ninguna manera al punto central del coloquio.

El intercambio entre ambos poetas revela la dificultad de que tenga lugar una instancia de comunicación verdadera entre dos poetas que representan dos papeles diferentes en el nuevo campo cultural cubano. Ambos son mutuamente dependientes en cuanto a que Jiménez valida, censura o sanciona las ideas de Lezama, mientras que este último opera bajo una serie de acuerdos tácitos establecidos por el maestro. Sin embargo, a la manera de Juan Francisco Manzano, el esclavo cubano que aprendió a escribir trazando su pluma sobre las líneas que había escrito previamente su dueño (Manzano 102-104), Lezama sigue la directriz de Jiménez, solo para luego desviarse una y otra vez de formas impredecibles. Lezama declara:

> Nosotros los cubanos nunca hemos mucho caso de la tesis del hispano-americanismo, y ello señala que no nos sentimos muy obligados con la tesis de la sensibilidad continental. La estabilidad y la reserva de una sensibilidad continental contrastan con la búsqueda superficial ofrecida por nuestra sensibilidad insular (158).

El contrapunto disonante entre ambos poetas desenmascara sus desacuerdos, y anticipa la nueva trayectoria de la poesía cubana con Lezama. El coloquio ofrece un ejemplo paradigmático de una relación entre intelectuales en un momento en que el diálogo era difícil, y más bien tuvo lugar en un contexto comunicativo fuertemente mediatizado por la situación poscolonial y la postura hegemónica de los españoles emigrados en Cuba en el campo cultural. La próxima sección ofrece algunas claves más para comprender el sentimiento ambivalente de los intelectuales españoles en Cuba.

EXTRAÑOS EN SU PROPIA CASA. JUAN RAMÓN JIMÉNEZ
Y LA NOSTALGIA DE ESPAÑA

La isla de Cuba sitúa a los exiliados en un lugar extrañamente familiar, pues tienden a asociarla con el visible componente de la herencia española, al mismo tiempo que la isla se les revelaba poco a poco como tremendamente ajena. Habiendo sido la independencia un proceso tan tardío en Cuba, la supuesta conexión entre ambos países se daba por sentada. En palabras de Eduardo Nicol, "los españoles en Hispanoamérica para vivir ahí no tienen que trasplantarse y transterrarse porque esa tierra es suya y no pierden en ella sus raíces. En suma, porque lo español y lo hispanoamericano tienen en lo español su elemento común" (citado en Caudet 438). En efecto, según los teóricos sobre el trauma del exilio político, constatado además en múltiples relatos literarios, el exiliado piensa en su estancia en el nuevo país como transitoria, y su mirada siempre está puesta en su país de origen (Jacques Vernant citado en Caudet 292). Conforme muchos exiliados se dan cuenta de que el regreso no será posible, tenderán a buscar lo familiar en terreno ajeno, quedando siempre inevitablemente insatisfechos. Este proceso se ve claramente en las observaciones del mismo Juan Ramón Jiménez:

> En este trópico (Puerto Rico, Cuba, La Florida, etc.) mi vida ha sido, es, como un retorno a mi angustiosa vida juvenil de Andalucía, Moguer rabioso y lamentable. La misma nostalgia de ajenas carencias ideales, el mismo romanticismo fatal y hueco de no sé qué concavidad mortal contra el mar vacío; ansia de vuelta siempre por el mar del día y de la noche... (Jiménez 1982, 61)

Para el poeta andaluz el entorno del trópico, a fuerza de ser un lugar sin retorno para él, se vuelve forzosamente familiar; pero solo en lo que tiene de pequeño, mezquino y evocador de la muerte. Juan Ramón percibe Cuba como un espacio de confinamiento y, como refugiado reducido a un estatus que él percibe como infantil, no siente que le sea posible salir de este entorno. Tal como hubieran evocado los positivistas novecentistas, para Jiménez el clima y la geografía marcan indeleblemente al trópico, y lastran la cultura con el aislamiento y el entorno corrosivo en derredor. El hallazgo de una antigua edición de un libro suyo lleno de moho hace reflexionar a Jiménez "ni el hombre ni el libro resisten el ataque diario, normal, del trópico. La vida exuberante los llena de exuberante muerte" (1982, 62). Juan Ramón Jiménez suspira por el "Madrid claro, seco, limpio" (1982, 62-63) y lamenta implícitamente que la cultura no pervive, sino que sufre con la intensidad efímera del Caribe. Tras varios meses de estancia, la óptica eurocéntrica de Jiménez le hace ver en la isla caribeña una proclividad biológica al fracaso de la cultura.

Después de poco más de dos años de la llegada de Juan Ramón Jiménez a Cuba, la Universidad de La Habana se vio obligada a restringir los contratos de profesores extranjeros[11]. La guerra civil había traído una masiva emigración de españoles a Francia, donde se quedaron muchos de ellos en condiciones infrahumanas, mostrando así el error de admitir refugiados sin previsión. Muchos refugiados de la persecución nazi acudían también a Cuba como puente hacia Estados Unidos, y la grave crisis económica existente en la isla no daba para atenderlos a todos. Dadas estas circunstancias, Juan Ramón se marchó con su esposa en enero de 1939, para establecerse por un tiempo en Estados Unidos.

El poeta español pasó en Cuba los años de la guerra civil en su país, un tiempo para él de gran sufrimiento, en el que se puede decir que estaba de duelo en el exilio. Quiso agradecer la hospitalidad cubana con lo que confiaba que podía hacer mejor: guiar a los poetas más jóvenes. Como dijo Lezama, "Entonces comprendí que [Juan Ramón Jiménez] era un ser hecho para ser querido, para la paternidad poé-

---

[11] Para más detalles, ver Cuadriello 65-68.

tica, la amistad misteriosa" (Lezama 1939, 37). Los frutos de este intercambio son la antología de poesía cubana de 1936, en la que se cuentan escritores que luego se hicieron tan señalados como el propio Lezama, Nicolás Guillén, Ángel Gaztelu o Eugenio Florit, y numerosas conferencias y actos poéticos. Al mismo tiempo, Juan Ramón no supo dejar atrás la herencia de siglos de hegemonía cultural de España en Cuba y un análisis de su discurso revela unos presupuestos sesgados de cómo se suponía que la cultura cubana, aún a cuarenta años de la independencia, tendría que desarrollarse partiendo de la cultura española. Los textos clave que he interpretado aquí nos ofrecen una ventana hacia la complicada relación poscolonial entre los intelectuales de España y Cuba. Juan Ramón fue uno de tantos otros, como los ya citados Manuel Altolaguirre, Concha Menéndez y María Zambrano, además de Ramón Menéndez Pidal, Constantino Cabal, y muchos más. Ellos establecieron lazos muy fuertes en Cuba, contribuyeron a su elenco cultural y se beneficiaron altamente de su estancia en la isla, al mismo tiempo que muchos evidenciaron ciertas actitudes de lo que se ha llamado "la emigración imperial", desde la antigua colonia hasta la flamante nación. Este período de la historia intelectual de España y Cuba merece estudios más completos, atendiendo a la historia poscolonial que media los intercambios entre intelectuales, y sus mutuas influencias. Dada la continua emigración de intelectuales, ahora de Cuba a España, resulta necesario entender la dinámica comunicativa entre los miembros de esta extraña familia.

Bibliografía

BAQUERO, GASTÓN. "Recuerdos sobre exiliados españoles en La Habana". *Cuadernos Hispanoamericanos* 473-74 (1989): 211-220.

BHABHA, HOMI. *The Location of Culture*. London and New York: Routledge, 1994.

BOBES, VELIA CECILIA. "Democracia, ciudadanía y sistema político". *Encuentro de la cultura cubana* 24 (2012): 223-233.

CAUDET, FRANCISCO. *El exilio republicano de 1939*. Madrid: Cátedra, 2005.

CUADRIELLO, JORGE DOMINGO. *Españoles en la Cuba del siglo XX*. Sevilla: Renacimiento, 2004.

—————. *El exilio republicano español en Cuba*. Madrid: Siglo XXI, 2009.

DEL VALLE, JOSÉ. "Spanish, Spain, and the Hispanic Community. Science and Rhetoric in the History of Spanish Linguistics". *Interpreting Spanish Colonialism. Empires, Nations and Legends*. Alburquerque: University of Mexico Press, 2005. (139-159).

FORNET, AMBROSIO. *El libro en Cuba*. La Habana: Editorial Letras Cubanas, 1994.

——————. "Manuel Altolaguirre, el poeta-impresor". *La Gaceta de Cuba* (Enero-febrero 2006): 35-36.

GUILLÉN, NICOLÁS. "Discurso en el congreso internacional de escritores en defensa de la cultura". *Prosa de prisa*. Vol I. La Habana: Arte y literatura, 1975.

HENNESSY, ALISTAIR. "Cuba". *The Spanish Civil War 1936-39: American Hemispheric Perspectives*. Mark Falcoff and Frederick B. Pike (Eds.) Lincoln: University of Nebraska Press, 1982.

ITURRIA, MIGUEL. "Juan Ramón Jiménez en La Habana". *Españoles en la cultura cubana*. Sevilla: Renacimiento, 2004.

JIMÉNEZ, JUAN RAMÓN. "Estado poético cubano". *La poesía cubana en 1936*. Sevilla: Renacimiento, 2008.

——————. "El trabajo gustoso". *Política poética*. Madrid: Alianza, 1982.

——————. *Isla de la simpatía*. Río Piedras, Puerto Rico: Huracán, 1981.

LEANTE, CÉSAR. "El exilio en Cuba". *Cuadernos hispanoamericanos* 473-474 (1989): 201-211.

LEZAMA LIMA, JOSÉ. "Coloquio con Juan Ramón Jiménez". *Juan Ramón Jiménez en Cuba*. Cintio Vitier (Ed.) La Habana: Editorial Letras Cubanas, 1991.

——————. "Momento cubano de Juan Ramón Jiménez". *La jiribilla* 2002. Web. 15 de Agosto, 2013.

LÓPEZ PARADA, ESPERANZA. "Juan Ramón Jiménez y José Lezama Lima: Diálogo en el exilio". Juana Martínez (Ed.) *Exilios y residencia*. Madrid: Iberoamericana-Vervuert, 2006. (81-98).

MANZANO, JUAN FRANCISCO. *Autobiografía de un esclavo/ Autobiography of a Slave*. Detroit: Wayne State University Press, 1996.

NARANJO OROVIO, CONSUELO. *Cuba: otro escenario de lucha. La guerra civil y el exilio republicano español*. Madrid: CSIC, 1988.

—————— y CARLOS SERRANO (Eds.) *Imágenes e imaginarios nacionales en el ultramar español*. Madrid: CSIC, 2003.

ORTIZ, FERNANDO. *La reconquista de América*. París: Librería Pollendorf, 1910.

PAZ, OCTAVIO. "México y los poetas del exilio español". *Hombres en su siglo*. Barcelona: Seix Barral, 1984.

PAGNI, ANDREA ed. *El exilio republicano español en México y Argentina. Historia cultural, instituciones literarias, medios*. Madrid: Iberoamericana Vervuert, 2011.

PRATT, MARY LOUISE. *Imperial Eyes. Travel Writing and Transculturation*. London: Routledge, 1992.

Real Academia de la Lengua. *Diccionario de la lengua española*. Vols I. Madrid: Real Academia Española, 1982.

ROJAS, RAFAEL. *El arte de la espera. Notas al margen de la política cubana.* Madrid: Colibrí, 1998.

——————. *Isla sin fin. Contribución a la crítica del nacionalismo cubano.* Miami: Universal, 1998.

ROMANO, VICENTE. "Pío, 46 años, poeta". *Cuba en el corazón. Testimonios de un desarraigo.* Barcelona: Anthropos, 1989. (142-165).

ROY, JOAQUÍN. *The Cuban Revolution (1959-2009): Relations with Spain, the European Union, and the United* States. New York: Palgrave, 2009.

VITIER, CINTIO (Ed.) *Juan Ramón Jiménez en Cuba.* La Habana: Arte y Literatura, 1981.

Izquierda cubana y republicanismo español

AMAURI GUTIÉRREZ COTO

I

El exilio político español en América no se inicia con la Guerra Civil Española (1936-1939). Desde el siglo XIX, comenzó con el carlismo, por poner un ejemplo poco conocido. Si revisamos la biografía de algunos de los obispos católicos destinados a Cuba, veremos que eran partidarios carlistas que fueron destinados a La Habana como castigo por su postura política. Si hurgamos en el *Libro de Difuntos* de la Orden del Carmelo Descalzo del Convento de San Felipe Neri, encontraremos que muchos de los mártires de la ciencia ofrecidos voluntarios para los experimentos de Carlos J. Finlay lucen en su nota necrológica con orgullo su condición de exmiliciano carlista. La dictadura de Primo de Rivera trajo a tierras americanas una nueva oleada de emigrados políticos. La novedad estuvo en que eran hombres procedentes de la izquierda política en su mayoría. Así comenzó la "exportación", si se nos permite ese término, de hombres comprometidos con las ideas socialistas en su sentido más amplio. No obstante, la Guerra Civil Española fue el punto máximo de ese influjo.

En el caso cubano, la "importación" de los republicanos comprometidos tuvo un apoyo casi institucional. Decimos "casi" porque Enrique Gay Calvó actuó de una manera que resulta difícil precisar hasta dónde llegó la respuesta institucional y dónde se inició la actividad del individuo comprometido con las ideas progresistas. Gay Calvó, desde su puesto en la Secretaría de Estado, diseñó un artilugio documental denominado "carné de tránsito", de manera que si usted era cubano, había ido a luchar en las brigadas internacionales a favor de la república y era apresado por las tropas franquistas, podía alegar en su defensa su condición de cubano y enseguida era reclamado por Cuba a través de su Embajada en Madrid. Era justamente José María Chacón y Calvo quien se encargaba personalmente del trámite. Cuando las noticias de los crímenes en las cárceles franquistas llegaron a

La Habana, Gay Calvó –que era el artífice y el encargado de otorgar los carnés de tránsito– lo daba a cuanto español republicano y preso franquista alegaba falsamente ser cubano con el propósito de salvarle la vida. Así llegaron a Cuba una cifra, hasta el momento imposible de determinar, de militantes republicanos de los más diversos sectores políticos de la izquierda. México alentó también la emigración reconociendo automáticamente los títulos universitarios de los españoles exiliados pero esta medida buscaba más bien captar los talentos que atraer hacia sí la izquierda como ocurrió en el caso cubano[1]. Esta última condición marca una diferencia entre el exilio republicano español que llega a Cuba y el que llega al resto de la América de habla hispana. Indica, además, la pertinencia que este exilio tan peculiar pudo tener para las fuerzas políticas de la izquierda en Cuba.

Al desatarse el conflicto bélico en 1936, la sociedad civil en Cuba –fueran españoles o cubanos– se radicalizó de un bando u otro. Así surgen el Círculo Republicano Español, el Partido Unión Progresista Gallega, el Partido Republicano Español de la Isla de Cuba, la Alianza Republicana Española de Cuba, la Asociación de Auxilio al Niño del Pueblo Español, la Izquierda Republicana, la Casa de Cultura, la Alianza Latino Americana, Delegación del Partido Socialista Obrero Español, la Juventud Socialista Unificada, el Patronato de Ayuda al Pueblo Español, la Asociación de Excombatientes Antifascistas Revolucionarios, Círculo Español Julián Grimau, Juventud de Orientación Democrática, Partido "Hermandad Gallega", Junta de Auxilio a los Evangélicos Españoles, Acción Republicana Española, Gobierno Republicano Español del Exilio, Juventud Española Republicana, Fraternidad Española en el Exilio, Agrupación Izquierda Republicana en el Exilio y Amigos de la República Española. Por otro lado, los partidarios de Franco también se organizaron en la Falange Española de Cuba, el Partido Afirmación y Defensa, y la Confederación Española de Derechas Autónomas. Es necesario señalar que solo algunas de ellas fueron asentadas legalmente en el Registro de Asociaciones de la República de Cuba.

---

[1] La fuente esencial de esta conducta de Gay Calvó procede de las entrevistas realizadas en el verano de 2003 a su octogenario hijo cuando trabajaba en la sede del Ministerio de Comunicaciones en la Plaza de la Revolución.

La prensa cubana también se dividió, pues hubo periódicos como *El Pueblo* y *Hoy* que apoyaron al Frente Popular y otros, como el *Diario de la Marina*, lo hicieron con la Falange Española. Este conjunto de asociaciones –que hemos enumerado pues se suele subestimar su número– se ocupó de generar un grupo no menos significativo de publicaciones seriadas de diversa índole que merecen un detenido comentario.

Entre las publicaciones de carácter exclusivamente republicano en Cuba, tenemos a *¡Ayuda!*, *Política*, *Alianza Latino Americana*, *Facetas de Actualidad Española*, *Mensajes*, *Caridad*, *España Republicana*, *Nuestra España*, *Claridades*, *Nosotros* y *Combate*. Del lado político contrario, hallamos a *¡Arriba España!*, *Patria* y *Nueva España*[2].

Desde el mismo momento en que se supo en Cuba el inicio de la Guerra Civil Española, varios grupos políticos, en especial el Partido Comunista en aquel momento ilegalizado, lanzaron un llamamiento el 4 de noviembre de 1936 al pueblo para ayudar al gobierno republicano. Ramón Nicolau González fue puesto al frente de la comisión que debía reclutar a los voluntarios que integrarían las Brigadas Internacionales. Más de mil cubanos combatieron al lado de la Segunda República y se organizaron colectas para garantizar su avituallamiento y su transporte. Alrededor de 850 jóvenes salieron clandestinamente de Cuba y el resto partió desde otros países vecinos. Otras asociaciones como la Agrupación de Jóvenes del Pueblo y la Hermandad de los Jóvenes Cubanos apoyaron de manera especial la causa republicana.

En julio de 1937, se celebró el Segundo Congreso Internacional de Escritores para la Defensa de la Cultura en Madrid, Valencia y Barcelona, simultáneamente, al cual asistieron los cubanos Juan Marinello, Nicolás Guillén, Alejo Carpentier, Félix Pita Rodríguez y Leonardo Fernández Sánchez. El primero había sido en París en 1935.

Además de esta herencia que apuntamos anteriormente, el segundo aspecto que dejó el exilio español de 1939 en Cuba, es su influjo en

---

[2] Después del 1 de enero de 1959, las organizaciones republicanas sobrevivientes se agrupan en la Sociedad de Amistad Cubano-Española. Recuérdense las figuras de dos exiliados comprometidos en el proceso revolucionario como Herminio Almendros o Francisco Alvero y Francés por solo citar un par de nombres.

la izquierda nacional. La causa republicana aunó voluntades de ambas partes, ya fueran católicos o marxistas, de izquierda o de derecha. Recuérdese, por ejemplo, que José María Chacón y Calvo, quien fuera tan criticado por Marinello a causa de su tesis sobre la neutralidad de la cultura, hospedó a Pablo de la Torriente Brau en su casa de Madrid antes de incorporarse a la lucha al lado del bando republicano.

Esta sensibilidad de la conciencia nacional cubana frente a la Guerra Civil española fue aprovechada en su favor y sin miramientos por la izquierda marxista. Durante mucho tiempo el conflicto de España fue la causa de la izquierda en Cuba y todo hombre de buena voluntad se horrorizó con la crueldad de esta situación bélica. La izquierda marxista en Cuba le sacó provecho político al carácter aglutinante y movilizador que tuvo la Guerra Civil española dentro de la intelectualidad cubana. Esto favoreció a la larga cierta radicalización hacia la izquierda de los escritores y artistas de la época. Vale la pena citar la carta que le escribiera Emilio Ballagas, poeta católico, al marxista Marinello donde le reprochaba el uso que él y sus partidarios políticos hicieron del conflicto bélico español:

> Las mismas voces que utilizaron el dolor del pueblo español –utilizar el dolor ¡qué simbiosis perfecta!– para una propaganda apasionadamente sectaria, se levantan ahora para justificar los hechos internacionales –y nacionales– más atroces. Siento extrañeza de que la pluma que acaba de trazar los rasgos indignados de "Momento Español" no sienta también el deseo de 'salvar la alegría' de los niños finlandeses. No veo la diferencia entre ametrallar a un niño que se llama José y a otro que se llame Hans o Nills. ¿Crees que no he sentido el deseo de decirte todo lo que va arriba antes de este momento?
>
> Tú puedes pensar que esto es un atrevimiento mío, porque yo no me he dado entero al sacrificio; y es esta objeción poderosa, no lo niego. Sin embargo, puedo decir como Thomas Mann: 'He nacido para atestiguar en la serenidad más que en el martirio, para aportar al mundo un mensaje de paz más que para alimentar la lucha y el odio'. Tu interesante pensamiento sobre los hombres de 'poca fe' me ha llevado a pensar que 'los hombres de fe excesiva' terminan siendo fanáticos peligrosos. ("Carta a Juan Marinello"[3])

La anterior reflexión de Ballagas en fecha tan temprana al fin de la Guerra Civil es un significativo indicador de la fuerte campaña

---

[3] Se trata de una carta de una sola cuartilla, sin paginar.

que en Cuba se libró a favor de la causa republicana. Como señala el autor de *Júbilo y Fuga*, no siempre con sanas intenciones. A propósito de la ocupación soviética de Finlandia, la postura de la izquierda fue lógicamente distinta.

Otros, a pesar de ser muy recelosos frente a la izquierda política, no pudieron escapar del lado republicano. Incluso reconocidas figuras de derechas como Gastón Baquero, se mostraron conmovidos por el asesinato de Federico García Lorca y la guerra fraticida que se inició.

Detrás de esta profunda huella en la sensibilidad cubana del conflicto español, hubo un saldo positivo para la configuración espiritual de lo cubano. Esta situación tuvo un fuerte impacto sobre la eticidad insular. Sobre los aportes del exilio español republicano a esta dimensión, ha dicho Cintio Vitier en *Ese sol del mundo moral*:

> La guerra civil española conmocionó de modo entrañable la sensibilidad moral cubana. La muerte de Pablo de la Torriente y el asesinato de Federico García Lorca, las disertaciones de los intelectuales exiliados y el influjo personal de Juan Ramón Jiménez, así como la temporada teatral de Margarita Xirgu en La Habana, fueron sucesos formativos para los adolescentes de aquellos años… (131)

La sociedad civil cubana de los años cuarenta se sensibilizó de manera especial frente al sufrimiento ajeno y nació una profunda vocación de solidaridad humanista independiente de las voluntades políticas. Ahí reside la herencia ética fundamental de la Guerra Civil española en Cuba. A veces, se hace difícil explicar procesos históricos posteriores, si no se interpreta a la luz de esta voluntad popular.

Hubo algunos eventos públicos que son un signo del impacto del conflicto español en la sociedad cubana. Por ejemplo, en abril de 1937 el Círculo Republicano Español realizó un mitín en el Teatro Nacional, actual Gran Teatro de La Habana, en el que hablaron, entre otros, Rafael Suárez Solís, Ángel Lázaro, Luis Amado Blanco, y asistieron figuras de enorme relevancia en la vida social y política como Juan Ramón Jiménez. Unos días después en el Parque "Hatuey" se efectuó una velada literaria para recordar el sexto aniversario de la proclamación de la Segunda República. En septiembre de 1937, Marcelino Domingo, líder republicano, realizó otro acto repletando el stadium

"La Polar". En noviembre de 1938, allí mismo se reunieron unas veinticinco mil personas para ver "El Alcalde de Zalamea", de Calderón de la Barca. En esa ocasión, hablaron Juan Marinello y Félix Gordón Ordas, Embajador de España en Cuba.

El temor sobre la implicación de la sociedad cubana en el conflicto llegó al punto de que se aprobó el 3 de diciembre de 1937 un Decreto de Gobernación No. 3411 por medio del cual se prohibían "las manifestaciones de Asociaciones que funcionen para ayudar, moral o materialmente a contiendas bélicas en países extranjeros"[4]. Unos días después muchas asociaciones de carácter republicano y franquista quedaron clausuradas de inmediato.

No obstante, esta postura del gobierno cubano varió hacia 1945 cuando se aprobó una propuesta de Agustín Cruz y Salvador García Agüero en el Senado para que la delegación cubana ante la ONU reconociera al gobierno republicano español aunque el presidente Ramón Grau San Martín no apoyó la moción por presiones de industriales y comerciantes. A pesar de que la ONU excluyó a España en una votación ese mismo año, Cuba se abstuvo. La ruptura definitiva de relaciones diplomáticas con el régimen de Franco ocurrió después de 1959. Durante una intervención de Fidel Castro en la televisión en la cual acusaba al régimen de Francisco Franco, Juan Pablo de Lojendio, Embajador de España en Cuba, se presentó en los estudios –recuérdese que entonces eran trasmisiones en vivo siempre– e intentó agredir al entonces Primer Ministro (Gil Pecharromán 171). El resultado de ese incidente fue que España retiró su Embajador y así se mantuvo la situación diplomática hasta que muere Franco y asume el poder el Partido Socialista Obrero Español.

En 1945 ocurrió un suceso de enorme significado para la historia del republicanismo en Cuba. El Comité Congresional Pro-República Española presidido por Agustín Cruz convocó en el Centro Asturiano de La Habana a la Convención Nacional Democrática Pro-República Española en la cual se creó la Junta Suprema de Unión Nacional que buscaba darle cohesión a todas las fuerzas y tendencias republicanistas de Cuba.

---

[4] "Decreto de Gobernación No. 3411". *Gaceta Oficial*. Año XXXV, Tomo VI, No. 291, 4 de diciembre de 1937. pp. 9384-9385.

Lo hispánico fue durante esta etapa, sin dudas, un elemento integrador de muchas tendencias contrapuestas de la intelectualidad cubana. La huella espiritual e ideológica del exilio republicano español está por estudiarse con amplitud en Cuba. Antes es necesario historiar el exilio mismo pues se carece de fuentes idóneas para pasar de una fase descriptiva de ese fenómeno a una más profunda.

Algunos pasos se han dado en este sentido. Los eventos sobre el exilio republicano español, que se celebraban cada dos años en San Antonio de los Baños, organizados por el Centro Provincial del Libro y la Literatura de La Habana (1995, 1999 y 2003), eran un intento loable. De estos eventos, no se deben olvidar sus memorias[5], que recogieron las ponencias de prestigiosos investigadores del mundo sobre el tema y la promoción que realizó de las actividades de los estudiosos cubanos.

Se han publicado varios libros sobre autores españoles exiliados a causa de la Guerra Civil. Entre los más relevantes están los dedicados a Juan Ramón Jiménez[6], a María Zambrano[7] y a Manuel Altolaguirre[8]. También contamos con la excelente antología del exilio literario republicano de Róger Martell González y Jorge Domingo Cuadriello[9]. De este último autor, no es posible omitir su *Diccionario biobibliográfico. Españoles en las letras cubanas del siglo XX*[10] y su colección de ensayos *Españoles en las letras cubanas*[11]. También han aparecido

---

[5] Estas memorias se encuentran en el sitio web del Cervantes Virtual de la Universidad de Alicante. <http://www.cervantesvirtual.com/controladores/busqueda_facet.php?q=exilio+republicano+espa%C3%B1ol>.

[6] Vitier, Cintio (Ed.). *Juan Ramón Jiménez en Cuba*. La Habana: Arte y Literatura, 1981.

[7] Zambrano, María. *La Cuba secreta y otros ensayos*. Jorge Luis Arcos (Ed.). Madrid: Endimyon, 1996.

[8] Hens Porras, Antonio. *Manuel Altolaguirre en La Habana (1939-1943)*. La Habana: Ediciones Unión, 2004, y Gonzalo Santonja. *Un poeta español en Cuba*. Madrid: Galaxia Gutemberg, 1995.

[9] Martell González, Róger y Jorge Domingo Cuadriello. *Sentido de la derrota*. Barcelona: Ediciones GEXEL, 1998.

[10] Cuadriello, Jorge Domingo. *Los españoles en las letras cubanas durante el siglo XX: [diccionario bio-bibliográfico]*. Sevilla: Editorial Renacimiento, 2002.

[11] Cuadriello, Jorge Domingo. *Españoles en Cuba: en el siglo XX*. Sevilla: Ediciones Renacimiento, 2004.

recientemente dos compilaciones de Antonio Ortega[12] y Lino Novás
Calvo[13]. Esta última aparecida gracias a la labor de Cira Romero y la
anterior a Jorge Domingo Cuadriello. Recién se inicia el rescate del
patrimonio disperso y muchas veces perdido.

A pesar de esos intentos, el exilio filosófico español republicano
en Cuba ha sido prácticamente ignorado por los historiadores contemporáneos de nuestras ideas. Mucho nos queda todavía por recoger y compilar de este tipo específico de exilio en Cuba. El volumen
de materiales encontrados bien amerita una antología dedicada a este
tema de la cual deben ser excluidos, claro está, Ferrater Mora y la
Zambrano, pues ya su labor en La Habana ha sido recogida. El exilio
filosófico, en especial, merece otra antología que reúna aquellos artículos capitales para la cultura y el pensamiento cubanos de Joaquín
Xirau, de José Gaos y de otros.

Veamos ahora los nexos de dos figuras políticas cubanas de la
izquierda con el exilio republicano español antes de 1959. Nos referi-
mos a Raúl Roa y Eduardo Chibás.

II

En Cuba, pulularon las organizaciones relacionadas con el conflicto español. El Directorio Estudiantil Universitario decía lo siguiente en 1943:

> La tragedia española tiene que sentirla el cubano, –y especialmente el
> estudiantado cubano por representar a la juventud responsable–, como cosa
> propia, como una parte de nuestra propia tragedia, puesto que no es más que
> un eclipse del clima de libertad y de democracia a que justamente aspiran
> todos los cubanos[14]. ("Justificación" 5)

---

[12] Ortega, Antonio. *Chino olvidado y otros cuentos*. Jorge Domingo Cuadriello
(Ed.). Sevilla: Renacimiento, 2003.

[13] Novás Calvo, Lino. *El comisario ciego y otros relatos*. Introducción, selección y notas de Cira Romero. Santiago de Compostela: Ediciones Do Castro, 2003.

[14] Este fragmento pertenece al libro *Voces españolas en la Universidad*, y el
ejemplar que he consultado pertenece a la colección personal de la Dra. Ana Cairo, a
quien agradezco la gentileza.

La izquierda política cubana supo aprovechar la dimensión afectiva que los sucesos de España suscitaron entre los cubanos para los cuales la Península Ibérica era mucho más que una tierra lejana. Era la patria de sus ancestros y familiares en muchos casos cercanos. Se podría llegar a decir que incluso la solidaridad de los cubanos frente al conflicto, llevó a muchos de ellos a estimular la inmigración de la izquierda española. Ya desde los primeros meses del inicio de la confrontación armada "Roa tomó obviamente partido por los republicanos" (Roa 4).

El fin de la Guerra Civil con la Batalla del Ebro no significó para Cuba el fin del conflicto español. En La Habana, las fuerzas políticas encontradas se enfrentaron en varias ocasiones aunque la preferencia popular la tuvo, sin dudas, el bando republicano. Este instante fue el inicio de otro proceso. Se trata de la consolidación de eso que se ha dado en llamar "Exilio Republicano Español". Sobre la tragedia del transterrado por causas políticas, escribió Roa varias veces[15].

Roa, como profesor, ya había estado cerca anteriormente del mundo universitario español. Un antecedente de su postura lo podemos hallar en las palabras que pronunciara el 1 de abril de 1930 en la Asociación de Estudiantes de Derecho, con motivo de su mensaje a un grupo de estudiantes universitarios españoles que visitaron la Universidad de la Habana[16].

III

No obstante, Roa, a propósito de una lectura de los poemas de Antonio Machado, dejó muy claro el significado de la Guerra Civil para la izquierda global y, especialmente, para la sensibilidad del cubano:

---

[15] Véanse, de Roa: "La lección de Antonio Machado". *Universidad de la Habana*. Nos. 52-54, enero-junio, (1938): 181-187 y "Vocación, palabra y ejemplo de José Gaos". *Universidad de la Habana*. Nos. 50-51, septiembre-diciembre, (1938): 140-183.

[16] Se trata de "Los estudiantes españoles y nosotros". Para mayor referencia bibliográfica, cfr: *Bufa subversiva*, del 2006. (51-55).

Sólo una frase epónima necesito recordar para verificar irrecusablemente su validez: el "no pasarán" madrileño. ¿Qué hombre libre del mundo no sintió como propia esa bizarra salida? ¿No fue emulada en español y a la española, por las mujeres chinas, ante las murallas derruidas de Shanghai y de Cantón? ¿No fue acaso, durante una época, nuestro más efectivo grito de guerra contra la dictadura corporativa de Fulgencio Batista, que no vaciló en saquear los centros republicanos españoles y retener en el puerto de La Habana al vapor Manuel Arnús? [...] Por España sufrió, luchó y murió de cara al enemigo Pablo de la Torriente Brau. Y, al hacerlo, sufría, luchaba y moría también por la independencia de Cuba. ("Arenga soñada" 124-125).

Estas relaciones con el exilio español le valieron a Roa para ser seleccionado para integrar la Comisión Preparatoria de la Primera Reunión de la "Unión de Profesores Universitarios Españoles Emigrados" (U.P.U.E.E.) que agrupaba los académicos españoles en América y que escogió la Universidad de la Habana como sede del evento. Integraron esta Comisión, además: Dr. Rodolfo Méndez Peñate (Presidente), Dr. Roberto Agramonte (Vice-presidente), Dr. Gustavo Pittaluga (Presidente de la U.P.U.E.E.), Dr. Adriano G. Carmona (Secretario), Dr. Juan B. Kouri (Tesorero), Dr. Aureliano Sánchez Arango, Dr. Alfredo Mendizábal (Secretario General de la U.P.U.E.E.)[17].

Las cartas que Roa le dirigió al filósofo español José Gaos a propósito de la preparación de la Primera Reunión de Profesores Universitarios Españoles Emigrados son el mejor testimonio de la función organizadora del cubano[18]. Ellas se conservan en el Archivo "José Gaos" del Instituto de Investigaciones Filosóficas de la Universidad Nacional Autónoma de México[19]. Si pudiéramos rastrear los fondos

---

[17] Papel membretado original de la Comisión Preparatoria suministrado al autor por la Dra. Ana Cairo.

[18] Es necesario agradecer la colaboración del Dr. Antonio Zirión Q. (Coordinador de la edición de las Obras Completas de José Gaos) y de la MSc. Cristina Roa (Directora del Archivo José Gaos) ambos en México D.F.

[19] Folio(s): 60082-60083/Título: La Habana, agosto 12 de 1934. Dr. José Gaos. México, D.F. Mi querido Gaos/Autor(es): Raúl Roa/Fecha(s): 1934/Detalles físicos: Carta mecanografiada por ambos lados, en hoja bond de 28 x 21.5 cm/Observación(es): En hoja con membrete de la República de Cuba. Universidad de La Habana. Comisión preparatoria de la primera reunión de profesores universitarios españoles. Firmada por Raúl Roa. Fechada el 12 de agosto de 1943. Con una nota manuscrita al final.

manuscritos del Archivo de Raúl Roa y de los archivos personales de los convocados a la cita universitaria de 1943, podríamos reconstruir todo el proceso de planificación del evento.

Roa participó activamente en la organización de la reunión pues los dos primeros integrantes de la Comisión eran el Rector y el Vice-Rector de la Universidad de la Habana y su función en la misma era más bien nominal, al igual que ocurría con Aureliano Sánchez Arango, entonces Secretario de Educación de la República de Cuba. Los cinco restantes integrantes son los que realmente prepararon el evento.

La Primera Reunión de Profesores Universitarios Españoles Emigrados tuvo una amplia cobertura en Cuba. Se desarrolló una enorme cantidad de actividades colaterales que vincularon a ella la mayor parte de los actores sociales del país. Un seguimiento de la prensa de esos días nos puede dar una completa idea de ello[20]. El objetivo del evento según el Anteproyecto del mismo fue el siguiente:

Folio(s): 60084-60085/Título: La Habana, junio 29 de 1943. Sr. D. Don José Gaos. México D.F. Mi querido Gaos/Autor(es): Raúl Roa/Fecha(s): 1943/Detalles físicos: Carta manuscrita por ambos lados, en hoja bond de 28 x 21.5 cm/Observación(es): Firmada por Raúl Roa. Fechada el 29 de junio de 1943. Folio(s): 60101-60102/Como título: Siempre igualmente querido Roa./Autor(es): José Gaos/Detalles físicos: Carta manuscrita por ambos lados, en hoja bond de 28 x 21.5 cm/Observación(es): Sin fecha./Con algunos taches. Firmada por José Gaos.

[20] Cfr: Marcos Raña, Francisco. "La Casa de Cultura envía un saludo a la Reunión de Profesores Españoles". *Hoy*. Martes, 21 de septiembre de 1943. (p. 6). "Banquete a los profesores españoles". *Hoy*. Miércoles, 22 de septiembre de 1943. (p. 6). "Homenajearán a profesores españoles. Casa de Cultura y Círculo Republicano". *Hoy*. Jueves, 23 de septiembre de 1943. (p. 6). "La Reunión de Profesores Españoles". *Hoy*. Viernes, 24 de septiembre de 1943. (p. 2). "Envían un saludo a la Reunión de Profesores. Es de la Convención de Ayuda al Pueblo Español". *Hoy*. Viernes, 24 de septiembre de 1943. (pp. 1 y 6). "Se discutirá hoy la Declaración de los Profesores Españoles. Homenaje a Martí y los estudiantes del 71". *Hoy*. Sábado, 25 de septiembre de 1943. (p. 1). "Adoptaron ayer los Profesores Españoles Emigrados la Declaración de La Habana". *Hoy*. Domingo, 26 de septiembre de 1943. (p. 8). "Honran a Martí los Profesores Exiliados en Cuba". *Hoy*. Martes, 28 de septiembre de 1943. (pp. 1 y 8). "Sesión plenaria del Congreso de Profesores". *Hoy*. Miércoles, 29 de septiembre de 1943. (pp. 1 y 4). "Inauguran mañana la Primera Reunión de Profesores Universitarios Españoles". *Información*. Martes, 21 de septiembre de 1943. (pp. 1 y 8). "Iniciase esta noche la Reunión de Profesores Españoles". *Información*. Miércoles, 22 de septiembre de 1943. (pp. 1 y 8). "La Conferencia de Profesores Españoles".

...llevar a cabo un estudio delineatorio previo de la realidad española actual y, en función de la misma, aportar colectivamente los mejores ensayos posibles de reconstrucción general de la Península. (Carmona y Romay[21])

Como parte de este evento, Raúl Roa pronunció unas palabras que llevaron por título "Diez días que conmovieron a Franco", que compiló el Directorio Estudiantil Universitario[22] y que posteriormente

Información. Jueves, 23 de septiembre de 1943. (pp. 1 y 10). "La Conferencia de Profesores Españoles. Espera España recobrar su soberanía, dice declaración oficial". *Información*. Domingo, 26 de septiembre de 1943. (pp. 1 y 14). "La Conferencia de Profesores Españoles. Reunión plenaria habrá a las 4:00 pm de hoy en la Universidad". *Información*. Miércoles, 29 de septiembre de 1943. (pp. 1 y 10). "Discuten en sesión plenaria las ponencias de los profesores españoles". *Información*. Jueves, 30 de septiembre de 1943. (pp. 1 y 10). "Todo listo en la Universidad para la Conferencia de Profesores Españoles". *El Mundo*. Martes, 21 de septiembre de 1943. (pp. 1 y 10). "Los profesores españoles". *El Mundo*. Martes, 21 de septiembre de 1943. (p. 8). "Se inicia hoy la Reunión de Profesores Españoles". *El Mundo*. Miércoles, 22 de septiembre de 1943. (pp. 1 y 12). Ortega y Gasset, Eduardo. "De Salamanca a La Habana". *El Mundo*. Miércoles, 22 de septiembre de 1943. (p. 11). "Quedó inaugurada anoche la reunión de los profesores españoles". *El Mundo*. Jueves, 23 de septiembre de 1943. (pp. 1 y 12). "Radiarán discursos del almuerzo a los profesores". *El Mundo*. Viernes, 24 de septiembre de 1943. (p. 1). "El acto de anoche en los reporters". *El Mundo*. Viernes, 24 de septiembre de 1943. (p. 8). "Agasajo del Mundo a los profesores". *El Mundo*. Sábado, 25 de septiembre de 1943. (pp. 1 y 8). "Recepción de la Gran Logia de la Isla de Cuba a los Profesores Españoles". *El Mundo*. Sábado, 25 de septiembre de 1943. (p. 12). "Declaración de La Habana. Aseguran los profesores hispanos que le llevarán a España el espíritu de América. Los profesores en la Hispanocubana de Cultura". *El Mundo*. Domingo, 26 de septiembre de 1943. (p. 1). "Disertarán varios profesores en el Asturiano". *El Mundo*. Martes, 28 de septiembre de 1943. (p. 5). "Aprobó la Reunión de Profesores Españoles una interesante ponencia sobre alimentación". *El Mundo*. Miércoles, 29 de septiembre de 1943. (p. 8). "Laboran intensamente las secciones de la I Reunión de Profesores Españoles". *El Mundo*. Miércoles, 29 de septiembre de 1943. (p. 12). "Discutieron los profesores españoles sobre las relaciones Iglesia y Estado". *El Mundo*. Jueves, 30 de septiembre de 1943. (p. 5). "Banquete de la Comisión Preparatoria de la Reunión de Profesores". *El Mundo*. Jueves, 30 de septiembre de 1943. (p. 12). Piñera Llera, Humberto. "Informe acerca de la Primera Reunión de Profesores Universitarios Españoles". *Universidad de la Habana*. Nos. 50-51, septiembre-diciembre, 1943. (pp. 339-354).

[21] Carta sin paginación.
[22] Cfr: Voces españolas en la Universidad. (pp. 35-45).

su autor recogería[23]. Comienza esta pieza oratoria aludiendo a la visita de los estudiantes españoles que reseñó en *Bufa subversiva* y de la que ya se ha hablado aquí. Hace un recuento de la solidaridad del movimiento estudiantil universitario cubano con el estudiantado español republicado desde la dictadura de Primo de Rivera. Compara a este último político español con el cubano Machado, compara a Unamuno con Varona y su relación con los jóvenes revolucionarios; compara la situación de España con la de Cuba. Se empeña en construir una historia común entre los dos países de lucha por la libertad y en la cual subraya el protagonismo de los ideales republicanos. La noción de "historia común" pensada para la época colonial es reactualizada por Roa. Ahora se trata de dos países que viven una misma exigencia de libertad que los une. Las reflexiones de los exiliados españoles son útiles también para la situación cubana. Los intelectuales y los universitarios de izquierda deben unirse en una causa común por la libertad.

IV

Hay detrás de su reflexión un concepto geopolítico de Iberoamérica que mucho tiempo después el Roa-ministro vería como Latinoamérica. La ruptura de Cuba con la OEA y el incidente con el embajador de Franco a inicios de la Revolución Cubana, llevarían al político cubano a redefinir el marco geopolítico en el cual se insertó la izquierda nacional.

Raúl Roa por su labor al servicio de la causa republicana recibió la "Orden de la Liberación de España", que consta de placa y medalla, instituida por el Gobierno en el Exilio de la Republica Española en París en 1947. Le fue conferida como recompensa de méritos contraídos y servicios notables en favor de la restauración del régimen republicano en España. La viuda de Roa donó la pieza a la Casa-Museo Camilo Cienfuegos[24].

---

[23] Cfr: *15 años después*. (524-531).

[24] Este dato fue suministrado por el joven investigador en heráldica cubana Maikel Arista-Salado quien a su vez consultó al investigador español Antonio Nieto Carnicer.

V

Los intelectuales cubanos de izquierda fueron muy solidarios con sus colegas españoles opuestos a la dictadura del general Primo de Rivera (septiembre de 1923-enero de 1930), y saludaron la instauración de la Segunda República Española, en abril de 1931. Se movilizaron con rapidez desde los inicios de la Guerra Civil (julio de 1936-abril de 1939).

Desde una fecha muy temprana, la figura de Chibás aparece interesada por el conflicto bélico español. En 1937 entrevista al poeta Juan Ramón Jiménez, que había llegado exiliado a La Habana. Se expresa de él en los siguientes términos:

> El más ilustre de los poetas vivientes españoles, Juan Ramón Jiménez, hace varios meses que se encuentra entre nosotros. Su presencia ha pasado casi inadvertida para las grandes mayorías. Se explica. Juan Ramón Jiménez siempre ha recatado su espíritu sereno al murmullo de la calle, a la inquietud pública. (Nadie lo ha podido entrevistar desde su llegada a La Habana.) No es hombre de multitudes. Es el artista obsedido por la pasión del arte, desligado de todo lo que no sea poesía que emerge del fondo del espíritu del hombre. Todo en él es armonía: el ademán, la dicción y el pensamiento. Su voz no es la nuestra. Su palabra íntima, serena, poética no tiene el acento multitudinario, inquieto, beligerante que caracteriza a nuestras filas. Sentado frente a él, observando el ritmo cadencioso de sus maneras, recogiendo su estilizado pensamiento sobre el drama doloroso de España, he palpado las diferencias. Dos hombres. Dos generaciones: la generación puramente intelectual, un tanto recogida en sí misma, pero que rescata a España del obscurantismo y la incorpora a las corrientes culturales modernas; y la generación intrépida y activa que lucha en todos los rincones del mundo por los fueros de la auténtica democracia.
>
> No obstante, las ideas refinadísimas del lírico de Eternidades, de este poeta universal que vive al margen de la política, se identifican y funden en el doloroso crisol de la tragedia española, con las nobles y generosas ideas y aspiraciones de su pueblo. Porque Juan Ramón Jiménez, lo mismo que Martí, poeta y apóstol de nuestra independencia caído en Dos Ríos luchando contra la España monárquica, militarista y clerical (hoy se conmemora el aniversario de su caída), Zenea, Plácido, García Lorca (víctimas de la misma España reaccionaria), la Avellaneda, Heredia, Brindis de Salas, Larra, Valle Inclán, los Machado [...] son todos cantores insignes de la belleza, la justicia y la libertad. Su idioma espiritual es el mismo. Son todos hermanos en el Arte –pese a

diferencias de sexo y de raza– por el abolengo de su talento y la estirpe noble de su corazón. (Chibás 40)

La anterior caracterización está en función del uso político que tendrá la misma en favor de la causa republicana en un momento en que la opinión pública en Cuba estaba dividida a favor de un bando u otro. En el propio contexto de publicación en la revista *Bohemia* se ilustra esa polaridad. Justo detrás de las palabras juanramonianas aparece un artículo dedicado al sacerdote católico gallego Basilio Álvarez quien le impuso al sublevado Francisco Franco el fajín de General regalado por el Centro Gallego de La Habana[25]. La popular revista cubana se hace eco de los dos bandos. Pone a Juan Ramón Jiménez al lado del Padre Basilio Álvarez. Vale destacar que la actitud de este último fue duramente criticada por Chibás desde las páginas de la *Ayuda* como apuntaremos más adelante. La polaridad de criterios hacia los republicanos y los franquistas imponía buscar una voz neutral y objetiva para defender la causa de los primeros. ¿Quién mejor que un poeta "que vive al margen de la política" y "no tiene el acento multitudinario, inquieto, beligerante que caracteriza a nuestras filas"? Las frases precedentes en la caracterización de Juan Ramón Jiménez como un poeta de torre de marfil buscan validar las opiniones políticas de su entrevistado. No es casual que sea un político quien lo entreviste por primera vez en Cuba. Juan Ramón Jiménez se atiene a los hechos y se cuida de emitir juicios valorativos pero sus respuestas lo inclinan obviamente junto al bando republicano:

> Todas mis cartas, dirigidas a familiares, amigos y sirvientes que están en territorio legal, algunas incluyendo dinero, han sido recibidas, el dinero inclusive. En cambio, las que he dirigido a personas que están en territorio rebelde, no han tenido contestación. (Chibás 60).

El retrato de Juan Ramón no se detiene ahí, le articula toda una genealogía en la cual pone juntos a cubanos y españoles. Esboza la idea de las dos Españas, la buena y la mala, a propósito de Martí cuyo aniversario se cumplía en el momento de la entrevista.

---

[25] Cfr: Chibás pp. 42-43, 59.

VI

En el Registro de Asociaciones de la República de Cuba se han encontrado datos sobre la Asociación de Auxilio al Niño del Pueblo Español (AANPE). En esta última fue donde Eddy Chibás desarrolló un papel más activo como secretario de actas. La AANPE[26] presentó su "Reglamento Oficial" al Registro de Asociaciones el 22 de febrero de 1937. En este documento se proponía:

> ...aliviar la triste situación de orfandad, desamparo y carencia de los más elementales medios de vida, a que la durísima guerra civil española ha reducido a millares de niños del pueblo español, para este objeto organizará toda clase de labores de propaganda, a fin de obtener apoyo moral y material de cuantas personas de buena voluntad y autoridades quieran cooperar en la labor humanitaria....[27]

Una vez aprobado el documento por el gobierno de La Habana, el 8 de marzo de 1937, se redactó el "Acta de Constitución" en la casa no. 56 altos de la calle Antón Recio, que fue su primer domicilio legal. De ahí, se trasladó el 15 de marzo del mismo año a la oficina no. 256 de la Manzana de Gómez; y quedó definitivamente ubicada hasta su disolución, en noviembre de 1939, en la casa de la doctora Rosa Pastora Leclerc en la calle Josefina no. 5 de la Víbora.

La AANPE tuvo unas 35 filiales, entre las que se destacaron las de Santa Clara, Ciego de Ávila, Bayamo, Santiago de Cuba, Banes, Manzanillo, Cárdenas, Regla, San Francisco de Paula y Marianao.

---

[26] El comité directivo quedó integrado por: Teté Casuso (la viuda de Pablo de la Torriente Brau), presidenta; doctor Luis Álvarez Tabío, vicepresidente; Alberto Saumell, secretario de actas; Gladys López vice; Eduardo Cañas, secretario de organización; Constantino Candia, vice; Herminia del Portal, secretaria de correspondencia; Gustavo Fabal, vice; Ramiro Valdés Daussá, secretario de prensa y propaganda; Enrique Camejo, vice; y como vocales estaban: Ibrahim Lazo, Pedro G. Piñeyro y Aurora Pérez. Asistieron ese día además entre otros: Ada Kourí (esposa de Raúl Roa), Rafael García Bárcena y Judith Martínez Villena (hermana de Rubén y esposa del poeta José Z. Tallet). Se constituyó un comité de honor integrado, entre otros, por Camila Henríquez Ureña, Fernando Ortiz, Emilio Roig de Leuchsenring y Roberto Agramonte.

[27] Cfr: Estatutos de la Asociación de Auxilio al Niño del Pueblo Español. Archivo Nacional de la República de Cuba (ANC). Fondo Registro de Asociaciones, Leg. 209, Exp. 4948

En las elecciones del 9 de marzo de 1938, Ramiro Valdés Daussá asumió la presidencia y Eduardo (Eddy) Chibás, la secretaría de actas. José Antonio Portuondo también ingresó en la directiva. El ejecutivo anterior se incorporó al comité de honor.

Algunas de las actividades más significativas de la AANPE fueron el envío para los niños de España de 24000 latas de leche condensada, 5579 piezas de ropa y 1500 pesos para la fundación de una colonia de niños huérfanos en los Pirineos catalanes. Se pagó el viaje de Rosa Pastora Leclerc para que la dirigiera personalmente. Posteriormente, con la llegada de las tropas franquistas a Cataluña, Rosa Pastora se trasladó a Francia desde donde representaba a la AANPE. Ella también viajó a Bélgica e hizo gestiones para traer 50 huérfanos que la acompañaban a Cuba. El gobierno francés no lo autorizó.

Las siguientes elecciones fueron el 6 de marzo de 1939 en las que se reconoció el valor de los millares de cotizantes y de los comités de damas y los comités infantiles. Especialmente, se resaltó la labor de propaganda realizada a través de millones de impresos, de la revista *Ayuda*, de los actos populares, de las trasmisiones de radio[28], la edición de postales, almanaques, abanicos, botones distintivos, bonos, sellitos, talonarios y películas propias.

Se envió un barco cargado de productos cubanos y se iniciaron gestiones con el gobierno cubano para que acogiera una cantidad apreciable de niños víctimas de la guerra aunque no se ha hallado hasta ahora ningún dato de que el proyecto llegó a concretarse.

Se creó y sostuvo una escuela-hogar para niños huérfanos en Sitges, Barcelona, que se inauguró el 31 de mayo de 1938 y a la que se llamó "Residencia Escolar Pueblo de Cuba" la cual administraba y dirigía la pedagoga cubana Rosa Pastora Leclerc. También se compró un camión para dar servicio a otras residencias escolares de la zona.

El patrimonio de la AANPE ascendía a 35000 pesos después de dos años de creada. Se anunció el envío de otro cargamento de leche condensada, azúcar, ropa y otros artículos para los niños afectados por la guerra. Ramiro Valdés y Eddy Chibás fueron reelegidos en sus cargos.

---

[28] La hora de radio era los lunes, miércoles y viernes de 12:30 a 1:30 del mediodía por CMBZ.

La Guerra Civil Española terminó con la derrota de las fuerzas republicanas en abril de 1939. En junio, el gobierno cubano (controlado desde la jefatura del ejército por el coronel Fulgencio Batista) reconoció diplomáticamente a la dictadura del general Francisco Franco. Este hecho obstaculizó las acciones solidarias.

En octubre de 1939 se utilizaba como lema de la AANPE una máxima martiana: "¡Los niños son la sal de la vida, la esperanza del mundo!".

El 5 de noviembre se celebró una reunión en la que se acordó su disolución. Se envió a la Office International pour l'Enfance para la ayuda de los huérfanos refugiados en Francia la cantidad de 35000 pesos procedentes de la liquidación de la AANPE.

El 11 de diciembre de 1952 quedó definitivamente cancelada la inscripción en el Registro de Asociaciones.

VII

En *Ayuda*, el órgano de la AANPE, colaboraron Juan Ramón Jiménez, Roberto Agramonte, Mirta Aguirre, José Antonio Portuondo, Gastón Baquero, Juan Marinello, Camila Henríquez Ureña y Carlos Rafael Rodríguez, entre otros. Eddy Chibás publicó el artículo "Dellendá est Cartago!! Dellendá est Berlín!!", en el que delimitaba muy bien las diferencias entre la catolicidad "republicanista" y la "franquista":

> Quiero, antes que nada, enviar un saludo cordial, pletórico de admiración y de simpatía, a uno de los más gallardos representantes de la intelectualidad y el decoro español: el Padre Basilio Álvarez, que acaba de arribar a nuestras costas hospitalarias. El Padre Basilio Álvarez es un auténtico padre de las clases populares españolas, uno que no ha cometido, como otros el crimen del parricidio. ("Dellendá est Cartago!! Dellendá est Berlín!!" 6).

Esta opinión de Chibás podría sustentar la conveniencia de que debería estudiarse el fuerte influjo de ese clero republicanista exiliado en la posterior teología de la liberación en América Latina. Se debería también recordar la visita que, en enero de 1959, hiciera a la redacción del periódico *Revolución*, órgano del Movimiento 26 de julio

(M-26), el sacerdote Iñaqui de Azpiazu, quien entonces era el asesor continental del Movimiento Social de la Iglesia Católica y uno de los precursores de la teología liberacionista de Leonardo Boff y Gustavo Gutiérrez.

Aspiazu estuvo acompañado del presbítero franciscano Ignacio Biaín, director de *La Quincena,* una de las publicaciones católicas de mayor impacto social en Cuba, y del diocesano Ángel Gaztelu, poeta del grupo literario Orígenes, quien había prestado una colaboración importante a los revolucionarios antibatistianos entre 1952 y 1958.

Con estos dos hechos podría validarse el interés hacia algunos temas necesarios en cuanto a posibles investigaciones, como las características de las interacciones entre el republicanismo católico español y la teología de la liberación en América Latina; el clero cubano y el republicanismo católico; el clero cubano y los precursores de la teología de la liberación; el clero cubano, el combate antibatistiano y el revolucionario.

Por otra parte, se podrían examinar nuevos tópicos. Se sabe que Chibás fue el líder indiscutible del Partido del Pueblo Cubano (Ortodoxos, PPC, 1947-1955). Después de su muerte el 16 de agosto de 1951 y del golpe de Estado, encabezado por Fulgencio Batista el 10 de marzo de 1952, el PPC se fracturó en varias tendencias. La revolucionaria, encabezada por Fidel Castro, resultó esencial para la fundación del Movimiento 26 de Julio en junio de 1955. Por lo mismo, quizás, podría tener algún interés la profundización acerca del republicanismo católico español y sus alternativas, desde los tiempos de la Guerra Civil, de las acciones de Chibás en la AANPE y el PPC, hasta los del M-26.

Desde, al menos, las tesis de *El presidio político en Cuba* (1871) de José Martí, los revolucionarios cubanos han reflexionado utilizando el argumento en torno a las dos Españas. Con el apoyo a los republicanos durante la Guerra Civil esta tradición de pensamiento se actualizó. Emilio Roig de Leuchsenring lo hizo en su libro *La España de José Martí* (1938). Chibás reiteraba, en su artículo "Dellendá est Cartago!! Dellendá est Berlín!!", la idea de las dos Españas, la buena y la mala, la blanca y la negra:

Basilio Álvarez representa a la España republicana, toda luz y humanidad, la que defendió en el parlamento español la independencia de Cuba,
no la España obscurantista y cruel del cirio inquisidor la bota militar, no la
España monárquica y clerical que implantó la reconcentración en Cuba, no
la España que arrojó a Fray Luis de León a un calabozo de la Inquisición, la
España contra la cual Cervantes arremetiera, pluma en ristre sin otra coraza
que el genio de su ironía, la España que hoy persigue y aniquila todo lo que
tiene inteligencia y corazón, la que no pudiendo quemar vivos a Espronceda,
el más excelso de los poetas hispanos, ni a la Avellaneda, Bécquer, Campoamor, Núñez de Arce, Larra, Varela, Pérez Galdós, Benavente, los Hermanos
Quintero, la Pardo Bazán, Valle Inclán, Blasco Ibáñez, etc., etc., se contenta
con quemar sus obras cada una de las cuales es un faro resplandeciente de
progreso y cultura universal. (40)

Más adelante, realzaba el sentido universalizador antifascista de
la causa republicana para la izquierda en Cuba:

Estamos frente a una cruzada contra la cultura que pretende hacer al
mundo seguro para el fascismo exterminando la inteligencia.
Hasta ahora, marchan de triunfo en triunfo, los señores de la guerra,
predicando por el Orbe el evangelio de la sangre. (40)

La participación de Chibás se extendió a otras organizaciones:
fue invitado a impartir una conferencia en el Círculo Republicano
Español el 14 de diciembre de 1942 cuyo texto lamentablemente no se
ha hallado[29]; asistió al buffet en honor de los congresistas de la República Española ofrecido el 15 de octubre de 1944[30]; y a las actividades
convocadas por la Junta de Liberación Española entre el 26 de octubre
de 1944 y el 1 de septiembre de 1945[31].

VIII

Estos vínculos entre la izquierda en Cuba –a través de figuras
como Marinello, Chibás y Roa– y el exilio republicano español trazan
una posible zona de convergencia entre los movimientos progresistas europeos y los movimientos sociales que resultaron en el proceso

---

[29] ANC. Fondo Eduardo Chibás. Leg. 5, No. 852.
[30] ANC. Fondo Eduardo Chibás. Leg. 2, No. 858.
[31] ANC. Fondo Eduardo Chibás. Leg. 2, No. 860.

político iniciado por el "Movimiento 26 de Julio" en 1959. Esta última organización es heredera política del Partido Ortodoxo de Eduardo Chibás. Marinello y Roa, por otro lado, tuvieron un papel activo en el proceso iniciado después de la caída de Fulgencio Batista. La izquierda cubana, como se ha mostrado aquí, utilizó el conflicto español de 1939 en función de sus propias estrategias de propaganda y en el reforzamiento de sus narrativas ideológicas. El presente ensayo solo se propone abrir el debate a partir de una serie de datos que nos deben permitir leer el exilio republicano español en una influencia que va más allá de su huella en lo cultural o en lo filosófico. La izquierda en Cuba antes de 1959 explotó la sensibilidad del cubano a través de los sucesos de la Guerra Civil Española y sus consecuencias para aquel país. Si bien se han mencionado los vínculos de aquella izquierda política precastrista con la URSS y con el APRA en Perú, los nexos con la izquierda republicana tampoco deben de ser desdeñados.

Bibliografía

"Decreto de Gobernación No. 3411". *Gaceta Oficial*. Año XXXV, Tomo VI, No. 291, 4 de diciembre de 1937.

"Justificación". *Voces españolas en la Universidad*. La Habana: Directorio Estudiantil Universitario, 1943.

BALLAGAS, EMILIO. "Carta a Juan Marinello". La Habana, 1 de diciembre de 1939. *Fondo Juan Marinello*. Colección de Manuscritos. Biblioteca Nacional José Martí, La Habana.

CARMONA Y ROMAY, DR. ADRIANO G. "Carta a Juan Marinello". La Habana, 23 de julio de 1943. (Adjunta anteproyecto de organización de la Reunión de Profesores Universitarios Españoles). *Fondo Juan Marinello*. Colección de Manuscritos. Sala Cubana. Biblioteca Nacional José Martí, La Habana.

CHIBÁS, EDUARDO. "Dellendá est Cartago!! Dellendá est Berlín!!". *Ayuda*, año I, no. 5, 1938. (1938): 6.

——————. "Los intelectuales españoles frente al fascio. Una entrevista con Juan Ramón Jiménez". *Bohemia*. Año 29. (23 de mayo de 1937): 40.

GIL PECHARROMÁN, JULIO. Con Permiso de la Autoridad: La España de Franco (1939-1975). Madrid: Ediciones Tema de Hoy, 2008.

ROA, RAÚL. "Arenga soñada". *15 años después*. La Habana: Editorial Librería Selecta, 1950.

——————. "Diez días que conmovieron a Franco". *15 años después*. La Habana: Editorial Librería Selecta, 1950. (524-531).

—————. "Diez días que conmovieron a Franco". *Voces españolas en la Universidad*. La Habana: Directorio Estudiantil Universitario, 1943. (35-45).

—————. "La lección de Antonio Machado". *Universidad de la Habana*. Nos. 52-54, enero-junio. (1938): 181-187.

—————. "Los estudiantes españoles y nosotros". *Bufa subversiva*. (Prólogo de Fernando Martínez Heredia. Estudio preliminar, notas y anexos de Ana Cairo). La Habana: Ediciones La Memoria, Centro Cultural Pablo de la Torriente Brau, 2006. (51-55).

—————. "Madrid: tumba del fascismo". *Mediodía*. Vol. I, No. 4. 13 de diciembre de 1936.

—————. "Vocación, palabra y ejemplo de José Gaos". *Universidad de la Habana*. Nos. 50-51, septiembre-diciembre, (1938): 140-183.

VITIER, CINTIO (Comp.). *Juan Ramón Jiménez en Cuba*. La Habana: Arte y Literatura, 1981.

—————. *Ese sol del mundo moral*. La Habana: Ediciones Unión, 1990.

Liborio y el humor isleño: la representación del emigrante canario en el imaginario cubano

María Hernández-Ojeda
Germán Santana Pérez

Introducción

Durante el siglo XIX y primera mitad del XX, coexistían en el imaginario cubano[1] dos estereotipos sociológicos del emigrante de las Islas Canarias: el primero, de índole negativa, le inscribía en la categoría de "bruto," y "analfabeto," una imagen construida desde los centros urbanos por las clases dominantes en la isla caribeña. El segundo modelo, que resaltaba de forma positiva sus cualidades como trabajador, fue articulado desde la Corona española y empresas contratistas, que conocían la buena adaptación laboral del canario en Cuba (Galván 82). De este modo, la identidad del isleño –gentilicio que se utiliza en Cuba y en otras zonas de Latinoamérica para llamar al emigrante canario, con el fin de diferenciarlo del resto de los españoles, conocidos como "gallegos"–, está intrínsecamente asociada con la agricultura como ámbito primordial, con el guajiro o campesino cubano, con el sector tabaquero, y la endogamia étnica. Por todo ello, el antropólogo canario Alberto Galván Tudela afirma que en Cuba, el inmigrante canario "aparece como un individuo analfabeto, objeto de chistes que remarcaban tal condición" (71). En este estudio se discutirá cómo la representación de "bruto" en el imaginario humorístico cubano va más allá de una simple ridiculización de la imagen del canario en Cuba. Representa, por el contrario, una parodia del cubano hacia sí mismo, tal y como veremos en la figura del ícono gráfico Liborio, un personaje

---

[1] El estudio de Alberto Galván Tudela es fundamental para este ensayo. Cabe destacar particularmente su capítulo "¡Isleño come gofio!: Identidad y adaptación sociocultural en Cuba," que ocupa las páginas 69-79 del libro *Canarios en Cuba: una mirada desde la antropología*, editado por este mismo autor.

popular de las viñetas del primer cuarto del siglo XX. Esta caricatura personifica al pueblo cubano, y su imagen surgió a partir de la figura de un guajiro isleño. Es fundamental comentar la importante trayectoria de la migración canaria a Cuba y el contexto en el que se forjó el vínculo canario-cubano.

CONTEXTO HISTÓRICO

Varios son los isleños o hijos de canarios inscritos en la Historia de Cuba, desde el canario Silvestre Núñez de Balboa, autor de la primera obra literaria cubana, *Espejo de paciencia* (1608), hasta José Martí, hijo de la tinerfeña Leonor Pérez, entre tantos otros. También emigraron y formaron parte de Cuba una larga lista de personajes anónimos que se identificaron con la población cubana más que cualquier otro grupo español. El mismo carácter isleño, las mayores semejanzas en el clima al encontrarse los dos espacios insulares a parecida latitud, las similitudes administrativas, el carácter mestizo de sus sociedades, el que se compartiesen en la producción cultivos semejantes (por ejemplo la caña de azúcar o el maíz), e incluso un habla hermana propiciaron esta cercanía. La particularidad en el trato con los canarios debido a estos elementos comunes hizo que en Cuba se les llamase desde siempre isleños.

Cristóbal Colón transitó por las Islas Canarias en sus cuatro viajes, para aprovisionarse de avituallamiento. Algunos canarios se enrolaron en su expedición. En el segundo viaje decidió llevar a un aborigen canario para que le sirviese de intérprete ante los grupos poblacionales que pensaba encontrar (Borges 202), al imaginar que poseerían un idioma con raíces semejantes. Durante la primera mitad del siglo XVI, aparte de marineros y soldados, se embarcaron agricultores con el fin de satisfacer la demanda de personal muy cualificado e imprescindible para el trabajo en el ramo productor del azúcar, ya que el cultivo de la caña se extendió desde Canarias hasta las Antillas (Hernández García 13). También se introdujeron desde Canarias hacia las Antillas una gran variedad de plantas y ganado y con ellos, agricultores y ganaderos canarios. Entre 1493 y 1600 la emigración canaria a Cuba solo supone un 0.3% del total de los españoles llegados, según las cifras oficiales, pero estas cifras, como el historiador canario Jesús Guanche reconoce, no toman en consideración el amplio y continuo proceso de emigración ilegal desde las Islas Canarias, donde el tráfico de personas llega a convertirse en práctica común (Guanche *Componentes* 26).

La emigración ilegal fue más abundante que la legal, a tenor de estas cifras. Prácticamente todas las décadas del siglo XVII, y mucho antes de que se impusiera el tributo de sangre o derecho de familias[2], a finales del siglo XVII, e incluso antes de que comenzara la crisis del vino en Canarias, partían decenas de personas de cada una de las islas centrales. Su objetivo era probar fortuna y tratar de enriquecerse, algo que difícilmente hubieran podido conseguir en su tierra de origen. Esto ocasionaba la preocupación y protesta de las autoridades locales[3]. A fines del siglo XVI existía una notable presencia de canarios, ya que en 1582 el alcalde de la Fuerza de La Habana, Fernández de Quiñones,

---

[2] Se ha llamado "tributo de sangre" o "derecho de familias" a la Real Cédula aplicada en Canarias desde 1678 hasta 1778 por la que por cada cien toneladas que se exportaban hacia América debían viajar cinco familias canarias. Este hecho fue concebido como un privilegio puesto que liberaba a los comerciantes del pago del impuesto de averías y no se renegociaba puntualmente el número de toneladas de la licencia para navegar al Nuevo Continente, que oscilaban entre las trescientas y mil, sino que se fijó a partir de 1688 en mil toneladas, muy lejos, sin embargo, de las pretensiones de la burguesía canaria, que ansiaba el libre comercio, solo para Canarias. La obligación de llevar familias no era tal, puesto que se podían pagar los correspondientes impuestos y evitar así el traslado, como ocurrió en alguna ocasión. Con esta medida se trataba de localizar también a la población canaria en los lugares que a la Corona española le interesaba poblar o defender en tierras americanas, en donde se llegaron a fundar nuevas poblaciones, para lo que se les asignaban dinero, tierras, semillas, aperos y herramientas. Debemos tener en cuenta que fueron varios los años en que emigraron más familias de forma ilegal que las establecidas a través de la Real Cédula y que esta emigración estaba constituida fundamentalmente por emigrantes pobres y desplazados del control de los medios de producción en Canarias. Solo los emigrantes con más recursos podían permitirse pagar un pasaje hacia zonas más lucrativas que las propuestas por la Corona.

[3] AGI., Indiferente, 3089, L.3. En 1635 se le informaba al Lcdo. Francisco de Molina, juez de registros de Tenerife, que había llegado noticia de que en los navíos que salían de esa isla para Indias, se embarcaban 50, 60 y aun 80 personas en cada uno, por cuya causa la isla se despoblaba, y podían hacer falta para su labor, defensa y seguridad.

aseguraba que a esa ciudad venían de paso gran cantidad de mercaderes isleños que después partían "haciendo sus haciendas y vendiendo sus vinos (VV. AA. 134)". Se ha calculado que un 25.6% del total de inmigrantes que llegaban a La Habana entre 1585 y 1645 era canario, con un poblamiento no solo masculino sino también femenino, si bien en menor medida, por lo que la población canaria estaba insertada dentro del concepto de enraizamiento en las nuevas tierras (Moreno 483).

Desde el último tercio del siglo XVI, La Habana sustituyó a Santo Domingo como el principal destino de la emigración canaria. Fue una emigración principalmente de comerciantes y agricultores; los primeros acudían para continuar sus negocios, a veces estableciendo verdaderas dinastías familiares, y los segundos buscaban mejores oportunidades que en su tierra, así como adquirir terrenos propios. Hay que tener en cuenta que, durante la Etapa Moderna, La Habana fue el principal destino del comercio canario en América, cuyo principal objeto era la exportación de vino (Santana Pérez; Torres Santana).

Algunos de los proyectos para asentar a familias canarias a principios del siglo XVII no lograron realizarse. En 1611 el capitán Sánchez Moya insistió ante el Rey sobre la necesidad de aumentar la población de Santiago del Prado con cincuenta familias canarias para que desarrollaran la industria azucarera. El Rey lo aceptó pero autorizó el traslado de tan solo diez (Hernández González 20-21). No obstante, se pueden distinguir dos grandes etapas en la emigración canaria a Cuba, y quizás también al resto de América, durante el siglo XVII. La primera parte desde principios de la centuria hasta los comienzos del derecho de familias o tributo de sangre en 1678. La segunda, de la que se encuentran mejores referencias y cifras más completas, tiene lugar a finales del siglo XVII. Sin embargo, sabemos que en los protocolos notariales y otras fuentes figuran cientos de personas que habían emigrado a América, y constan como "ausentes en Indias". Por desgracia en estos documentos no se especifica en qué lugar de Indias se establecieron.

Desde la fundación de La Habana en 1514 se conoce la presencia de importantes contingentes canarios en toda Cuba, como las treinta familias que participaron en 1693 en la fundación de Matanzas, Vuelta

Abajo, Sagua, Guantánamo, San Carlos de Nuevitas, Manzanillo, y otros lugares. Los canarios llegaron desde finales del siglo XVII, se establecieron como agricultores rentistas o propietarios en pequeños terrenos dedicados al cultivo del tabaco, debido entre otras cosas a las mínimas inversiones de capital que precisaban las vegas. Estos isleños fueron los principales luchadores en las revueltas de los vegueros entre 1717 y 1723.

Por Real Cédula de 11 de abril de 1688 la Corona ofreció protección al establecimiento de la entrada de isleños en Cuba, encargando a las autoridades que ofrecieran facilidades y tierras en lugares apropiados a familias canarias que arribaban tanto a Cuba como a Puerto Rico. Los canarios se asentaron en el interior, generalmente en tierras agrícolas, en aquellas zonas más adecuadas a sus conocimientos y costumbres de vida por lo que es probable que esta protección se cumpliese en alguna medida (Guanche *Significación* 39-40).

Entre 1680 y 1695 se constata la salida de sesenta y siete familias y dieciocho personas desde Canarias con destino a Santo Domingo, La Habana, Maracaibo y Puerto Rico. También entre 1692 y 1700 salen desde La Laguna a La Habana doscientas doce personas en virtud de los beneficios de la política migratoria oficial, sin tener en cuenta la migración ilegal. Finalmente, entre 1680 y 1700 parten cincuenta y tres familias hacia La Habana desde Tenerife, encontrándose este puerto entre los que reciben a un mayor número de emigrantes isleños en América (Fariña 262).

En líneas generales, la emigración canaria se caracterizó o se diferenció por su carácter familiar, por el elevado número de hijos y por el matrimonio precoz. Guanche Pérez ha realizado una exhaustiva recopilación de archivos cubanos, consultando las actas de bautismos de los archivos parroquiales. Este historiador ha demostrado cómo ya desde el siglo XVII, y por supuesto en el XVIII y XIX, la presencia canaria domina en la composición regional de la población hispánica residente en Cuba. Así, según los archivos parroquiales de la catedral de La Habana los canarios suponían, durante el período que va de 1668 a 1700 el 39.32% del total de la composición regional de la población hispana, con ochenta y un individuos residentes, muy por encima de los andaluces con el 22.82% para el mismo período, y seguidos ya muy de lejos por los castellano-manchegos con el 7.28% y los oriundos de otras regiones españolas con porcentajes todavía más bajos. Para la parroquia de Santo Cristo de Buen Viaje, los datos que aporta son aún mayores, pero para el siglo XVIII, pues para el período comprendido entre 1701 y 1750 los canarios suponen ciento treinta y siete individuos, con más del 52% del total de los aportes españoles en esta zona seguidos en esta ocasión por andaluces y gallegos. La misma situación se repite en los datos que nos aporta el archivo parroquial del Buen Pastor de Jesús del Monte, donde en el período que va entre 1651 y 1700 los que tienen un origen canario siguen siendo mayoría entre los españoles con el 83.33% del total. Estos datos forman parte de la zona occidental de la isla donde vemos, gracias a este estudio, que los canarios son mayoría (Guanche *Significación* 71-77). No obstante, el estudio de Guanche Pérez apenas nos aporta datos sobre el papel de los canarios en el sector centro-oriental de la isla durante el siglo XVII, pero sin duda también debió ser destacado en el conjunto global de los aportes españoles.

Es a partir del siglo XVII cuando la corriente migratoria de las islas viene a convertirse en el proceso de emigración de población española más señalado. El aporte canario, a diferencia de cualquier otra aportación peninsular, destaca no por su porcentaje con respecto al monto general, sino por su excesivo porcentaje con respecto a la reducida población del Archipiélago. Esta política fue positiva en determinados períodos de crisis, en otros momentos fue una sangría para los pueblos isleños y originó no pocas protestas en los Cabildos, por la progresiva despoblación y el consiguiente abandono de los campos.

Durante el siglo XVIII, debido al aumento de la población canaria y a la ruptura del equilibrio con las escasas tierras disponibles, la emigración canaria se incrementó. La liberalización del comercio con América en el último cuarto de esa centuria mermó las conexiones comerciales con la isla. Los reclutamientos de jóvenes canarios para los batallones de La Habana fueron también importantes y garantizaron el mantenimiento de este flujo poblacional (Hernández González 68). La creciente importancia del azúcar cubano y los menores rendimientos en las vegas de tabaco, reorientó al menos en torno a La

Habana el asentamiento de canarios, que trabajaron como mayorales en el azúcar y sobre todo en los cultivos de abastecimiento. Este hecho, provocado en gran medida por el aumento de la población canaria en Cuba, contribuyó a que disminuyese su consideración social. No obstante, en las provincias centrales y orientales continuaron con sus labores en torno al tabaco. Otra faceta a la que se dedicaron, también de escasa consideración social, fue la venta ambulante.

A finales del siglo XIX y principios del XX la emigración canaria a Cuba llegaría a su punto culminante. La crisis exportadora en Canarias desplazó grandes contingentes de población fuera del archipiélago. La caída de la cochinilla supuso un período de emigración masiva. Casi 60.000 canarios emigraron a Cuba solo en la segunda mitad del XIX (Hernández García 513), en su mayoría de forma ilegal; Cuba se convirtió en el principal destino de la emigración canaria en ese siglo. Gran parte de la demanda cubana no eran ya pequeños propietarios sino jornaleros para los trabajos en los cañaverales. Esta baja extracción social los equiparaba al resto de los campesinos cubanos, por lo que eran rápidamente asimilados por la población local, a diferencia del resto de la inmigración peninsular. En este sentido, los canarios eran también susceptibles de apoyar las ansias de independencia debido a que sufrían la misma explotación. Un grupo minoritario de canarios, además, formó parte de la intelectualidad cubana, sobre todo a través de asociaciones para mejorar las condiciones de vida de sus paisanos (Medina Rodríguez 428-430). La falta de libertad política en España obligó al nacionalismo canario a organizarse desde la emigración, también entre la cubana. Uno de los padres de este nacionalismo canario, Secundino Delgado, estuvo vinculado al independentismo cubano y fue precisamente en Cuba donde nació en 1924 el Partido Nacionalista Canario.

El desarrollo económico en Canarias desde finales del siglo XIX y principios del siglo XX gracias a los puertos francos, el turismo y la exportación de plátanos, papas y tomates no impidió la emigración. La necesidad cubana de mano de obra propició esta emigración canaria, pero las condiciones laborales desfavorables provocaban que a los pocos años, muchos de estos canarios regresaran a las islas. El año de 1898 no supuso el fin de esta tendencia (Cabrera Déniz 44-45) sino que se mantuvo hasta que los precios del azúcar cayeron hacia 1920 y, con ellos, la posible atracción de unos mayores salarios que en Canarias. La crisis económica de 1929, y las restricciones impuestas por el gobierno cubano para la inmigración por esas mismas fechas, aceleraron el retorno de miles de canarios a su tierra de origen, además de desalentar el traslado de nuevos canarios hacia Cuba.

Los isleños en el humor cubano

Desde finales del XV, el archipiélago canario se convierte en una puerta de entrada hacia el Atlántico, y en particular hacia el Caribe, lo que propicia la construcción de una mirada eurocéntrica desde la España imperial, que se prologa hasta el siglo XX, como demuestra el escritor español Miguel Delibes en 1961, al publicar su diario de viajes *Por esos mundos: Sudamérica con escala en las Canarias*. Aquí Delibes incluye un retrato del paisaje y las gentes de la isla canaria de Tenerife y equipara al hombre canario con el americano, dibujando una imagen de "otro" exótico a los ojos del lector: "Ese apagamiento aparente que descubrimos en el isleño —y que posiblemente para el americano, especialmente el americano tropical pasa inadvertido— es, cómo no, otro fruto del clima" (144). Frente a los valores masculinos que representa el imperio, Canarias se dibuja como un espacio subalterno y sumiso en la pluma de Miguel Delibes:

> En el afecto de Tenerife hacia España hay un matiz femenino, hecho de ternura, de comprensión [...] En general, el carácter del isleño participa —aunque en una medida si se quiere discreta— de la blandura, de la porosidad esponjosa propia de los pueblos del trópico. (150)

De este modo, Delibes perpetúa en sus escritos el estereotipo del canario como un "otro" exótico. Si bien su escritura simboliza la retórica colonial articulada desde el "centro," en su percepción del hombre canario se da una circunstancia plenamente cierta: la cercanía del carácter del isleño a la idiosincrasia americana.

El emigrante canario constituye, pues, una compleja identidad colonial desde la orilla americana ya que forma parte del proyecto colonizador de Occidente en las Américas, aunque su rápida asimilación hace que se identifique con el medio americano. La óptima adaptación del canario emigrante a Latinoamérica ha sido ampliamente discutida en distintos estudios socio-históricos, antropológicos y lingüísticos, particularmente en el caso de Cuba. Como afirma la crítica española Paloma Jiménez del Campo:

> La vocación del emigrante canario por el cultivo de la tierra llevó desde temprano a identificar al isleño con el campesino criollo, al punto [de] que las costumbres, el habla y los hábitos del guajiro cubano evidencian un denso sedimento canario. (33)

Se da esta situación particularmente en el sector del tabaco, donde el veguero e isleño se convierten en sinónimos. Según el historiador canario Manuel de Paz, "la ruralidad isleña ha sido un rasgo peculiar y marginador dentro de la sociedad americana" (20). Existe una expresión cubana que refleja este prejuicio: "Eres tan bruto como un isleño" (20) y que forma parte del imaginario cubano, expresado a través de chistes y bromas sobre los canarios. El libro *Chistes de isleños* de Ramiro Manuel García Medina, publicado en Santiago de Cuba en el año 2006, recoge unas ciento treinta expresiones usadas por los canarios y sus descendientes. El siguiente ejemplo de chiste "comprimido" se titula "Cosas del tiempo:"

> Un isleño de Punta Hidalgo, Tenerife, entra a un prostíbulo en el pueblo donde se había radicado y pregunta:
> –Oiga, ¿cuánto cuesta una prostituta?
> A lo que la encargada de la información contesta:
> –Depende del tiempo.
> Nuestro risueño paisano, analítico, responde:
> –Bueno…supongamos que llueve…. (43)

La imagen del isleño es asociada a reacciones ridículas, acciones que acarrean esfuerzos desmesurados, y con la endogamia étnica. En el texto de García Medina se recogen varios chistes largos y otros cortos que tratan una gran variedad de temas. Este otro ejemplo refleja el estereotipo de 'isleño bruto'; se titula "Velorio":

> En el velorio del isleño Pablo, se le acerca el paisano Agustín a la viuda y le dice muy compungido:

–Lo siento, de veras lo siento, lo siento...
A lo que la viuda, tan isleña como el otro, le responde:
–¡Por amor de Dios! No insistas y déjalo acostado, ¿no ves que está muerto? (45)

La imagen rural del inmigrante canario prevalece en la obra de García Medina. En su libro *Ethnic Humor Around the World,* el crítico norteamericano Christie Davies afirma que dentro de la gran variedad de chistes étnicos existentes en el mundo, se puede reconocer, por un lado, a los grupos representados como ignorantes, y por otro lado a grupos cuya particularidad es la tacañería, la intriga y la astucia:

> The comic label *canny* tends to be attached to ethnic groups whose members are visible urban, prominent in business, management, in the professions, in intellectual life. The comic label *stupid,* by contrast, tends to be pinned on ethnic groups whose members are rural peasants with a strong sense of the fixedness of place, tradition, customs, relationships, and even methods of works[4]. (45)

Asimismo, Davis enumera tres características principales relacionadas con los chistes cuyo grupo es etiquetado de "tonto" o "bruto:" En primer lugar, estos sujetos están relacionados con el ámbito rural y campesino, una peculiaridad que, como se anotó anteriormente, se aplica al caso de nuestro estudio. Hasta las primeras tres décadas del siglo XX, la isla caribeña se convirtió en el centro migratorio de los canarios que escapaban de las crisis agrícolas, atraídos por el interés que la isla antillana tenía en la mano de obra canaria. Como afirma Galván Tudela en su artículo "Isleño come gofio[5]" el canario estaba fundamentalmente asociado con la agricultura, y su labor era en alto grado valorada porque podía sustituir la mano de obra esclava. Según este autor, "los isleños fueron utilizados ideológicamente, a tra-

---

[4] "La etiqueta cómica de *astuto* tiende a estar relacionada con grupos étnicos cuyos miembros destacan en el medio urbano, prominentes en los negocios, la gestión, en las profesiones y la vida intelectual. La etiqueta cómica de *estúpido,* por el contrario, tiende a aplicarse a los grupos étnicos cuyos miembros son campesinos rurales con un fuerte sentido de arraigo, tradiciones, costumbres, relaciones, e incluso métodos de trabajo" (Traducción de los autores).
[5] Véase nota 1.

vés de una política migratoria de 'colonias', para 'blanquear[6]' las islas del Caribe ante el componente étnico africano" (70). De este modo, Canarias constituye una subjetividad compleja: en el proceso de la emigración canaria a América, el isleño ha sido instrumento portador del proyecto colonial de Occidente, con el objetivo de fundar ciudades y "blanquear" las colonias. Pero por otro lado, el canario representa principalmente un subalterno trasatlántico, con el que el americano se ha identificado históricamente desde el comienzo de sus viajes en el siglo XVI.

La segunda característica presentada por Christie Davis con respecto a aquellos grupos étnicos que son el centro de los chistes de "brutos" es su circunstancia geográfica:

> Many of the peoples listed as the butts (object) of ethnic jokes about stupidity live at the physical edge of their society, an offshore island such as Newfoundland, Tasmania, or Sicily, a distant terminal peninsula such as the boot of Southern Italy or Yucatan in Mexico, or a remote coast such as Kerry, Ostfriesland, the west coast of the South Island of New Zealand [...] The degree to which these "peoples of the edge' have separate political and ethnic identities varies, though the mere fact of their being cut off from the significantly named "mainland" by a stretch of sea in itself tends to lead to the creation or preservation of a sense of separateness [...][7]. (46)

Este punto concuerda asimismo con la situación geográfica canaria. Próximas al Trópico de Cáncer, las Islas Canarias se encuentran a 115 kilómetros de la costa noroeste de África, entre Marruecos y el Sahara, y a unos 1.050 kilómetros al sur de la Península Ibérica. En 1930, el distinguido poeta canario Pedro García Cabrera señaló que

---

[6] Para analizar en profundidad este tema véase el texto del historiador canario Manuel Paz *La esclavitud blanca: contribución del inmigrante canario a América*

[7] Muchos de los pueblos catalogados como objetos de chistes étnicos sobre estupidez viven en el límite físico de su sociedad, una isla cercana como Newfoundland, Tasmania o Sicilia, una península distante como la bota del sur de Italia o Yucatán en México, o una costa remota, como Kerry, Ostfriesland o la costa occidental de la isla del sur de Nueva Zelanda [...] El grado en que estos "pueblos del borde" constituyen identidades étnicas y políticas separadas varía, aunque el mero hecho de estar alejados de la "tierra principal" –o península– por un trecho de mar tiende a la creación o preservación de un sentido de aislamiento [...] (Traducción de los autores).

"Canarias pertenece políticamente a España, geográficamente a África, y económicamente al extranjero"[8]. En la misma línea, el escritor canario Luis León Barreto escribe que Canarias está "a un tiro de piedra de África sin ser África, a miles de kilómetros del Caribe, siendo emocionalmente el Caribe, a mil doscientos kilómetros de Cádiz sin ser propiamente Europa" (10). Esta condición de espacio híbrido fronterizo ha sido un elemento primordial en la construcción cultural de las Islas Canarias.

La tercera peculiaridad establecida por Christie Davis sobre el humor étnico en grupos etiquetados como "brutos" o "tontos" está relacionada con los puntos comunes entre el locus de enunciación y el sujeto enunciado: "the groups who become the butts of ethnic jokes about stupidity are not strange, esoteric or alien to those who tell jokes about them; indeed, they are often part of the same linguistic and cultural family, or in the process of becoming so"[9] (50-51). Esta tercera característica es también aplicable al caso que nos ocupa. Es precisamente la cercanía cultural entre cubanos y canarios la que constituye un papel fundamental en el imaginario cubano. Debido al incesante intercambio cultural entre Cuba y Canarias desde el comienzo de la migración canaria a Cuba, los canarios son uno de los grupos fundamentales en la formación de la identidad cubana. A los "isleños" se les distingue del resto de emigrantes españoles incluso en los censos poblacionales del XIX, donde eran tabulados aparte, mientras que a los peninsulares no se les anotaban diferencias regionales (Jiménez 29). Por ello, el apodo de "isleño" no solo desempeña una función diferenciadora, sino que resulta asimismo un principio que conecta al emigrante canario con el habitante de Cuba, otro isleño. Curiosamente, dentro del humor cubano se produce un ejemplo evidente de esta asimilación cultural del canario. Es el caso de Liborio, el conocido personaje del humorista Ricardo de la Torriente.

---

[8] Recogido en el libro de Jacqueline Cruz *Marginalidad y subversión: Emeterio Gutiérrez Albelo y la vanguardia Canaria*, página 23.

[9] "Los grupos que se convierten en el objeto de chistes étnicos de "tontos" no son extraños, desconocidos o ajenos a aquellos que cuentan los chistes; de hecho, suelen formar parte de la misma familia lingüística y cultural o están en proceso de serlo" (Traducción de los autores).

LIBORIO: CUBA ES UN ISLEÑO

Liborio[10] es una caricatura que personifica al pueblo cubano durante el primer cuarto del siglo XX. Es el retrato de un guajiro, de gran nariz, con patillas, que refleja la realidad política de su tiempo: "La virtud de Torriente fue la de resumir y darle voz y figura a la opinión pública, creando muchos de los símbolos del choteo, mecanismo de escape a la frustración" (De Juan 11). Según Adelaida De Juan en *Caricatura de la República*, su temática se centra en los hechos nacionales, la economía y los movimientos obreros, la mujer y el clero, y hace particular énfasis en las relaciones entre Cuba y Estados Unidos. Lo interesante es que Liborio se origina en la figura de un canario. Así define al personaje el propio Ricardo Torriente:

> Liborio es la caricatura de un isleño, nombrado Fermín, colono del ingenio Guerrero, que fue de mi padre. Le llamaba "El pueblo" en las caricaturas que para *La Discusión* dibujaba, allá por el año 1900 [...] Y una escritora americana me dijo: "¿Por qué no le da usted un nombre a "El pueblo" [...] Y desde entonces le llamé "Liborio." (De Juan 11)

Torriente elaboró la imagen de Liborio, en lo referente a sus rasgos físicos, a partir de la figura del guajiro que aparece en los álbumes de tipos y costumbres del siglo XIX cubano, tipificado por Víctor Patricio de Landaluze. Como apunta De Juan, el campesino de grandes patillas que representaba al pueblo cubano es una figura inventada por el bilbaíno Landaluze (55).

Lo interesante de este personaje para nuestro estudio es que, si ya a comienzos del siglo XX la figura de un canario es el símbolo del pueblo aceptado en el humor cubano, la imagen del campesino bruto que protagoniza los chistes de canarios no representa una otredad ridiculizada, sino por el contrario, es el reflejo de un "otro mismo" isleño. Los chistes de isleños evocan mayormente una dicotomía campo/ciudad y no constituyen una simple parodia del cubano hacia el canario emigrante. Del mismo modo, al otro lado del Atlántico, el dibujante gráfico tinerfeño Diego Crosa ya presentaba en publicaciones canarias de 1900 la

---

[10] Para un estudio detallado del personaje de Liborio y otros dos personajes caricaturescos fundamentales en el humor cubano, el Bobo y el Loquito, véase el texto de Adelaida de Juan *Caricatura de la República*.

confrontación social y lingüística entre la figura del *mago* o campesino canario y el personaje urbano en el archipiélago, (González 147). Como Liborio, el *mago* canario utiliza un vocabulario popular: "¿Cómo le va, Seña Antonia? –Tan güena, y vusté tan guapo?" (González 147).

La identificación del canario como campesino aparece en el humor cubano como una evidencia de su asimilación y de la transculturación simbiótica entre ambos grupos. De este modo, "los estereotipos que se construyeron sobre los isleños, al igual que su adaptación al medio cubano se tornaron progresivamente en rasgos positivos debido al carácter constante de la migración a la isla antillana" (Galván 17). Los chistes, según Simon Critchley, son pequeños ensayos antropológicos (65), y en ellos discernimos que, dentro del imaginario cubano, el isleño es sencillamente la imagen propia reflejada; es decir, un "otro mismo" transculturado. Es por ello que Liborio deja de ser isleño y personifica al pueblo cubano. Hallamos así una fórmula de descolonización y desprendimiento –siguiendo el concepto propuesto por Aníbal Quijano– en la retórica transculturada del humor. Aquí se rearticula la compleja carga del isleño en América al reinscribir la identidad del isleño campesino en Cuba. Como afirma Walter Mignolo: "De-linking then shall be understood as a de-colonial epistemic shift leading to other-universality, that is, to pluri-versality as a universal project"[11] (Delinking 453). Se produce un cambio epistémico en el que por medio de un intercambio de experiencias, el isleño (o los isleños, si consideramos a cubanos y canarios) no constituye un conocimiento periférico, sino una pluriversalidad concebida por medio de su comunicación intercultural.

CONCLUSIONES

Son numerosas las investigaciones[12] que han analizado las relaciones canario-cubanas en la etapa contemporánea, especialmente

---

[11] "El *desprendimiento* debe ser entendido como un cambio epistémico decolonial que conduce a 'otra universalidad,' es decir, a una pluriversalidad como proyecto universal" (Traducción de los autores).

[12] Consúltense: Cabrera Déniz, Gregorio J.: *Canarios en Cuba: un capítulo en la Historia del Archipiélago (1875-1931)*. Las Palmas de Gran Canaria, 1996. Naran-

orientadas a la emigración canaria en Cuba en los siglos XIX y XX. Tal y como se demuestra en estos estudios sobre las relaciones entre Cuba y Canarias, el vínculo histórico-cultural entre ambos espacios isleños es indiscutible.

Si bien la imagen del isleño fue en gran medida conceptualizada por su condición de trabajador agrícola y bajo nivel escolar como "bruto," a través del humor observamos que la adaptación del canario al medio cubano ha sido fundamentalmente distinta del resto de emigrantes españoles. Ya desde comienzos del siglo XX, una figura gráfica inspirada en los canarios emigrantes llega a ser representante del pueblo cubano en las viñetas de uno de los personajes más representativos del humor cubano: Liborio. El pueblo cubano es, en definitiva, un isleño contestón.

Bibliografía

BORGES JACINTO DEL CASTILLO, ANALOLA. "La región canaria en los orígenes americanos". *Anuario de Estudios Atlánticos*. Nº 18. Madrid-Las Palmas: Patronato de la "Casa de Colón", (1972): 199-276.

_____

jo Orovio, Consuelo y García González, Armando: *Medicina y racismo en Cuba. La ciencia ante la inmigración canaria en el siglo XX*. La Laguna, 1996. Negrín Fajardo, Olegario: *Profesores canarios en Cuba durante el siglo XIX*. Las Palmas de Gran Canaria, 2000. Paz, Manuel: *Wangüemert y Cuba*. La Laguna, Santa Cruz, 1991. Paz Sánchez, Manuel de, Fernández Fernández, José y López Naveguil, Nelson: *El bandolerismo en Cuba. Presencia canaria y protesta rural*. Santa Cruz, La Laguna, 1993. Paz Sánchez, Manuel y Guerra de Paz, Francisco: *Cuba y Canarias. Imágenes de una ausencia. Muestra antológica de la presencia canaria en Cuba*. Islas Canarias, 1998. Galván Tudela, J. Alberto: *Canarios en Cuba. Una mirada desde la antropología*. Santa Cruz de Tenerife, 1997. López Isla, Mario Luis: *La aventura del tabaco. Los canarios en Cuba*. Tenerife, 1998. López Isla, Mario Luis y Vázquez Seara, Lidia: *Isleños en Cuba. Episodios de la emigración canaria en Cabaiguan*. 1997, y *"Valbanera", el Titanic de la emigración canaria (en la prensa de la época*. Santa Cruz de Tenerife, Las Palmas, 2000. Díaz Lorenzo, Juan Carlos: *Valbanera: viaje a la eternidad. Historia y leyenda de una tragedia*. 1997. Maluquer de Motes, Jordi: *Nación e inmigración: los españoles en Cuba (ss. XIX y XX)*. Asturias, Barcelona, 1992. Hernández García, Julio: *Dos diarios de viajes del siglo XIX (Canarias-Cuba)*. Santa Cruz de Tenerife, 1986.

Cabrera Déniz, Gregorio J. *Canarios en Cuba: Un capítulo en la historia del archipiélago (1875-1931)*. Las Palmas de Gran Canaria: Cabildo Insular de Gran Canaria, 1996.

Campo, Paloma Jiménez del. *Escritores canarios en Cuba: Literatura de la emigración*. Las Palmas de Gran Canaria: Ediciones del Cabildo de Gran Canaria, 2003.

Critchley, Simon. *On Humour*. London and New York: Routledge, 2002.

Davis, Christie, *Ethnic Humor Around the World*. Bloomington: Indiana University Press, 1990.

Delibes, Miguel. *Por esos mundos*. Barcelona: Ediciones Destino, 1970.

De Juan, Adelaida. *Caricatura de la República*. La Habana: Ediciones Unión, 1982.

Dussel, Enrique. "Eurocentrism and Modernity (Introduction to the Frankfurt Lectures)". *The Postmodernism Debate in Latin America*. José Oviedo Beverley and Michael Aronna (Eds). Durham: Duke University Press, 1995 (65-77).

Fariña González, Manuel A.: *Canarias-América (1678-1718)*. La Laguna: Universidad de La Laguna, Asociación de Chicharros Mensajeros y Cajacanarias,1997.

Galván Tudela, Alberto. *Canarios en Cuba: Una mirada desde la antropología*. Santa Cruz de Tenerife: Cabildo de Tenerife, 1997.

García Medina, Ramiro Manuel. *Chistes de isleños*. Santiago de Cuba: Editorial Oriente, 2006.

González, Franck. *El humor gráfico en Canarias: Apuntes para una historia (1808-1998)*. Las Palmas de Gran Canaria: Cabildo de Gran Canaria, 2003.

Guanche Pérez, Jesús. *Componentes étnicos de la nación cubana*. La Habana: Ediciones Unión, 1996.

—————. *Significación canaria en el poblamiento hispánico de Cuba*. La Laguna: Centro de Cultura Popular Canaria, 1992.

Hernández García, Julio: "Canarias, la pequeña América". *II Jornadas de Estudios Canarias-América*. T. II. Confederación Española de Cajas de Ahorro. Santa Cruz de Tenerife, 1981. (11-15).

—————. *La emigración de las Islas Canarias en el siglo XIX*. Las Palmas de Gran Canaria: Cabildo Insular de Gran Canaria, 1981.

Hernández González, Manuel: *Canarias: La emigración. La emigración canaria a América a través de la historia*. Santa Cruz de Tenerife: Centro de Cultura Popular Canaria, 1995.

Medina Rodríguez, Valentín: *Canarias-Cuba. La aportación isleña al desarrollo asociativo español en la Gran Antilla (1804-1936)*. Las Palmas de Gran Canaria, Anroart Ediciones, 2008.

Mignolo, Walter. "Coloniality of Power and De-colonial Thinking. *Cultural Studies* 21:2 (2007): 155-167.

—————. "Delinking: The Rhetoric of Modernity, the Logic of Coloniality and the Grammar of De-coloniality" *Cultural Studies* 21:2 (2007): 449-514.

Moreno Fraginals, Manuel R. y Jose Joaquín Moreno Masó: "Análisis comparativo de las principales corrientes inmigratorias españolas hacia Cuba: 1846-

1898". *IX Coloquio de Historia Canario-Americana (1990)*. Las Palmas, 1992. (479-509).

PAZ, MANUEL DE. *La esclavitud blanca: Contribución a la historia del inmigrante canario en América. Siglo XIX*. La Laguna: Centro de cultura popular canaria, 1992.

SANTANA PÉREZ, GERMÁN: *El comercio exterior de las Canarias Orientales durante el reinado de Felipe IV*. Las Palmas de Gran Canaria, Cabildo Insular de Gran Canaria, 2002.

TORRES SANTANA, ELISA: *Historia del Atlántico: el comercio de La Palma con el Caribe 1600-1650: relaciones de interdependencia e intercambio*. La Palma, Cabildo de La Palma, 2003.

VV.AA: *Historia de Cuba. La colonia, evolución socioeconómica y formación nacional de los orígenes hasta 1867*. La Habana: Instituto de Historia de Cuba, 1994.

La Peregrina: exilio y escritura en la obra de Gertrudis Gómez de Avellaneda[1]

BRÍGIDA M. PASTOR

Gertrudis Gómez de Avellaneda (1814-1873) fue la escritora cubano-española más sobresaliente del siglo XIX y un ejemplo muy destacado, tanto por su vida tan poco convencional como por la expresión de sus ideas liberales en su obra literaria. Su producción literaria hay que estudiarla bajo la problemática de su "exilio", a partir de algunos postulados de la socio-crítica y conceptos de la teoría de la enunciación. No quiero limitarme al tan debatido tema de la cubanidad o españolismo que caracteriza su obra, sino a la verdadera esencia o identidad que plasma la pluma de la escritora –su ideología femenina. Gómez de Avellaneda no solo fue pionera en la escritura de las mujeres de América Latina, sino también en la España de la segunda mitad del siglo XIX, y es considerada "la figura más destacada de todo el romanticismo en Hispanoamérica [que] no ha tenido rival en la literatura del nuevo continente" (Díez-Echarri y Roca Franquesa 893).

La vida de Avellaneda fue un largo peregrinaje de exilio. Nacida de familia aristocrática en Puerto Príncipe, Cuba, en 1814, tuvo una educación similar a la de las jóvenes de su clase, lo que incluía el aprendizaje del francés. Es más que probable que leyera más de lo que era aceptado y permitido, incluso los textos de Rousseau y Montesquieu. A la edad de 22 años se embarcó para España. Se trasladó con su familia a La Coruña, ciudad natal de su difunto padre. A los 26 se independizó de su familia y se fue a vivir a Sevilla, y en 1840 se instaló en Madrid, donde comenzaron sus años creativos y prolíficos como escritora. Aquí empezó su vida literaria, publicando bajo el seudónimo

---

[1] Este artículo se ha realizado en el marco de los proyectos que dirijo como Investigadora Principal: el proyecto (RYC-2009-04838) y el proyecto del Plan Nacional I+D (FFI2012-39645), financiados por el Ministerio de Ciencia de Innovación y el Ministerio de Economía y Competitividad respectivamente.

de *La Peregrina*. Con este seudónimo firmó sus primeras publicaciones poéticas en España, aludiendo por una parte al exilio de la condición femenina y al que experimentó la autora, tanto en Cuba como en España, y por otra, a su constante peregrinaje, alejada de su país de nacimiento y a la rareza de su especial condición de mujer escritora. Es indudable que el desarraigo de la escritora se iría reforzando por lo desconocido del nuevo destino y de la duración del mismo: la partida de Cuba –nuevo entorno español– la cuestión de identidad –cuestión del tiempo y del espacio– la vuelta al país de origen 23 años después, van a ser etapas clásicas en la trayectoria vital de Gómez de Avellaneda como autoexiliada.

En su nuevo entorno vital –España: Galicia, Sevilla, Madrid– Avellaneda trata de adaptarse, aunque con postura indefinida. Ella sigue vinculada a Cuba, país que abandonó con grandes anhelos de conocer la patria de su difunto padre –un país que le era antagónico por sus ideas emancipadoras. Como destaca Phyllis Zatlin-Boeing: "Avellaneda no puede esperar que la entiendan los que piensan que todas las mujeres deben llevar vidas iguales. Tula es incapaz de ser buena gallega casera como las parientas de su padrastro" (87). La llamaban "la doctora" porque recitaba la obra de Rousseau, y sus parientes gallegos la criticaban porque no sabía limpiar los cristales ni hacer la cama. Avellaneda como cubana acomodada estaba acostumbrada a otro tipo de existencia en la isla. Este estilo de vida sorprendió a varias extranjeras que tuvieron la oportunidad de conocer la cultura cubana. Fredrika Bremer, una escritora sueca que visitó Cuba durante tres meses en 1851, notó que "las criollas españolas […] en la casa se ocupan principalmente de coser, de vestir y de recibir noticias" (141).

El verdadero exilio que vivió Avellaneda fue el exilio interior de su condición femenina. Habiendo sido condenada al ostracismo como mujer escritora, tuvo que recurrir a estrategias tanto discursivas como humanas para sobrevivir no solo como escritora sino como una pionera feminista de su tiempo. Su historia atraviesa el siglo XIX, siendo también la historia de una generación de mujeres intelectuales que tenían vedado el espacio de la escritura. Una generación en la que las mujeres empezaban a querer ser cómplices de los cambios colectivos. La autora consigue narrar la historia de un exilio interior, de una figura que se ve forzada a silenciarse y editarse en su escritura, y que en la intimidad de su propio mundo interior, consiguió crear una de las obras cumbre de la cultura cubano-española del siglo XIX, y cuya vigencia resulta hoy más clara que nunca para la actual generación de pensadoras, escritoras e intelectuales.

EL EXILIO DE LA CONDICIÓN FEMENINA

En el siglo XIX las mujeres que cultivaban la literatura fueron tildadas con gran frecuencia de poco femeninas o, directamente, de "marimachos". Esta reacción hostil hacia la mujer escritora queda patente en el juicio del poeta y escritor español Teodoro Llorente[2], quien arguye que "la poesía ha de estar siempre en el corazón de la mujer, en sus labios algunas veces; pero nunca en su pluma" (Citado en Pastor, 2002, 29).

En 1843 el periódico femenino *La Moda* crea para ellas un género intermedio, tal y como destaca Carmen Simón Palmer: "El género neutro conocido vulgarmente bajo la denominación de literatas que, hablando con toda propiedad, y salvo algunas pocas excepciones, no son hombres ni mujeres" (14). Gómez de Avellaneda sufrió más que ninguna otra escritora de su época ese prejuicio[3]. Son elocuentes algunos juicios de escritores contemporáneos reconocidos, como es el caso de Zorrilla: "Su escritura briosamente tendida sobre el papel, y los pensamientos varoniles de los vigorosos versos con que reveló su ingenio, revelaban algo viril y fuerte en el espíritu encerrado dentro de aquella voluptuosa encarnación mujeril" (381-382). Los prejuicios que se desprenden de la definición que Zorrilla hace de la escritura de

---

[2] El valenciano Teodoro Llorente Olivares (1836-1911) fue un poeta y escritor español en lengua valenciana y castellana. Fue el poeta más destacado de la Renaixença valenciana. Realizó estudios de derecho y ejerció como abogado durante cierto tiempo.

[3] Marina Mayoral en "Los exilios de 'La Peregrina'" ofrece un contexto iluminador de la situación marginal de la mujer escritora y los prejuicios a los que se enfrentaba. Ver también "El canon de la violeta. Normas y límites en la elaboración del canon de la literatura femenina" (pp. 261-266) y "Pervivencia de tópicos sobre la mujer escritora" (pp. 13-18).

Gómez de Avellaneda va más allá de lo tolerable, incluso se atrevió a denominarla un "error de la naturaleza" (382).

> Nada había de áspero, de anguloso, de masculino, en fin, en aquel cuerpo de mujer, y de mujer atractiva: ni la coloración subida en la piel, ni espesura excesiva en las cejas, ni bozo que sombreara su fresca boca, ni brusquedad en sus maneras: era una mujer; pero lo era sin duda por un error de la naturaleza, que había metido por distracción un alma de hombre en aquella envoltura de carne femenina. (382)

Las opiniones que otros reconocidos escritores como Clarín hicieron sobre Gómez de Avellaneda son reveladoras. En 1876 sostiene que es posible que la mujer sea escritora, pero a condición de perder el sexo; argumenta que las literatas son en su mayor parte feas, porque si fuesen hermosas tendrían "la conciencia de su misión definidamente declarada", y siendo feas tienen que recurrir a las "recónditas perfecciones de su espíritu para llamar el interés de los hombres" (Citado en Ezama Gil 2002, 210). En opinión de Clarín esta traición del sexo en pro de la literatura solo recompensa cuando se es un genio, pero dejar el eterno femenino para escribir folletines, críticas de pacotillas, versos como otros cualesquiera, novelas y librejos de moralidad convencional repugna a la naturaleza", y concluye afirmando que "ninguna mujer ha escrito una obra de primer orden" (Citado en Ezama Gil 158).

Juan Nicasio Gallego en el prólogo que escribió para la primera edición de las *Poesías* de Gómez de Avellaneda critica a quienes atacan a las mujeres escritoras, pero no pudo, sin embargo, dejar de considerar la poesía de su protegida poco femenina. Y escribe: "Todo en sus cantos es nervioso y varonil: así cuesta trabajo persuadirse que no son obra de un escritor del otro sexo." (Romeu 17). Por su parte, Marcelino Menéndez y Pelayo en *Antología de poetas hispanoamericanos* defiende la feminidad de Avellaneda:

> Era mujer y muy mujer, y precisamente lo mejor que hay en su poesía son sentimientos de mujer […]. Lo que la hace inmoral no sólo en la poesía lírica española, sino en la de cualquier otro país y tiempo, es la expresión, ya indómita y soberbia, ya mansa y resignada, ya ardiente y respetuosa, ya mística y profunda, de todos los anhelos, tristezas, pasiones, desencantos y naufragios del alma femenina. (40)

Menéndez y Pelayo se atreve incluso a decir que una pluma empuñada por una mujer es capaz de construir "un discurso lírico inmortal y, ¿por qué no? femenino" (Romeu 18). Por otra parte, Emilio Cotarelo y Mori, que ha hecho el estudio más completo de la vida y la obra de Avellaneda hasta la fecha, justifica la expresión de Bretón de los Herreros "Es mucho hombre esta mujer", dándole un carácter de frase chistosa, y señalando además que como juicio crítico "es exacto en cierta proporción y con relación al tiempo que se dijo"; ya que "Bretón no hizo más que expresar un concepto que estaba en el ánimo de todos los que conocían las primeras obras de la Avellaneda"; y añade Cotarelo que, considerando el conjunto de su producción poética, dramática y narrativa "no puede negarse el carácter esencialmente varonil y potente de toda ella". También, ante unas palabras de la escritora, que se queja en su *Autobiografía y cartas* de que "la maledicencia y la ignorancia comenzaban a tomarme por blanco de sus tiros" (45), Cotarelo y Mori comenta: "Esto último era casi inevitable, ante las circunstancias ordinarias de su vida, algo hombruna, sin otra compañía que un hermano más joven que ella, y calavera, sin prestar atención a los cuidados domésticos, pues las horas de su trabajo eran las de la madrugada..."[4]. En el siglo XIX cubano, la mujer se vio forzada a adherirse a una "mística oficial" que le impedía tener aspiraciones que no fuesen las consideradas propiamente femeninas. Es evidente que tanto los actos como los escritos de Gómez de Avellaneda representan "una influencia amenazadora para el orden simbólico masculino", que van a contribuir a acrecentar su "exilio" en la sociedad en la que se encuentra inmersa (Pastor, 1998, 55).

EXILIO Y NOSTALGIA

El "exilio" imprime en Gómez de Avellaneda un sentimiento de nostalgia y melancolía[5]. Recuerda con melancolía la ruptura con

---

[4] Boletín de la Real Academia Española, 1929, Volumen 16, p. 19.

[5] El poeta cubano José María Heredia (1803-1839) influyó en su nostalgia de Cuba, sintiéndose siempre cubano a pesar de haber pasado una gran parte de su vida en España. Los poemas de Heredia representaron el primer vínculo de la autora con el Romanticismo.

Cuba, muy especialmente en su poesía y su novela *Sab*, pero está siempre presente en toda su obra. Rememora la fauna y la flora cubana, las tradiciones culturales, las motivaciones que la llevaron a salir de su tierra y el desarraigo de no encontrar sosiego a su vida en España. Un ejemplo elocuente se encuentra en su poema "Al partir", que Gómez de Avellaneda escribió al dejar Cuba. La autora expresa el dolor que experimenta al apartarse de su tierra natal tras la decisión de su familia de establecerse en España –el poder colonial. El poema comienza con una expresión de amor por su isla: "¡Perla del mar! ¡Estrella de Occidente! / ¡Hermosa Cuba!." El primer verso sitúa a Cuba en el mar. La significancia del mar es simbólico del principio femenino. Desde la óptica femenina se podría argüir que si la cultura es inherentemente masculina ("mono/hom(m)o-sexual"), la Naturaleza, su contraparte, es asimismo inherentemente femenina (Irigaray, *Je, tu, nous*, 1993, 86). En este sentido, el mar puede ser interpretado como una fuerza poderosa de la "madre" naturaleza. El "yo" lírico en el poema habla del dolor desgarrador que experimenta al ser separada de su "patria feliz, edén querido" contra su deseo ("Para arrancarme del nativo suelo").

El deseo y la necesidad van a ser factores que marquen parámetros y límites en la narrativa del exiliado. El deseo de salir convierte el exilio en fenómeno social que marca una trasgresión al separarse de lo que es una parte integral de su existencia. Suele ser frecuente que el ostracismo, el rechazo y la crítica persigan al que se exilia por motivos sociales de un momento histórico determinado. El caso de Gómez de Avellaneda no fue una excepción: sufrió críticas y censuras de su propia patria por ser considerada "desertora" de las letras cubanas. Desde su llegada a España, la autora cubana se convirtió en una de las escritoras más destacadas de las letras españolas, y en su país adoptivo fue donde residió durante toda su vida, con la excepción de 5 años que pasó en Cuba, entre 1860 y 1865. El "abandono" de la tierra natal trae consigo una ambivalencia de identidad y una fragmentación psicológica; la pérdida, la ausencia, la separación y la memoria son conceptos que no se pueden separar del exilio. Para muchos intelectuales, y para Gómez de Avellaneda, el exilio sirvió de inspiración como proceso dinámico al momento de escribir. Al distanciamiento se

suma una nostalgia radical, que en Avellaneda se cristaliza en melancolía, tal y como queda plasmado en su poesía[6]:

> ¡Perla de mar! ¡Cuba hermosa!
> Después de ausencia tan larga
> Que por más de cuatro lustros
> Conté sus horas infaustas,
>
> Tomo al fin, tomo a pisar
> Tus siempre queridas playas,
> De júbilo henchido el pecho,
> De entusiasmo ardiendo el alma
>
> ¡Salud, oh, tierra bendita,
> Tranquilo edén de mi infancia,
> Que encierras tantos recuerdos
> De mis sueños de esperanza!
>
> [...]
> Doquier los hijos de Cuba
> La voz oigan de esta hermana,
> Que vuelve al seno materno
> —Despúes de ausencia tan larga—
>
> Con el semblante marchito
> Por el tiempo y la desgracia,
> Más de gozo henchido el pecho,
> De entusiasmo ardiente el alma
> [...] (11)

Con todo, la obra de Gómez de Avellaneda es elocuente en transmitir que la escritora cubana nunca sintió un desarraigo propiamente
dicho. No se exilió por motivos políticos y el distanciamiento de su
tierra "dio origen a un sentimiento de nostalgia. De manera que, cuando habla de la nostalgia de la patria, hay que entenderlo como ausencia de su tierra natal sin connotaciones políticas de independencia"
(Mayoral 166). Es entrañable el sentimiento nostálgico y de vínculo

---

[6] Ver Gómez de Avellaneda, Gertrudis, *Obras literarias*, 5 vols (Madrid: Rivadeneyra, 1869-1871).

con su patria que se desprende de varios de sus poemas. En "A mi jilguero" se proyecta la nostalgia devastadora que experimenta la autora al abandonar Cuba, sintiéndose "desventurada" y "destinada sólo a llorar." La evocación de Cuba aparece de forma recurrente en poemas que tratan diferentes temas, siendo el paisaje cubano objeto de la nostalgia avellanedina. En "Al sol, en un día de diciembre" se invoca al astro y lamenta la pérdida del sol que calienta su suelo natal.

Sin embargo, intentar vincular a esta melancolía una nacionalidad literaria sería desviarse del tema central que los caracteriza, ya que en esencia constituye una de las primeras críticas feministas de las sociedades hispánicas tanto en Cuba como en España. A juicio de José A. Rodríguez García, la escritora,

> en lo que atañe a sus sentimientos, se declaró cubana siempre, y cuando su nombre fue omitido en cierta lista de escritores cubanos, porque los que tal ligereza cometieron se fijaron en que hacía largo tiempo que Avellaneda residía en España, [...] se enojó grandemente. (211)

Por otra parte, ha habido opiniones que han negado su cubanidad y no la han incluido dentro de las letras cubanas. Observemos el juicio del crítico cubano Cintio Vitier:

> Lo que no descubrimos en ella es una captación íntima, por humilde que sea, de lo cubano en la naturaleza o en el alma; ni una voz que nos toque las fibras ocultas, gallarda y criolla, sí; enviada de la isla, con talento y pujanza que justamente sorprendieron, a la orilla española, sí; pero ¿cubana de adentro, de los adentros de la sensibilidad, la magia y el aire, que es lo que andamos buscando? Confieso llanamente mi impresión: no encuentro en ella ese registro. (85)

EL "EXILIO" EN *AUTOBIOGRAFÍA Y CARTAS*

En los escritos privados de Gómez de Avellaneda se descubre que los hechos más íntimos de su vida aparecen ocultados como si deseara evitar ciertos detalles como, por ejemplo, sus relaciones amorosas no correspondidas, la muerte de su única hija cuando apenas contaba siete meses, fruto de su relación con el poeta español García Tassara, quien nunca reconoció a la niña, el amparo en su primer matrimonio con Pedro Sabater. Tampoco sabemos mucho de su convivencia con su segundo marido, Domingo Verdugo, en España o Cuba, a nivel personal. Es la lucha por ocultar una confesión, por evitar volcarse en su propio discurso. Otra forma de ese acallamiento es la enumeración de lugares, visitas, viajes. En *Autobiografía y cartas*, su autora busca alternativas a su destino lingüístico/literario, como sin duda han hecho muchas otras escritoras desde la experiencia del exilio.

Durante su "exilio", Gómez de Avellaneda empieza una nueva etapa en España que sería literariamente muy productiva. En esta época la autora llevaría a cabo varios proyectos creativos: un extenso corpus poético, su novela *Sab* (1841); su segunda novela *Dos mujeres* (1842), algunas obras cortas denominadas leyendas, y varios estrenos teatrales. Pero fue en su correspondencia personal (1839-1854), de carácter autobiográfico, con su amado Ignacio de Cepeda –amor que nunca fue correspondido– donde Gómez de Avellaneda se construye a sí misma y expresa su identidad femenina. La extensa colección de cartas que constituyen su *Autobiografía y cartas*, también publicada bajo el título de *Diario íntimo*, representa un extraordinario documento sobre la voz feminista de la escritora. Estos escritos privados fueron publicados por la viuda de Cepeda en 1907 después de la muerte de este. No solo representan en su conjunto un documento biográfico revelador, sino también una fuente extraordinariamente rica de información sobre la identidad femenina de la autora. Asimismo ofrece una interesante galería de autorretratos a caballo del tiempo y fuera del espacio de la biografía. Estos escritos autobiográficos son, sin duda, uno de los mejores ejemplos en su género y en su época. Es el empeño de su autora por moverse entre los recuerdos, espacios de la memoria, por revivir lo vivido, personas, sueños, seguir rellenando huecos de lo que había sido su peregrinaje de exiliada. Según el diccionario de la Real Academia Española, la palabra "exilio" tiene dos acepciones fundamentales: separación de una persona de la tierra en que vive y expatriación por motivos políticos. El primer concepto disocia a la persona del ambiente en el que habrían de ocurrir sus vivencias, bien sea por voluntad propia o por otros determinantes. En el segundo caso, "exilio", es sinónimo de "destierro", pena y castigo impuestos por el poder político o civil. Se podría argumentar que la primera definición es aplicable al caso de Avellaneda. Las coordenadas tiempo y espacio afectan al exiliado aunque haya sido un proceso de libre elección, o autoexilio.

Así, desde el "exilio", Gómez de Avellaneda, al tomar la pluma para "escribir-se", inicia el proceso de inventarse una identidad genuinamente femenina, que va más allá de la identidad cubana o española que muchos críticos han intentado atribuirle. Avellaneda se propone inscribir a la mujer real, la identidad puramente femenina, en su lenguaje y en su cultura, independientemente de que ese contexto cultural sea Cuba o España. De ahí que Rafael Marquina considere muy acertadamente que "la vida de Gertrudis Gómez de Avellaneda es [...] una vida dual, presidida por la dualidad, inserta en una órbita que el número dos preside y rige y ordena bajo signo dilemático" (Citado en Rexach 268). Cubana o/y española, Avellaneda en su "peregrinaje" solo tiene un propósito: definirse con una identidad fluida y dinámica, que puede "llegar incluso a desembocar en la denominada 'gramática de la histeria', que permite a la mujer –incluso en su parálisis– exhibir un potencial de gestos y deseos, como un movimiento de trasgresión y denegación" (Pastor, 1998, 46). Su duplicidad identitaria no está así definida por su país de origen y su país adoptivo, sino que se trata de una duplicidad discursiva, que deja patente los dilemas que experimenta la autora al afrontar su asignado papel sexual-social y su intento de penetrar como sujeto autónomo en el discurso hegemónico masculino. La 'histeria' de Gómez de Avellaneda puede verse como una reacción a la disyunción entre, por un lado, lo que ella parece ser ante la visión masculina y, por otro, la realidad de su "yo", como ella lo intuye e intenta expresarlo, por medio de una retórica ginocrítica[7] que revela el dilema de la autora como un objeto en la sociedad y su desafío de inscribirse en un lenguaje como sujeto autónomo y esencialmente femenino. Este dilema que experimenta representa su "ansiedad de autoría", síntoma revelador del miedo que las escritoras

---

[7] El término ginocrítica es utilizado por Elaine Showalter "para designar el discurso especializado que estudia la psicodinámica de la creatividad femenina, la lingüística y los problemas del lenguaje femenino, la trayectoria individual y colectiva de las escritoras, así como la historia de la literatura", en "Towards a Feminist Poetics" (p. 25).

del siglo XIX sufrían al intentar singularizarse en el ámbito masculino (Picón Garfield 128).

El propósito de sus cartas es dual, y ofrece una imagen similar a la presentada por Margaret Whitford sobre la psicoanalista Luce Irigaray:

> She wants to persuade her reader, but she also wants to allow for the possibility of something new emerging from the dialogue between her and her reader. Within her texts there is a tension between an invitation to create collectively an unknown future and a strong affirmative will, between openness to the other (women) and the self-affirmation of her own vision. (24)

Estas cartas autobiográficas, compuestas en España, constituyen un documento sobre una vida con testimonios identificables, pero es también una obra literaria con recursos estilísticos propios con el propósito de construir y dar expresión a su auténtica identidad. Su visión del material literario que nos ofrece está mediatizada por el distanciamiento de los recuerdos. El recordar de Gómez de Avellaneda es más intenso en la distancia y en el exilio, que el momento mismo que vivió lo recordado. Las memorias del pasado se refunden en moldes nuevos más formales. Al leer su epistolario autobiográfico surge la conciencia de que es una utopía recuperar intacta la experiencia vivida en el pasado, aunque ello no evite la necesidad del movimiento de retorno no por reminiscencia sino para rescate del pasado absoluto como vía estratégica para expresar su inconformismo con la cultura discriminatoria en la que está inmersa y reafirmar su propia identidad (femenina). Cuando la autora recuerda sus juegos infantiles con su prima que dejó atrás en Cuba, reaviva su propio recuerdo, reafirmando su identidad femenina: "ella solía disfrutar objetos más serios y superiores a [su] inteligencia/ "Reunía la debilidad de la mujer y la frivolidad de la niña" (*Diario íntimo*, 24). A pesar de su aparente duplicidad, de su identidad dividida, expresa abiertamente una profunda admiración por las cualidades logocéntricas intelectuales que la tradición patriarcal ha atribuido exclusivamente al hombre, pero que Gómez de Avellaneda apropia para la mujer. Declara Avellaneda, refiriéndose a su prima Rosa: "Rosa tenía mucho juicio en cuanto decía, y yo admiraba siempre la exactitud de sus raciocinios [...] que sólo son propios de los caracteres propios fuertes y varoniles" (*Diario íntimo*, 24). La escritora al inscribirse a sí misma y a su prima en el lenguaje, hace posible que su subjetividad femenina pueda razonar y que aflore una gran variedad de sentimientos tradicionalmente considerados inherentes a la mujer. Este "diálogo" epistolar con su amado Cepeda representa un claro ejemplo de lo que Irigaray denomina una "interacción amorosa" por medio de la que Gómez de Avellaneda se vincula con el "otro" (Cepeda), inaugurando un diálogo con él en condiciones equitativas, estableciendo un diálogo fértil y creativo (Whitford 25). Por ello, el objetivo de la autora, como identidad femenina, es inscribirse en el lenguaje como sujeto con derecho propio, o en palabras de Irigaray, "su economía […] la de 'entre sujetos', y no la de la relación sujeto-objeto" (1993, 221).

Las cartas de Gómez de Avellaneda establecen un diálogo no solo con su destinatario, sino consigo misma. Ella asume el "yo" en su propio derecho, fijando un intercambio entre el "yo" y el "tú", los dos polos opuestos del diálogo. De este modo, intenta inscribirse en la cultura que Irigaray denomina "monosexual" –o cultura entre hombres– en las que las mujeres permanecen como mediadoras de ese intercambio, como objetos o mercancías, pero nunca como iguales en el diálogo (Whitford 35). En su narración, la autora cubana, como sujeto enunciador, ofrece a su receptor (Cepeda) la descripción de imágenes de sí misma deformadas por definiciones patriarcales que él mismo simboliza. La duplicidad de Gómez de Avellaneda aflora a través de diferentes representaciones, confrontando degradantes opciones cuando tiene que definir y justificar su presencia pública en una sociedad patriarcal. Tal y como declara la autora: "No ignoraba que la opinión pública me condenaba (*Autobiografía y cartas* 59), y en otro momento expresa: "Juzgada por una sociedad que no me comprende" (*Autobiografía y cartas* 59). Todos estos "enemigos" que, en palabras suyas, integran esa sociedad, han formado una imagen que ella quiere eliminar ante los ojos de Cepeda.

El discurso está enunciado en tercera persona y Avellaneda se refiere a sí misma, a su niñez, adolescencia y juventud. Al usar la tercera persona, se puede alejar de su propia identidad para reflexionar en su propio distanciamiento. No deja de ser este un recurso literario efectivo para hablar sobre todo desde el exilio. Lo imbricado de estos discursos permite hacer observaciones y asociaciones mentales entre las dos Avellaneda que nos llevan de la intimidad de la joven cubana a la mujer liberada que sale de su tierra alejándose de todo lo personal, familiar, sociedad acomodada, para ir en pos de su propia identidad como mujer y como intelectual.

CONCLUSIÓN

Las teorías lingüísticas y psicoanalíticas contemporáneas aportan pruebas del vínculo entre escritura y exilio. En *Autobiografía y Cartas*, Gómez de Avellaneda nos ofrece una exploración autobiográfica, donde se mezclan viajes, relatos familiares. Trata de combatir las decepciones personales a través de su escritura, y en ella descubre las varias etapas que atravesó la autora, estableciendo tres momentos en el proceso de un individuo en el exilio: primero la etapa de la ruptura, del duelo, de la separación con el mundo social, intelectual y afectivo. A continuación llega el período de aculturación, en la que el exiliado acepta otros códigos culturales y capta y procesa lo nuevo que le rodea. Por último, el individuo, en su prolongado exilio, empieza a desarticular los marcos de referencia y empiezan a manifestarse las confrontaciones de su propia identidad. Gómez de Avellaneda se resistía a olvidar su pasado, pero quería adaptarse al país que le acogía, sintiéndose española sin dejar de ser cubana pero, por encima de todo, ser mujer, intelectual y exiliada.

Escribir es un proceso de exploración que no conduce a la introspección o a revelar el ser más íntimo de la identidad, sino que establece que el individuo no existe fuera del diálogo –sin jerarquías de poder–, siendo el concepto diálogo con los argumentos que aporte cada interlocutor, el que defina la existencia del "otro", lo que Mikhail Bakhtin llama "imaginación dialógica" (76). El individuo es estrato de lo que va acumulando a través del transcurso del tiempo. La patria propia y la ajena; los códigos culturales de la patria y los de la tierra adoptada forman la nueva identidad del exiliado.

Gómez de Avellaneda, en su *Autobiografía y cartas*, refleja en el proceso de su escritura, la incorporación de varios discursos y varias voces como solución a su memoria anclada en la ruptura del exilio. Indudablemente, como cubana de origen y española de adopción, no se la puede desvincular de la historia de la cultura cubana y española respectivamente, porque su trascendencia se ha ubicado en el más alto pedestal que figura femenina lograra en las letras tanto cubanas como españolas. Pero, los dilemas existenciales de Avellaneda no se debatían entre ser cubana o española, sino que "al leer la autobiografía de la Avellaneda, el lector se encuentra con una joven en lucha –en lucha con la sociedad, con los parientes, consigo misma–, una persona reñida con su ambiente" (Zatlin Boeing 97). Como Beth K. Miller afirma: "Avellaneda not only wanted to survive, but to survive as a feminist" (181) y hasta el momento, a través de todos sus escritos, sobrevive como una feminista pionera de su tiempo, cuya filosofía va mas allá de fronteras nacionales.

Avellaneda dejó obras testimoniales de su feminismo, y subversivas en sí mismas, en un momento en que no se concebía la emancipación de la mujer. Por ello, la definición que hizo de ella Bretón de los Herreros, "Es mucho hombre esta mujer" nos da la clave del único modo en que la sociedad de la época pudo comprenderla y aceptarla (citado en Romero Mendoza 308). Su obra en su conjunto es un documento irrefutable de la cultura antifeminista cubano-española del siglo XIX. Como observa Nara Araújo: "Escribir es una estrategia de las mujeres para validar lo que son. La apropiación del lenguaje y de la escritura es, también, la apropiación del ser" (141). Por ello, concluyo que sus escritos autobiográficos no desvelan una mayor cubanidad o españolismo, sino que nos descubren a una mujer con una auténtica voz femenina que habla de su condición social y trasciende los meros parámetros socio-culturales tanto en Cuba como en España. Asimismo, deja testimonio de la autoconciencia que tenía de su condición diferente o exilio genérico. El acertado juicio de Araújo resume la presencia significativa de la identidad femenina y su diferencia en sus cartas autobiográficas, "diferencia [...] que proyectó desde la perspectiva de género para alcanzar un cuestionamiento de la inequidad humana" (48). No cabe duda de que Gertrudis Gómez de Avellaneda escribe con el doble propósito de analizar la recreación de los roles de género y la plasmación diferencial de la identidad genérica en su

producción epistolar y de recuperar la labor de creadora exiliada como
agente literario. Como sujeto migrante construye un texto desterritorializado que se suma a la producción globalizada que plantea un texto
plural, fluido y que replantea la pertenencia literaria y nacional a los
textos –una reivindicación de derechos y cambios en la situación mar-
ginada de la mujer, una posición que la convirtió en una figura pionera
en el feminismo hispánico[8].

Bibliografía

ARAÚJO, NARA. *El alfiler y la mariposa*. La Habana: Editorial Letras Cubanas, 1997.

BAKHTIN, MIKHAIL. *The Dialogic Imagination. Four Esays*. Austin: University of
Texas Press, 1981.

Boletín de la Real Academia Española, 1929, Volumen 16.

BRAVO-VILLASANTE, CARMEN. *Una vida romántica: La Avellaneda*. Barcelona: Editora y Distribuidora Hispano-Americana, 1967.

BREMER, FREDRIKA. *Cartas desde Cuba*. La Habana: Editorial Arte y Literatura, 1981.

CLARÍN, ALIAS. *Obras completas*. Madrid: Fundación José Antonio de Castro, 1998.

COTARELO Y MORI, EMILIO. *La Avellaneda y sus obras: Ensayo biográfico y crítico*.
Madrid: Tipografía de Archivos, 1930.

DÍEZ-ECHARRI, EMILIANO y JOSÉ MARÍA ROCA FRANQUESA. *Historia general de la
literatura española e hispanoamericana*. Madrid: Aguilar, 1966.

EZAMA GIL, ÁNGELES. "El canon de escritoras españolas decimonónicas en las historias de la literatura". *La elaboración del canon en la literatura española del
siglo XIX*. Luis F. Díaz Larios [et al.] (Eds.) Barcelona: Sociedad de Literatura
Española del Siglo XIX, 2002.

GÓMEZ DE AVELLANEDA, GERTRUDIS. *Autobiografía y cartas*. Prólogo de Lorenzo
Cruz de Fuentes. Madrid: Imprenta Helénica, 1914.

—————. *Diario íntimo*. Lorenzo Cruz de Fuentes (Ed.) Buenos Aires: Ediciones
Universal, 1945.

—————. *Poesías Completas. Obras literarias*. 5 Vols., Madrid: Rivadeneyra,
1869-1871, IV.

IRIGARAY, LUCE. *Je, tu, nous*. Alison Martin (Trad.) New York: Routledge, 1993.

—————. *Sexes and Genealogies*. Gillian C. Gill (Trad.) New York: Routledge,
1993.

---

[8] Cfr. Brígida M. Pastor and Lloyd Davies, "The Feminine Voice in Latin
America Literature". (p. 9) y Rosario Rexach, "Nostalgia de Cuba en la obra de la
Avellaneda" (pp. 267-280).

MAYORAL, MARINA. "Los exilios de 'La Peregrina'". *Romanticismo y exilio*. P. Menarini (Ed). Actas del X Congreso. Alicante, 12-14 de marzo de 2008. Bologna: Il Capitello del Sole, 2009. (165-179).

——————. "El canon de la violeta. Normas y límites en la elaboración del canon de la literatura femenina". *La elaboración del canon en la literatura española del siglo XIX*. Barcelona: Universidad de Barcelona, 2002. (261-266).

——————. "Pervivencia de tópicos sobre la mujer escritora". *Confluencia, Revista Hispánica de cultura y Literatura*. University of Northern Colorado, 2003. Vol. 19, No. 1. (2003):13-18.

MENÉNDEZ PELAYO, MARCELINO. *Antología de poetas hispano–americanos (1893-1895)*. Tomo 2. Madrid, 1927. p. XL. (N. del A.). Citado en Ángeles Ezama Gil, "El canon de escritoras españolas decimonónicas en las historias de la literatura". *La elaboración del canon en la literatura española del siglo XIX*. Luis F. Díaz Larios [et al.] (Eds.) Barcelona: Sociedad de Literatura Española del Siglo XIX, 2002. (149-160).

MILLER, BETH K. "Avellaneda, Nineteenth-Century Feminist". *Revista Interamericana*. No. 4. (1974): 177-183.

PASTOR, BRÍGIDA M. "La autobiografía como acto de transgresión: Gertrudis Gómez de Avellaneda y *Parler-Femme*". *Discursos transgresivos en Europa y América Latina*. Erich Fisbah (Ed.). Anger: Université d'Angers, 1999. (45-56).

——————. *El discurso de Gertrudis Gómez de Avellaneda: Identidad femenina y otredad*. Prólogo de Nara Araújo. Universidad de Alicante: Cuadernos de América sin nombre, 2002.

PASTOR, BRÍGIDA M. and Lloyd Davies, "The Feminine Voice in Latin America Literature". *A Companion to Latin American Women Writers*. Woodbridge: Támesis, 2012.

PICÓN GARFIELD, EVELYN. *Poder y Sexualidad: El discurso de Gertrudis Gómez de Avellaneda*. Amsterdam; Atlanta: Rodopi, 1993.

Real Academia Española, Diccionario de la Lengua Española. Madrid: Espasa-Calpe, 1992.

REXACH, ROSARIO. "Nostalgia de Cuba en la obra de la Avellaneda". *Homenaje a Gertrudis Gómez de Avellaneda. Memorias del simposio en el centenario de su muerte*. Rosa M. Martínez Cabrera and Gladys B. Zaldívar (Eds.) Miami: Universal, 1981. (267-280).

RODRÍGUEZ GARCÍA, JOSÉ ANTONIO. *De la Avellaneda (Colección de artículos)*. La Habana: Imprenta Cuba Intelectual, 1914.

ROMERO MENDOZA, PEDRO. *Siete ensayos sobre el romanticismo español*. Tomo 1. Cáceres: Servicios Culturales de la Excelentísima Diputación de Cáceres, 1960.

ROMEU, RAQUEL. *Voces de mujeres en la literatura cubana*. Madrid: Verbum, 2000.

SCHMIDT, AILEEN. "La construcción del sujeto en dos cronistas de viajes cubanas del siglo XIX". *Mujeres latinoamericanas: historia y cultura. Siglos XVI al XIX*. Luisa Campuzano (Ed.) Vol. I. La Habana: Casa de las Américas/Universidad Metropolitana, 1997. (137-145).

SHOWALTER, ELAINE. "Towards a Feminist Poetics." *Women Writing and Writing about Women*. Mary Jacobus (Ed.) New York: Harper and Row Publishers, 1979.

SIMÓN PALMER, CARMEN. "Panorama general de las escritoras románticas españolas". *Escritoras románticas españolas*. M. Mayoral (Coord.) Madrid: Fundación Banco Exterior, 1990. (9-16).

VITIER, CINTIO. *Lo cubano en la poesía*. Santa Clara: Universidad Central de las Villas, 1958.

WHITFORD, MARGARET. *Luce Irigaray. Philosophy in the Feminine*. London; New York: Routledge, 1991.

ZATLIN BOEING, PHYLLIS. "Una perspectiva sobre la confesión de Avellaneda". *Homenaje a Gertrudis Gómez de Avellaneda. Memorias del simposio en el centenario de su muerte*. Rosa M. Cabrera y Gladys B. Zaldívar (Eds.) Miami: Ediciones Universal, 1981. (93-110).

ZORRILLA, JOSÉ. *Recuerdos del tiempo viejo*. Tomo II. Madrid: Publicaciones Españolas, 1961.

Viaje y escritura: la negociación de una subjetividad peregrina en la obra narrativa de Gertrudis Gómez de Avellaneda

Mirta Suquet Martínez

A Susana Montero

Estudios recientes han resaltado la importancia del tópico del viaje en la obra de Gertrudis Gómez de Avellaneda, y se han atendido zonas de su prosa descuidadas por la crítica como sus relatos de viaje. El presente texto se propone pensar la subjetividad peregrina de Gertrudis Gómez de Avellaneda que emerge en estos relatos de viajes y que condiciona un ejercicio de escritura como desencuentro, deslocalización, marcado, sin dudas, por la fractura geocultural que experimenta la autora a su partida de Cuba.

Desarrollaré mi ensayo en tres acápites. En el primero, se propone una breve arqueología del término "peregrino/a" y se estudian las múltiples significaciones del seudónimo elegido por Avellaneda para darse a conocer en la Península ("La Peregrina"). Este es un acto de nominación que supone, ante todo, una declaración de intenciones y una demanda de recepción e interpretación. El término remite a una voluntad de deslocalización, sobre todo desde el punto de vista identitario. La experiencia transatlántica impulsa una mirada exotópica (fuera de y del *lugar*), que condiciona la escritura. El segundo acápite se detiene en la lectura del primer relato de viajes de Avellaneda, la carta que escribiera a su prima Eloísa en 1838 relatándole la travesía oceánica y sus primeras impresiones europeas. Del análisis de las relaciones intertextuales que se entablan en este texto con otras fuentes –fundamentalmente con la poesía de José María Heredia– emerge un conflicto de identificación que convierte al relato de Avellaneda en un primer ajuste entre la filiación patriótico-sentimental y la fascinación ante los nuevos paisajes europeos. Me sumo a las lecturas que han puesto a dialogar a la obra de Avellaneda con la de Heredia

(Mary Louise Pratt y María C. Albin fundamentalmente), para, en este caso, mostrar cómo Avellaneda se desencuentra con el *phatos* poético-patriótico en su primera figuración como viajera. En el tercer acápite analizo el último relato de viaje de Avellaneda ("Mi última excursión por los Pirineos") para confirmar la madurez de una retórica peregrina que en esta narración transita hacia otro tipo de identidad *tránsfuga*: la del turista.

I. PERFORMATIVIDAD Y EXOTOPÍA: EN TORNO AL SEUDÓNIMO "LA PEREGRINA"

Como es sabido, en 1839 Gertrudis Gómez de Avellaneda (Tula) (1814-1873) firmará sus primeras colaboraciones poéticas en el periódico *La Aureola* con el seudónimo *La peregrina*, escogido conjuntamente con su mentor y amigo Manuel Cañete, director del periódico gaditano. Cañete prefiere esta rúbrica, entre otras propuestas por la joven –"La incógnita," por ejemplo, según Mary Cruz (XI)–, probablemente para insinuar el carácter foráneo de la autora y su no menos atrevida personalidad (Ianes 209). Para Ianes, "a la autora de las composiciones gaditanas la distingue, de cara a su público, un lejano, periférico, y tal vez exótico origen" (210); un origen que, enfatizado con la firma inicial luego olvidada, será cultivado a conciencia por Avellaneda a lo largo de su carrera literaria como estrategia distintiva. Esto le permitirá, entre otras cosas, realzar la magnitud de su potencia creadora frente a las reticencias basadas en su condición femenina y colonial, así como erigir una personalidad literaria que, en el apogeo de la subjetividad romántica, se afianza en estereotipos geoculturales cifrados en la naturaleza espontánea y expresiva del criollo.

La crítica ha señalado las significaciones evidentes del seudónimo de Avellaneda. Para Ianes este podría haber sido pensado para elevarse a la categoría de epíteto, dadas las referencias evidentes a la biografía de Avellaneda en el marco de recepción de la época. Pero "peregrina", no se debe olvidar, implica desde su etimología, una impropiedad basada en la condición nómada o expatriada que el término define en primera instancia y, por tanto, una no pertenencia comunitaria o una exclusión en tanto *otredad* –que sufrió en carne propia Avellaneda en su periplo gallego. En tal caso, si se piensa la elección de este epíteto con Judith Butler, se puede leer como una autonominación orgullosa que anula la intención discriminatoria al apropiarse de enunciados que funcionan como performativos (de construcción de subjetividades). Al exponerse como extraña o extranjera y pretender ser reconocida como tal, Avellaneda desactiva la potencialidad degradante del término. Así, el seudónimo viene a ser una muestra inicial del empuje desafiante de Avellaneda y del esfuerzo de impugnación del lugar colonial como espacio de silencio y recepción.

Por otra parte, la remisión a la "rareza" o excentricidad que recoge el vocablo "peregrino/a" con valor metafórico, se hace evidente en la tercera y cuarta acepción del término (aunque la cuarta implica solamente lo excéntrico como belleza extrema, mientras que la tercera puede aludir a lo descabellado, lo inaudito)[1]. Estas dos acepciones son las más utilizadas para el adjetivo en femenino en la literatura decimonónica hispanoamericana (por ejemplo, "idea peregrina", esto es, insólita, y "belleza peregrina": ambos casos son expresiones lexicalizadas de amplio uso), algo que puede comprobarse al hacer una simple búsqueda en el *Corpus Diacrónico del Español* (CORDE). Estos usos metafóricos deben haber sido tenidos en cuenta por Avellaneda para reafirmar su condición de mujer diferente, más bien rara, dentro del contexto masculinizado de toda república de las letras. La identificación entre excentricidad y feminidad (que probablemente se activara inconscientemente en la recepción del seudónimo), es subrayada por Tula en su correspondencia íntima con Cepeda, en una frase de retórica compleja en la que la contigüidad de los significantes (*raro, original, mujer, tranquilidad / miedo, peregrina*) ratifica un contenido débilmente imputado (Girona Fibla 138): "Raro, original papel que hago contigo. Yo, mujer, tranquilizándote a ti del miedo de amarme.

---

[1] Tomo como referencia la octava edición del *Diccionario de la Real Academia Española* [DRAE], en su edición de 1837, que define: "Peregrino, na: adj. [1] que se aplica al que anda tierras extrañas ó lejos de su patria. *Peregrinus*. [2] El que por devocion ó por voto va á visitar algun santuario, y mas propiamente si lleva el traje de tal, que es el bordon y la esclavina. *Peregrinator*. [3] met. [metáfora] Extraño, espesial, raro o pocas veces visto. *Peregrinos, insolens, rarus*. [4] Lo que está adornado de singular hermosura, perfección o excelencia" (REAL ACADEMIA, *Diccionario* 567).

¡Es cosa peregrina! (Avellaneda, *Tu amante* 111). A su vez, en los semblantes de "mujeres célebres" que redacta para su periódico pro-femenino *Álbum cubano de lo bueno y lo bello* (1860), otorga directa-mente el calificativo a una de las excéntricas figuras que biografía, a la poeta italiana Victoria Colonna (1490-1547), a quien llama "peregrina mujer" (Avellaneda, "Galería" 195) no solo por su belleza, sino por la rareza de su voluntad creadora.

Si se regresa al término en masculino ("peregrino"), se docu-menta por el contrario un abundante uso para referirse al sujeto que viaja por un fin religioso (sujeto masculino por excelencia), sobre todo dada la significación que el Camino de Santiago adquiere para la cultura peninsular desde el medioevo[2]. Aun cuando la historia recoja importantes viajes de exploración y de peregrinación emprendidos por mujeres (como es el caso paradigmático de Egeria, en el siglo IV), el adjetivo sustantivado es empleado básicamente en género masculino ("el peregrino"), por obvias razones de permisividad social en relación con los roles de género. Tal uso documentado, de marcada ideología de género, permite entender la confusión que podría haber desperta-do el seudónimo en su recepción inmediata, algo anotado al paso por Rafael Marquina en su biografía de 1939 ("Por aquel entonces usaba *Tula* el pseudónimo de "La Peregrina," que algunos biógrafos truecan en "El Peregrino," no sabemos si indirectamente influidos por aque-lla frase: 'es mucho hombre esta mujer'", Marquina 120). De forma tal que el seudónimo supone también la conciencia de atribuirse una agencialidad masculina (con toda la connotación que para una mujer supone ser tildada de "peregrina"), que lógicamente remite al viaje transatlántico y a la acción de aventurarse por los caminos literarios peninsulares.

---

[2] En la literatura española, en el intervalo de 1800 a 1850, se registran 147 casos del uso de "peregrina" en 73 documentos. Solo en un caso se utiliza el término para referirse a una devota en peregrinación (en el romance "La peregrina doctora," (1822), de Juan Miguel del Fuego); el resto de los ejemplos remiten a las acepciones de "insólita", "rara" o "bella." El adjetivo en masculino ("peregrino") aparece regis-trado en 203 casos en 68 documentos, de los cuales 131 entradas corresponden al término "peregrino" en su significación religiosa de devoto. Ver REAL ACADEMIA, Banco de datos.

Comento al paso que Avellaneda utiliza con posterioridad el adjetivo "peregrino/na" para caracterizar a dos escritores coterráneos bien diferentes: José María Heredia (1803-1839), cuya obra supone un modelo subvertido por la propia Avellaneda (Albin, Pratt), y Luisa Pérez de Zambrana (1835-1922), a quien Avellaneda legitimará al escribir el prólogo de sus *Poesías* (1860). En el poema escrito por Avellaneda a la muerte de Heredia, el "cantor del Niágara" es un "cisne peregrino" (*Obras literarias* 66) con lo que la autora subraya su canto agónico de desterrado (el propio Heredia se había calificado de peregrino en "Placeres de la melancolía:" "Patria…! Nombre cual triste delicioso/ al peregrino mísero que vaga/ lejos del suelo que nacer le viera!" [134]). Sin embargo, en el "Prólogo" a las *Poesías* de Pérez de Zambrana, Avellaneda presentará a la figura del poeta en general como un sujeto trasnacional y mesiánico: "heraldo peregrino y solitario de un orden de ideas mucho más avanzado que su nación o que su siglo" ("Prólogo" 159). De esta manera, Avellaneda se espejea en la autora que prologa para defender una poética trasnacional y universalista que conecte con el paisaje local a través de la evocación o reminiscencia de las impresiones, aun cuando esta poética descoloque contextualmente al escritor.

Es necesario resaltar, sin embargo, la movilidad como sentido primario de "peregrino/na"; un sentido de transitoriedad que no está presupuesto en vocablos como "extranjero" o "forastero", en los que se involucra la noción de estancia o residencia en un lugar del que no se es originario. Si se indaga en su etimología, se desvela una vocación de tránsito a campo traviesa (*per-agre*), alejándose de lo cultural (la ciudad), y por ende, de los derechos de ciudadanía. La condición peregrina –por la tierra, a través de ella– es opuesta ideológicamente a la condición del desterrado –separado de la "tierra", en cuyo caso el término se circunscribe a la ideología del límite, de lo territorial originario, arrastrando, además, una retórica de la nostalgia. Como precisa Zygmunt Bauman, para el peregrino "la verdad está en otra parte; el verdadero lugar siempre está distante en el tiempo y en el espacio. Cualquiera sea el sitio en que está…no es donde debería ni donde sueña estar" (Bauman 42). Aún más, en la idea moderna y secular de la vida como peregrinación, especula Bauman, el mundo y el peregrino "adquieren sentido *juntos y cada uno a través del otro*" (Bauman 46, énfasis del autor). Este semiotización recíproca y progresiva del sujeto y del espacio impone dos valores primordiales: "la *distancia* y la *insatisfacción*", factores impulsores del camino vital (46, énfasis del autor). De esta forma, lo peregrino conecta con lo "faústico", es decir, con el ideal de "empuja[r] siempre y sin descanso hacia delante" (tal y como se lee en el poema de Goethe citado por Bauman [46]), resumen de la gratificación demorada que promete la Modernidad.

Si bien el seudónimo involucra referencias biográficas concretas anteriores a la publicación de sus primeros textos, el peregrinaje de Avellaneda por varias ciudades españolas en busca de familia y familiaridad, en el nombre autoral subyace un ideal de identidad moderno, basado en una insatisfacción incesante, abierta a la pluralidad, al trasiego de referencias y cruce de modelos estéticos e identitarios, todo lo cual adviene con la experiencia transatlántica y se radicaliza hacia la década de 1850 con la emergencia del concepto de viaje de placer (algo que constata Bauman a través del paso de la figura del peregrino a la del turista). En ello me detendré más tarde.

En un interesante poema de 1843, "Despedida a la señora doña D.G.C de V", dedicado a su amiga la poetisa Dolores Gómez de Cádiz tras su retorno a su ciudad natal (Cotarelo y Mori, 84), se lee, en definitiva, la apuesta de Avellaneda por un peregrinaje inestable que le procure, a cambio, una gloria futura. En el poema, Avellaneda se muestra incómoda con la marcha de su amiga de Madrid, en tanto esto implica su renuncia a las letras o, al menos, al prestigio literario. En un momento del texto se narra una escena de infancia en la que Avellaneda fabula en torno a sus comienzos poéticos en Cuba y alegoriza la inscripción de su escritura en la geografía natal. La patria, convertida en espacio edénico, acoge en su naturaleza los versos de la joven, o más bien, los *naturaliza* (la escritora, "armada de cincel agudo" graba "versos de amores" en los árboles y los esconde tras la floresta, *Obras literarias* 141). Este acto de intimidad o comunión con lo natal significa, ante todo, la renuncia a lo público, a la cultura, al desasosiego del viaje (o lo que es lo mismo, a la profesionalización del acto de la escritura). Por esta razón es que se prefiere, entonces, el "piélago inconstante", metáfora con que Avellaneda define la carrera literaria en la Península. Aún en la orfandad de la lejanía, asume que la creación es expropiación, sacrificio (a la manera de Safo, Camoens, Ovidio). Lo significativo del poema es que, sobre todo, se trata de una elección vital que la hablante lírica se encarga de defender, oponiéndola a la senda "de fácil bienandanza" escogida por su amiga. Si la vida como peregrinación es un resultado de la *episteme* moderna, y un tópico literario anclado en el *homo viator* medieval que se complejiza con el romanticismo, lo que se lee en estos versos es que el escritor debe ser un auténtico peregrino y la escritura un acto de dislocación existencial y espacial. Como ha sido advertido por Albin (117), es sintomático que Avellaneda marque el comienzo público de su identidad como escritora con el poema que narra su partida de la patria y la instituye en "sujeto 'tránsfugo'" ("Al partir" inaugura sus *Poesias* de 1841, y las reediciones de 1850 y 1869), como si el acto creador solo pudiera ser posible a partir del corte umbilical, de la fractura con el "lugar común" (retórica y comunitariamente hablando). Si retomamos el poema "Despedida..." comprobaremos que este se cierra con una imagen de zozobra que remite al sentido de la creación como éxtasis (*ex-tasis*) –un estar fuera de la estabilidad, del bienestar, como recuerda Agamben (44): "Y del puerto distante,/ Sin brújula, piloto ni camino,/ Navego con los vientos del destino" (142).

El viaje marítimo como metáfora de lo incierto de la aventura creativa resulta una condición exotópica por excelencia –el mar como lo no territorial ni territorializable y lo que, incluso, convierte en azaroso el acto de nacer en un espacio localizado[3], además de tentar al suicidio[4]. Con exotopía me refiero no solo a la conciencia de Avellaneda de estar fuera *del* lugar (del espacio que te acoge o al que se pertenece), sino también *fuera de lugar* (inadecuada, incorrecta); una conciencia de extrañamiento que viene de la mano de un pensarse, además, como extemporánea ("verdaderamente excepcional en mi

---

[3] No se pueden olvidar esos versos de desencialización de la patria escritos en *La pesca en el mar*: "Yo a un marino le debo la vida, / y por patria le debo al azar" (*Obras literarias* 218)

[4] En el poema "Al mar", entre los primeros que escribe a su llegada a España, el sujeto lírico oye la llamada del mar: "¡Ven, pues á nuestros brazos! Apaga en nuestros senos / El fuego que devora tu estéril juventud..." (*Obras literarias* 21)

siglo y en mi sexo" [Cartas 214])[5]. Para Bajtín, el acto creador es una forma de alteridad solo posible desde una posición exterior, de frontera: la mirada desde afuera (exotópica) permite una visión heterogénea, dialógica, de la realidad (Zavala 5-6). Esta posición de umbral es la que le permite a Avellaneda hacer evidentes las fracturas en el consenso de lo común, ficcionalizadas a través de identidades en conflicto con su medio –lo cual alcanza visibilidad en el pensamiento feminista, antiesclavista y antihegemónico de la escritora–; y es la que la coloca a la expectativa de las transformaciones sociales que se inscriben en el marco de un *ethos* moderno europeo, al que ella tiene acceso a través de la literatura francesa, que contrastará con los contextos regionales conocidos y vividos por la escritora.

Como se sabe, precisamente el carácter exotópico de Avellaneda ha acarreado décadas de disputas por des- y re-territorializar a la autora, no solo desde el punto de vista geográfico, sino también del lugar de las antologías y las historias literarias, como proyectó José Fornaris en vida de Avellaneda, y como lo hará Cintio Vitier en *Lo cubano en la poesía* (1958), quien remitirá para ello a un estrecho lugar interior –el alma local–, en donde lógicamente no encajan las dimensiones de Avellaneda[6]. Para el crítico origenista, el *locus* avellanedino, demasiado grande dado el énfasis que hace Vitier en lo *espacial* ("No seremos nosotros quienes le escatimemos su lugar a la Avellaneda. Precisamente eso, lugar, espacio, ámbito, es lo que nunca se le podrá negar" [Vitier 129]), se sitúa en lo americano –algo así como *el Continente podría contenerla*–, o en la fuga transatlántica: "enviada de la isla [...] a la orilla española, sí; pero ¿cubana de adentro? [...] no encuentro en ella ese registro", concluye el crítico (130).

Por otra parte, podría decirse que *lo peregrino* desvela una desubicación subjetiva más radical que involucra la resistencia de Avellaneda a *territorializarse*, a circunscribirse pasivamente en las demandas de la ubicación, tales como la identidad colonial, los roles de género y

---

[5] Me apropio del término "exotopía" de Mijaíl Bajtín a la luz de la reinterpretación teórica de Zavala. Una excelente aplicación del concepto se lee en el ensayo de Cabo Aseguinolaza dedicado a la obra de Rosalía de Castro.

[6] Para un análisis de los discursos nacionalistas e histórico-literarios cubanos con respecto a la Avellaneda, véase Alzate Cadavid.

repertorios emocionales y de comportamiento…; algo que colocó a la escritora, como se sabe, en ciertos límites de inteligibilidad epocales, y justamente por ello, su identidad se convirtió en un problema para las taxonomías al uso (hasta el presente), inoperantes a la hora de definir un sujeto tan esquivo[7]. Tal desubicación ya se había construido como rasgo de identidad en el relato autobiográfico que Avellaneda escribe a su pretendiente Ignacio Cepeda en 1839. En este texto se presenta como excéntrica y exotópica, descolocada tanto en el *aquí* (España) como en el *allá* (Cuba), en el presente como en el pasado. Como confiesa Tula a Cepeda, la alternativa que encuentra la joven para escapar del cerco natal provinciano que la agobia es el viaje transoceánico; la emigración le garantizaría una *otredad* en la que acomodar su diferencia ("deseaba otro cielo, otra tierra, otra existencia…", *Tu amante* 78). El viaje se convierte en el último eslabón de una cadena de rupturas en donde se involucran paulatinamente el matrimonio, la familia, la casa, la ciudad y la patria; marcos territoriales coercitivos de los que se desprende la joven para llegar, tras el cruce oceánico, al punto de partida de su alienación. Se cierra un ciclo de aprendizaje en el que Tula se hará consciente, a su llegada a tierras gallegas, de que la *desubicación* es incesante. En esto insiste la autora cuando se diseña en la carta a Cepeda como un sujeto emocionalmente desacomodado en uno u otro continente (en Puerto Príncipe o en Galicia; en Santiago de Cuba o en Sevilla).

En otra carta a Cepeda, escrita quince años después, Avellaneda volverá a pensar en el viaje transatlántico –ahora con destino inverso– como escape y renovación. Las dos posibilidades exotópicas que se plantea la escritora en este caso, serán dos extremos identitarios con

---

[7] Esta subjetividad compleja será producida con insistencia por biógrafos y críticos como ambigua o dicotómica: "una vida dilemática" (14) para Marquina, presidida por la dualidad ("criolla o española; dramaturgo o poeta; mucho hombre en una mujer, mucha mujer en un hombre" [14]). La definición dual se repite, incluso, cuando se intenta pensar la identidad de Avellaneda por negación, como es el caso de Doris Sommer, para quien la autora no era "ni del Viejo ni del Nuevo Mundo, ni escritora de mujeres ni de hombres, Gertrudis era ambas posiciones, o quizás algo diferente" (157). Este "algo diferente" es lo que escapa justamente por reducir a Avellaneda a límites territoriales definidos *a priori*.

los que se identifica Avellaneda en diferentes momentos de su vida y que le permitirían zafarse –o soñar zafarse– de lo terrritorial: monja o aventurera; el interior o el exterior radical. Así advierte:

> Con todo, es probable que este año […] mi suerte se fije por último, definitivamente, y me verás en un convento, o bien (si a tanto no me decido) sabrás, que surco nuevamente el Atlántico buscando, como el pobre Heredia, *otro cielo y otra tierra*. Siento la necesidad de algún cambio grande que saque mi vida del estado de marasmo en que ha caído. Aquí todo me cansa ya. (*Tu amante*, 276)

Una y otra vez Avellaneda hace patente, en su correspondencia íntima, la importancia de viajar. En otra ocasión incluye la práctica del viaje como pieza indispensable de un programa de vida enunciado como trinidad inseparable, cuando le dice a Cepeda (en 1850) "has trabajado, viajado y padecido […] Padecer es nuestro destino, amigo mío; trabajar y viajar suele aturdirnos y librarnos algunos momentos de aquella terrible necesidad [de padecer]" (*Tu amante ultrajada*, 246). A su vez, la obra de Avellaneda (narrativa y poética), revela "la presencia de la literatura de viajes" como un intertexto significativo (Ianes 209), de marcada eficacia, por ejemplo, en el desarrollo argumental de las historias (en *Sab*, en *Dos mujeres* o en *El artista barquero*). Asimismo, los sendos relatos de viaje que publicará en la prensa española y cubana confirmarán el interés de la escritora de testimoniar sus experiencias aventureras.

Su obra de ficción muestra un mapa cultural variado que expande sus referencias más allá del marco metropolitano para representar una Europa descentralizada o marginal –un *tercer espacio* que vendría a desarticular la oposición colonia/metrópoli[8]. La mirada (de la) peregrina hace que los espacios y los paisajes, por ejemplo, sean relacionales y diferenciales, no esencialistas. Esta mirada permite pensar Cuba de manera exotópica (quizás por ello aflora en *Sab*, antes que en otra novela cubana, la idea distópica de la patria como una *comunidad de*

---

[8] Apelo al concepto de Hommi Bhabha 'tercer espacio' para repensar lo europeo como fuga cultural o alternativa *otra* de representación en la obra avellanedina. Girona Fibla (125) utiliza este concepto en su análisis de la novela *Sab* como un espacio de dislocación cultural.

los sin comunidad, y por ello vuelve a representar a la Isla, al final
de su obra narrativa, como la imagen añorada por un cubano-francés
emigrado a Marsella, en *El artista barquero*).

Los enclaves fundamentales de su narrativa serán los exóticos
parajes alpinos o los pirenaicos, claves en la escenografía sublime
romántica, como el cantón suizo de Thun en *La montaña maldita*,
1851 y el cantón de Friburgo, en "La velada del helecho", 1849. Las
provincias vascongadas en "La dama de Amboto" (1854), "La bella
toda y los doce jabalíes" (1860) y "La flor del ángel" (1860); o los
Altos Pirineos en "La ondina del Lago Azul" (1860). Habría que añadir otros parajes europeos como los representados en *La baronesa
de Joux* (1844), ubicada en el Franco Condado; *El artista barquero*
(1861), en Marsella y París; *Espatolino* (1844), en Nápoles, además
del México de la Conquista de *Guatimozín* (1853) y la España medieval de *Dolores* (1851)[9].

II. ENTRE LA FASCINACIÓN Y LA NEGOCIACIÓN: *MEMORIAS DE VIAJE* (1836-38)

La imagen de sí como viajera, es perfilada por Avellaneda, de
forma privada, en la carta a su prima Eloísa Arteaga de 1838 (texto
publicado por Figarola Caneda en 1914 bajo el título de *Memorias
inéditas de la Avellaneda*). Aquí la autora se coloca en la posición
privilegiada de la exploradora que narra sus experiencias y selecciona
el material a exponer ("todo aquello que veía y que juzgaba digno
de serte comunicado", Avellaneda, *Memorias* 2), para remarcar sobre
todo su carácter cosmopolita e independiente, que se autoriza en el
gesto de hablar sobre (y desde) Europa. El proyecto de las memorias
de viaje era en realidad más ambicioso –multitextual y dialógico–,
como explica a su prima en la carta, lo que evidencia una voluntad de
ratificarse como avezada codificadora y transmisora de lo europeo:
"Heloysa: alguna vez he ideado formar para tí apuntaciones curiosas
de mis viages, consultar otros viageros, tomar nociones acerca de la

---

[9] La única novela que se enmarca en la España contemporánea de Avellaneda
es *Dos mujeres* (1843).

historia, tradiciones y particularidades locales de los sitios de que te hablo; en fin, hermosear estas *Memorias* que te he ofrecido, haciéndolas instructivas é interesantes..." (*Memorias* 6). El programa trazado por Avellaneda desde este primer relato de viaje parece, sin embargo, guiar su obra posterior, cuando en la década de los cincuenta recopile la serie de leyendas europeas tras sus múltiples viajes a las zonas pirenaicas.

En el periplo narrado en las *Memorias*, Tula construye una imagen de empoderamiento progresivo, basada en la idea de movimiento y, sobre todo, de temeridad. Al recuerdo de la escena familiar hogareña que produce a la patria como estancia ("sentada en la puerta de tu casa, amada prima, en una de aquellas noches hermoseadas con la luna apacible de nuestra cara patria", 10) se oponen las emociones del viaje y el tráfago peligroso de la travesía. Desde la partida, el entorno se masculiniza: "El viento soplaba entónces más fuerte y el mar no era ya aquel que bañaba blandamente la costa de Cuba" (2); algo que se hace lógicamente más marcado en la descripción de la tormenta, rito de paso en el que Avellaneda se ratifica como sujeto temerario, a la manera del héroe romántico masculino frente al espectáculo de lo sublime (como en el *Manfred* [1817] de Byron). A través de una cita de Byron que Avellaneda reproduce de memoria en la carta a Eloísa ("Quando navegamos sobre los llanos azulados [...] nuestros pensamientos son tan libres como el oceano," *Memorias* 3), Tula se vale de un tópico romántico para apelar al ansia de libertad creativa –el mar como *afuera* ilimitado– que el territorio en tanto espacio social, parece coartar. Pero el contrapunto intertextual con Byron adquiere otras valencias en el contexto de expatriación que está narrando Avellaneda, sobre todo si se restituye la frase completa con que comienza el canto primero de *El Corsario* (1814), del que la autora toma la cita. En el fragmento de Byron los marineros afirman la libertad de su "isla flotante" –el barco– como desarraigo del *lugar* (patria, imperio, estado):

> Cuando navegamos sobre los llanos azulados, nuestras almas y nuestros pensamientos se hallan tan libres como el Océano. Tan léjos cuanto los vientos pueden llevarnos, y en todas partes donde espuman las olas, encontramos nuestro imperio y nuestra patria. Ved pues nuestros estados; ningún límite los circunda. (Byron 11)

Este canto de libertad antipatriótico, que como un iceberg asoma a la superficie de las *Memorias*, desvela la intensa negociación sentimental que hace Avellaneda al repensar la escena de la partida; una negociación entre lo que siente en el ahora de la escritura, lo que recuerda haber sentido, y lo que, en definitiva, deberá contar a su prima, dentro del horizonte de expectativas que rige la comunicación entre ambas. Las nuevas experiencias hacen que entre la receptora de las *Memorias* y la narradora se coloque una *falla* que no puede ser relatada objetivamente: las emociones transatlánticas "solo puede comprender[las] el que las haya esperimentado…" (*Memorias* 2). Su vivencia, marcada por la sensación del *abismo* y la precariedad de lo inesperado, separará a Avellaneda de su pasado, a la vez que la afiliará a autores tutelares, como Heredia y Byron: se trata no solo de desprenderse de la familia y de una comunidad propia, sino de adjudicarse otra comunidad que la ampare en su aventura creativa y que le permita reconfigurar su subjetividad en términos de agencia e independencia –la familia más cercana, su madre, que acompaña a la autora en la travesía, se invisibiliza[10].

En la carta a la prima Eloísa, la viajera confiesa, no sin sentimiento de culpa, la admiración que le provocan los nuevos paisajes transatlánticos. A la llegada a Burdeos advierte: "Yo había visto en Cuba sus soberbios montes, sus campos vírgenes coronados de palmas y caobas, habia estendido la vista por sus inmensas sabanas y detenídola en sus ricos plantíos… Sin embargo, me encantaron las campiñas deliciosas que adornan las márgenes soberbias del Garona" (*Memorias* 5). Curiosamente el fragmento en el que evoca lo cubano, que en este caso se interrumpe abruptamente con la comparación del paisaje francés, será similar al empleado en su novela *Sab* para declarar la

---

[10] La diferenciación a partir de la experiencia transoceánica es repetida por Avellaneda en el "Prólogo" a *Viaje a La Habana* de la condesa de Merlin (1844). Aquí advierte: "Siempre que hemos leido la descripcion que hace de su primera navegacion de América á Europa, hemos esperimentado una emocion que no será comun á todos los lectores, porque no todos podrán conocer el sentimiento y la verdad que encierran aquellas páginas" ("Apuntes" XXV). Y a continuación establece el lazo identificatorio con la condesa: "Pero ay! nosotros tambien hemos surcado aquellos mares […] hemos contemplado la terrible hermosura de las tempestades, y la augusta monotonía de la calma *en medio de dos infinitos*" (XXV, énfasis de la autora).

imposibilidad de proyectar el paisaje tropical en otras regiones, como si la Avellaneda en calidad de narradora se empeñara en rectificar la visión de la viajera que habla en las *Memorias*[11]. En el inicio de la carta a Eloísa, Avellaneda llamará "inoportunas reflecsiones" (*Memorias* 3) a sus accesos patriótico-sentimentales, que trufan toda la narración. El carácter accesorio de las evocaciones natales se hace evidente en aclaraciones innecesarias que pueden leerse como una culpa por sentirse hechizada ante lo nuevo –aunque, desde luego, también refuerzan la empatía con su prima. Así, ante la evocación nostálgica de Burdeos, se ve precisada a aclarar que es "[m]énos profundo y dulce este recuerdo que los que conservo de mi patria" (6). El paisaje, las construcciones (las casas), las catedrales y los paseos insulares, pilares básicos de un entorno comunitario, son rebajados de un plumazo por Tula cuando los somete a comparación: "las casas de Cuba, generalmente bajas, nada presentan que pueda dar una idea de la magnificencia" (6); la Catedral [de Santiago de Cuba], aunque bonita, "á nadie admira" (7); los paseos le parecen "verdaderamente harto sosos y cansados" (13)[12]. Ni teatros, ni museos, ni monumentos, ni puentes… En el pulso comparativo que establece Avellaneda entre lo europeo y lo cubano, esto último es un lugar negado o vaciado, que se intenta llenar con las citas poéticas de Heredia. Incluso el sol de Cuba –tópico literario por excelencia de la distintividad insular[13]– es sustituído por el sol de Andalucía.

---

[11] En *Sab* se lee: "Aquel que quiera experimentar en toda su plenitud estas emociones indescriptibles, viaje por los campos de Cuba con la persona amada. Atraviese con ella sus montes gigantescos, sus inmensas sabánas, sus pintorescas praderias: suba en sus empinados cerros, cubiertos de rica e inmarchitable verdura […] entonces habrá gozado en algunas horas toda una existencia de emociones… pero que no intente encontrarlas después en el cielo y en la tierra de otros países. No serán ya para él ni cielo ni tierra" (98-99).

[12] En el pasaje en que describe los paseos peninsulares se hace visible el proceso de in*corporación* que hace de las nuevas prácticas sociales: "En los primeros días de mi venida á Europa, hallaba muy menos decentes y suntuosos los paseos de por estos paises que los de nuestra Isla […] ¿Te confesaré que en el dia pienso de un modo opuesto? […] habituada ya á estos paseos me gustan cien veces mas que los nuestros…" (13).

[13] Baste citar el poema "Al sol" de Heredia: "¡Mi pataria! ¡Oh Sol!/ Mi idolatrada Cuba/ ¿á quien debe su gloria/ á quien su eterna virginal belleza?/ Solo á tu amor" (63).

En esta negociación frente a lo nuevo resalta el hechizo que le produce el desarrollo industrial europeo y las infraestructuras de comunicación que favorecen el viaje[14]. La viajera presenta una Europa moderna y divertida (con notables excepciones, sobre todo en las zonas periféricas de la Península como Galicia), que será trasvasada a sus *Memorias* a través de cuadros de pintoresco dinamismo. Entre ellos elijo uno:

> Cada charlatán ó buscavida acude allí á situarse atrayendo gente. Á un lado se vé un titiritero, al otro se levanta un teatrillo ambulante. No léjos se encuentra uno con un cosmorama gritando á toda fuerza de sus pulmones: 'Aquí se ven por tres sueldos las principales ciudades de Europa'. (*Memorias* 8)

Semejante "cosmorama" se desvela como una magnífica *mise en abyme* de las propias *Memorias* de Tula. Como un artefacto óptico ilusionista, las *Memorias* imponen una geografía fluida que prefigura un espacio de fronteras lábiles e itinerantes, en el que "La Peregrina" sueña insertarse.

En el umbral de su carta Avellaneda había colocado unos versos de Heredia como marco de interpretación de toda la narración ("¡Feliz, Elpino, el que jamás conoce/ Otro cielo ni sol que el de su patria!", *Memorias* 2); sin embargo, el espíritu de su relato de viaje desmiente la frase herediana, la cual se revela como un programa sentimental inoperante para codificar las emociones de la joven viajera. Los versos de Heredia devienen falso encuadre que encubre la distorsión de Avellaneda del lugar patriótico. Si se tiene en cuenta

---

[14] El elogio a la modernización se simboliza, por ejemplo, a través de la admiración por los puentes (el puente del río Garona) y de la máquina de vapor. Al retomar el periplo hacia Andalucía comenta: "el vapor, como una zaeta dejó bien pronto atrás la costa de Galicia (*Memorias* 18), mientras que, un poco antes, se había quejado de la incomodidad y lentitud del transporte gallego. La Avellaneda, seducida por la velocidad, ya había poetizado en el célebre soneto "Al partir" las sensaciones de acción y aceleración implicadas en el comienzo de su viaje transoceánico. Este entusiasmo se contrapone, por ejemplo, a la "repugnancia por los barcos de vapor" de la condesa de Merlin, expuesta en el memorable pasaje que da comienzo a *Viaje a la Habana*. (Santa Cruz y Motalvo 95).

que la mirada de la lejanía y la evocación insular están tamizadas
en Avellaneda por un repertorio emocional que la antecede y al que
acude la autora para explicar o contrarrestar sus propias experiencias,
se puede entender el valor sustantivo de las referencias a la poesía
herediana. Como ella misma confiesa a Eloísa, los versos de Heredia
funcionan como un discurso internalizado (aprendido de memoria),
a través del que se identifica y se reconoce en una *comunidad imagi-
nada* mayor –marcada con el "nuestro"–: "me he aplicado yo misma
aquellos versos de nuestro Heredia que tú recordarás" (4). Por esta
razón el choque con el discurso herediano en tanto *deber ser* es sutil
aunque notable. De este encuentro depende, como ha sido explicado
por Albin (57-76), la autorización poética de Avellaneda; o, como
advierte Pratt (40), la afirmación de una subjetividad y un deseo
femenino discrepante que per-versiona a su maestro. También se trata, quisiera enfatizar, de un modulador secreto de sus enunciados: los
versos de Heredia son el síntoma que emerge en las *Memorias* y que
delata la tensión avellanedina con respecto al lugar común –retórica
y políticamente hablando–; ese lugar común que es a la vez, la patria,
y la poesía de Heredia.

Acude al *cantor del Niágara* como figura de contención. Lo cita
para autocorregir sus propios excesos entusiastas frente a lo nuevo,
apelando al desarraigo y al amor patrios a través de sus versos, o imi-
tando sus formas. Las referencias reflejan un proceso de negociación
entre el sentimiento de nostalgia y desarraigo que se espera en una
criolla emigrante (Avellaneda probablemente supone que tales sean
las expectativas de la lectora de su carta) y la experiencia *otra* que
acontece en su viaje. Me gustaría apuntar algunos ejemplos de este
diálogo intertextual para insistir en la voluntad de la autora de mantener una postura cosmopolita y abierta a la sorpresa del peregrinaje.

Un ejemplo notable es la inserción en las *Memorias* del siguiente fragmento del poema de Heredia "La Inconstancia:" "¿Quién ha
helado/ el entusiasmo espléndido y sublime/ que á admirár y gozár
me arrebata?" (11). Avellaneda intercala la cita en el "cuadernillo"
dedicado a Galicia, cuando comenta el desencanto que se apodera de
ella al recordar la difícil etapa de su primera residencia en España
("me domina no sé que genio de deshilusión, y entonces suelo escla-

mar con Heredia…" [11])[15]. Lo que sorprende, sin embargo, es que si
bien Avellaneda ha acudido a la experiencia herediana que contrapone
el frío del destierro con el bienestar de la patria (algo que tematiza
directamente Heredia en su poema "Al sol"), la autora exalta inmediatamente el sol de Andalucía en aras de restituir el confort psicológico
que necesita para continuar su narración:

> Sin embargo: ¡es cosa cruel sentirse con un corazón cansado y frio bajo
> este sol de fuego […] Yo digo alguna vez como Corina ¡desgraciados aque-
> llos cuyas penas no se alivian bajo tan bello cielo! […] Sí, yo pido al sol de
> Andalucía uno de sus rayos, Heloysa mía, para que disipando las nubes de mi
> alma pueda yo hablarte con algun arreglo de esa Coruña, causa de todas estas
> digresiones […] ¡Oh! yo te bendigo Sól de Andalucía!". (11)

En este caso, la intertextualidad con "La Inconstancia" se manifiesta plenamente cuando se rescatan otros fragmentos (con)textua-
les que Avellaneda omite en su cita[16]. En estos versos que Heredia
dedica a la traición amorosa, el poeta postula la radical escisión entre
su subjetividad y el entorno, entre su yo y el mundo, propia de la
retórica romántica. Así, Heredia confirma la imposibilidad de que su
dolor pueda ser modificado por la influencia de lo exterior: el *locus
amoenus* hace más enfática la "insensibilidad" del poeta con respecto
al paisaje. Avellaneda, que prefiere comulgar con el entorno desde una
perspectiva relacional y enriquecedora (tal y como ha demostrado con
el tono fascinado de sus *Memorias*), marca distancia de esta postura
en su comentario, como si a la vez tomara precaución de afiliarse a
un tipo de subjetividad hiperestésica y a la voluntad de aislamiento o
inadaptación que puede verse acuciada por la soledad del destierro.

Véase cómo Heredia confronta la vitalidad del entorno con la
apatía del sujeto lírico:

---

[15] Para Albin (71), Avellaneda rebaja al padre poético a través de este pasaje
de las *Memorias*, al insinuar la reducción de las facultades imaginativas de este en la
ausencia de su tierra natal.

[16] Este procedimiento de contextualización de los versos heredianos se convierte en estrategia fundamental de la propuesta hermenéutica de María C. Albin (2002).
Dada su valía, me valgo del mismo recurso para proponer una lectura alternativa.

> ... Ahora la tierra
> encanta con su fresca lozanía.
> Por detras de los montes enriscados
> el almo sol en el sereno cielo
> de azul, púrpura y oro arrebolado,
> se alza con magestad: brilla su frente,
> y la montaña, el bosque, el caserío,
> relucen á la vez... [...]
> ¿Quién al mirar a tí no siente el alma
> llena de inspiracion...? [...]
> ¿Por qué mi frente
> dóblase mústia, y en mi rostro corre
> esta lágrima ardiente? ¿Quién ha helado
> el entusiasmo espléndido y sublime,
> que á gozar y admirar me arrebataba?
> ¿Qué me importa ¡infeliz! el universo,
> si me olvida la infiel? (Heredia 22-23)

En tal sentido, la cita de Madame de Staël que intercala en su carta ("¡desgraciados aquellos cuyas penas no se alivian bajo tan bello cielo!," *Memorias* 11), y el comentario que da fin a su digresión ("No, Heloysa, el mundo no es lo mismo en todas partes... és el hombre, el hombre si és en todas partes lo mismo ¡siempre loco, siempre desdichado!", 11), parecen estar dedicados a la egolatría humana como condición esencial que malogra toda unión con el hábitat. La intertextualidad de todo este pasaje es aún mayor cuando se descubre que Avellaneda se apropia de los versos del poeta José Amador de los Ríos para contrarrestar el espíritu melancólico de los versos de Heredia. Al final de las *Memorias* cita a este poeta sevillano: "el sol de Andalucía/ que su fervor hasta en el rudo imprime..." (31).

La segunda cita de Heredia que intercala Avellaneda en sus *Memorias* es una variación del mismo tema, y proviene del poema "Placeres de la melancolía". La autora se confiesa feliz, sorprendida en su visita al Jardín Botánico de Lisboa. En este caso, la cita herediana parece superficial, como traída forzosamente a colación por Tula para refrenar su entusiasmo frente a la modernidad europea (al Jardín, las estufas). La metáfora patriótica usada por Heredia –la comparación del desterrado con una planta transplantada de su medio–, pierde su potencia política al volverse literal en la recontextualización de Avellaneda. Por otra parte, no puede olvidarse que los *hortus botanicus* modernos son muestras del interés enciclopedista del XVII-XVIII por construir espacios *heterotópicos* que repliquen y contengan el Todo universal. Y este sentirse representada en Europa –formando parte de una pieza del orbe–, es lo que cautiva a la criolla. El fragmento que comento es el siguiente:

> y al otro día por la mañana fuimos á ver el jardin Botanico que siendo el primero de esta clase que yo he visto me agradó muchísimo. En las magníficas estufas que tiene vi con placer muchas plantas de nuestro suelo tropicál y las saludé con el mismo jubilo con que veo un compatriota, si bien se me acordó al momento este verso de nuestro Heredia. "–No me condeneis á que aquí gima./ como en huerta de escarchas abrasada/ se marchita entre vidrios encerrada/ la esteril planta de distinto clima". (*Memorias* 20)

Pero lo que está negociando la autora es la permisividad ética de escribir o no en el destierro, o para ser más exactos, lo que debe o no escribir en el destierro; e incluso, la capacidad de sentirse y autorrepresentarse feliz fuera del hogar, a pesar de que Heredia, como el referente estético / ético que guía su obra, se reafirma justamente en el displacer del exilio y en la dificultad de escribir fuera de la patria. Los versos de Heredia que omite Avellaneda y que ejemplifican lo que vengo comentando, los cito a continuación en itálicas: "¡Oh, no me condeneis á que aquí gima/ como en huerta de escarchas abrasada/ se marchita entre vidrios encerrada/ la planta estéril de distinto clima./ *De mi alma el entusiasmo se há apagado:/ en mis manos ¡oh lira! Te rompiste./ ¿Cuando sopla del Norte el viento triste,/ puede algun corazon no estar helado?*" (125).

Para Avellaneda el conocimiento de mundo impulsa la escritura. Su obra ofrece muestras incontables de un *telos* que convierte la experiencia de viaje en proceso de representación (estrategia retórica que le permite convertir su viaje, apunta Albin (56), "en un viaje de conquista poética"). Desde este cosmopolitismo literario no es de extrañar que a su regreso a Cuba, en 1859, se sorprenda de las reducciones patriótico– nacionalistas del repertorio poético de la isla. Frente a ellas defenderá una literatura transnacional, peregrina o "vagarosa," epítome de lo *moderno*. A través de la metáfora del caminante peregrino,

Avellaneda comentará cómo el arte moderno "en esa especie de agitado movimiento" con que "camina buscando los horizontes sin límites de la estética," parece dirigirse, finalmente, a la ciudad: un "porvenir misterioso en que la ciudad parece bosquejarse" (161). La poesía de la ciudad, que seducirá a los modernos europeos a mediados del siglo XIX, ya se bosqueja en las memorias de viaje de la joven Tula.

III. DE PEREGRINA A *TOURISTA*:
"MI ÚLTIMA EXCURSIÓN POR LOS PIRINEOS" (1860)

El motivo del viaje y la figura del viajero serán recurrentes en los distintos géneros que aborda Avellaneda a lo largo de su obra (Ianes 211). En el capítulo inicial de *Sab*, el personaje del mulato servirá de cicerone para guiar al extranjero (Enrique Otway), recién llegado a Puerto Príncipe, a la casa de su prometida Carlota de B., y posteriormente a toda la familia criolla en el viaje a la Sierra de Cubitas. De esta forma, la Isla se inscribe como espacio móvil, de peregrinación: una puesta en movimiento de la acción, impulsada por el afán de exteriorizar *lo cubano* con el pretexto argumental de mostrar al extranjero las posesiones familiares. En historias posteriores como "La velada del helecho ó el donativo del diablo" (1849) y "La montaña maldita" (1851), Avellaneda se presentará como mediadora de relatos de viaje: "saldrá de mi pluma tal cual llegó a mis oídos en los acentos de un joven viajero…" ("La velada" 3).

No será, en cambio, hasta el período de 1857-1860 que la autora reafirme una imagen de viajera cosmopolita, interesada en recoger de primera mano anécdotas o leyendas locales de Europa, tras los relatos de viaje publicados en la prensa española y cubana dando cuentas de sus incursiones en el "termalismo médico" en compañía de su esposo Domingo Verdugo. Este tipo de viajes terapéuticos, de moda en España partir de la segunda mitad del XIX (Ezama Gil 340-341), será una opción a medio camino entre el espíritu aventurero de la autora y la necesidad de restablecimiento de Verdugo, quien en abril de 1858 sufre un atentado que determinará igualmente el futuro traslado de ambos a Cuba, a finales de 1859. De estas fechas serán el "Viaje a las Provincias Vascongadas," publicado por *El Estado* en siete entregas entre julio y septiembre de 1857, en el que Avellaneda intercala dos leyendas vascas (Ezama Gil)[17], y "Mi última excursión a los Pirineos," publicado en Cuba en dieciocho entregas en forma de folletín por el *Diario de la Marina*, entre junio y julio de 1860.

En este último relato de viaje Avellaneda narrará su periplo veraniego de 1859; un itinerario ambicioso por varios hoteles y balnearios, ciudades y villas comprendidas dentro del trayecto de Vizcaya a los Pirineos Franceses (Bilbao, Durango, Elorrio, Bayona, Biarritz, Pau, Lourdes, Gavarnie, Bagnères de Bigorre, Tarbes...). Aun en la "Nota adicional" ("Mi última" 46) que da fin al relato, el viaje de Avellaneda continúa: traza el itinerario que la trae de regreso a la isla (de Alicante a Cádiz, y finalmente de Cádiz a la Habana). En la narración se presenta como "*tourista*" (la variante castellana no será registrada en el DRAE hasta 1914), en compañía de excursionistas de diversos orígenes: "nosotros, *touristas*, vagabundos que sólo buscábamos impresiones variadas" (23).

Para Zygmunt Bauman, hacia la segunda mitad del XIX comienzan a emerger otras identidades en relación con el espacio moderno que vendrían a convertirse en las sucesoras del peregrino: el *flâneur* o paseante, el vagabundo, el turista y el jugador. Como el peregrino, el "turista está en movimiento", pero si en el primer modelo se intenta adjudicar un sentido de aprendizaje a la relación con el mundo, en el segundo, la expropiación es radical: "el turista está *en* todos los lugares donde va, pero en ninguna parte es *del* lugar (Bauman 59, énfasis del autor). Al turista lo impulsa en su viaje, como al peregrino, una finalidad; pero en este caso se trata de la búsqueda sistemática de experiencias diferentes, novedosas –las "impresiones varias" a las que se refiere Avellaneda–, aún cuando estas se presenten como un producto para el consumo, domesticadas y estetizadas (Bauman 59). Como advierte Avellaneda: "lo último que se ve parece siempre más hermoso. Aquel país de encantos [Suiza] os halaga por donde quiera

---

[17] Estas dos leyendas serán publicadas como entidades autónomas con los títulos "La flor del ángel (tradición vascongada)" y "La dama de Amboto (tradición vasca)," en el *Álbum cubano de lo bueno y lo bello*, y en sus *Obras Literarias* (tomo V; 1871). El "Viaje a las Provincias Vascongadas" no ha sido republicado hasta el momento (Ezama Gil).

con tan varia y caprichosa pompa que no acertáis a fijaros en paraje alguno" ("Mi última" 23). Estas nuevas demandas de aventuras potencian una práctica lectora que se afianzará a mediados del XIX a partir de la eclosión de los relatos de viaje, a la manera de la serie de "impresiones de viaje" de Dumas (entre 1830-1860), y a partir de las nuevas técnicas de producción y recepción del *lugar* europeo como un ámbito transitable y cognoscible que se consolidan con el éxito de las "guías de viaje", como los *Handbook for travellers on the Continent* editados por John Murray a partir de 1836.

Los relatos de viaje de Avellaneda participan de estos principios de búsqueda de vivencias individuales y de demanda lectora. Al lector implícito se dirige cuando afirma que "no mereceríamos perdón" si se hubieran quedado en el sitio, como "aves fatigadas de volar" en vez de apresurarse a formar parte de la siguiente excursión" ("Mi última" 23]. Si en su relato de juventud se había vanagloriado ante Eloísa de su temeridad "masculina" de cara a la tormenta oceánica y al avistamiento de una sensación abismal, en el viaje de madurez a los Pirineos franceses, Avellaneda, mantendrá en vilo al lector seduciéndolo con la movilidad y el riesgo de una aventura que le hará tener el abismo a sus pies. Tomará parte de peligrosas y excitantes correrías, como la excursión al Circo de Gavarnie, la ascensión del Pico del Mediodía y el descenso al Lago Azul; historias que detallará en varias páginas del relato. Se trata no solo de mostrar el placer del viaje, y de hacer patente lo inconmensurable del paisaje, sino también la osadía de quien se aventura *en lugar* del lector. Así increpa, a la vez que tienta a sus receptores:

> ¡Oh!, preciso me es ahora exclamar a semejanza de Mme Roland [...] que "el que puede y no visita aquel lugar es un cobarde indigno de llamarse hombre" [...][V]ayan a contemplarlo si tienen corazón... Tendrán que afrontar dificultades y fatigas, es cierto; tendrán que seguir angostos desfiladeros, sendas que serpentean por los flancos de la cordillera suspendidos sobre abismos, en cuyo fondo se oye mugir incesantemente el Gave Bearnés que va socavando los robustos cimientos de las montañas que comprimen su lecho; palidecerán alguna vez por valientes que sean, al verse como sepultados bajo inmensas bóvedas de colosales peñascos que amenazan desplomarse sobre sus cabezas... ("Mi última" 23-24)

En "Mi última…", Avellaneda se recrea en el detalle de lo heterogéneo y en el placer de formar parte de un entramado vital y cosmopolita. Bigorre, por ejemplo, se presenta como una *babel* de sibaritas y comerciantes, transnacional y multicultural, que seduce a Avellaneda por su pintoresquismo, la coexistencia armoniosa de las diferencias y la movilidad (una "mansión del movimiento" [31] llama a Bigorre). En el extenso y multirreferencial caleidoscopio que construye Avellaneda, se aprecia la voluntad de la autora de mostrarse, además, experta informadora –precisa y fiable– a la vez que narradora y poeta. El tono romántico cede el lugar al práctico y conciso, a veces sin transición, como cuando describe a la ciudad de Bayona como "blanca y risueña –cual una joven en su día de boda," e inmediatamente precisa que la Plaza Nueva tiene "234 pies de longitud y 196 de anchura" ("Mi última" 7). Esto revela el minucioso interés de la viajera por controlar y expresar el paisaje a través de los nuevos códigos de recepción más positivistas y utilitarios.

Para Ianes (212), se trata de una escritura que se aproxima al estilo de las *guías* para viajeros, de moda en las décadas de 1840-1850, aunque esta afirmación reduce considerablemente la riqueza del texto avellanedino. Ezama Gil, a su vez, resalta la condición híbrida, de "relato-miscelánea" de "Mi última…", dada la diversidad genérica y discursiva que presenta (347). Una prosa, además, de un gusto por el detalle y por la sensualidad del paisaje natural y urbano más cercana al estilo modernista al que parece encaminarse Avellaneda en estos años, como hace constar Selimov a propósito de la leyenda de la ondina del Lago Azul, incluida en el relato y de la novela *El artista barquero*. Este estilo de Avellaneda entre 1850 y 1860 la desencontrará con los autores cubanos de la época, afiliados al segundo romanticismo de corte criollista y siboneyista, sobre todo si se piensa que tanto "Mi última…" como *El artista…* fueron publicados en Cuba en 1860-1861, años de efervescencia del nacionalismo pro-separatista cubano.

Al publicar sus memorias de viaje a la llegada a Cuba, la autora se despide en cierta medida de Europa, y da por concluida una etapa de peregrinación. Este carácter definitivo se confirma desde el título de su historia, poco usual en los relatos de viaje (el título evoca un viaje de tipo existencial que de alguna forma deja entrever el duelo de Tula por la partida). Por ello, el relato se densifica y desborda, como si se tratase de un texto– baúl o valija que acompaña en el viaje transatlántico a la autora y que podrá proveerla de suficiente material creativo para reelaboraciones posteriores. Algo a lo que renuncia al editarlo *in extenso*.

No puedo dejar de especular sobre la incomodidad que debe haber ocasionado en ciertos círculos habaneros la publicación de "Mi última…" –en dieciocho entregas en forma de folletín en un periódico de marcada tendencia pro-peninsular como el *Diario de la Marina*. De la misma forma que provocó revuelo el retorno de Tula en calidad de acompañante de su esposo, recién nombrado teniente gobernador de Cárdenas por el nuevo Capitán General de la Isla. En primer lugar, por la condición femenina de la autora, toda vez que la "mujer viajera" altera, con creces, las normas del contrato sexual, sobre todo si su condición trasciende a la esfera pública en calidad de escritora (Ferrús Antón)[18]. Por otra parte, la incomodidad a la que aludo se imagina aun mayor, si se tiene en cuenta la insistente interpelación de tipo nacionalista que se le hace a Avellaneda a su llegada a la patria, en tanto figura de larga trayectoria esquiva en relación con lo cubano. El reclamo de que reoriente su lírica hacia el paisaje americano se vuelve lugar común en los poemas de bienvenida que se publican en Cuba a su retorno[19].

Evidentemente las reticencias estéticas y políticas de Avellaneda no le permitirán verificar el programa bucólico sentimental imaginado para ella en tierras cubanas. En la isla se dedica a la concreción de sus proyectos de corte pedagógico-reivindicativos en torno a la mujer, a través de la fundación de la revista quincenal *Álbum cubano de lo bueno y lo bello* (1860). De acuerdo a lo que venía publicando en España por estas fechas, editará su relato de viaje y republicará en el

---

[18] Las viajeras-escritoras cubanas del XIX son escasas y su presencia impacta a la sociedad literaria de sus épocas. Tal es el caso de la condesa de Merlin, cuyo *Viaje a La Habana* (1844) fue blanco de las mordaces críticas de Félix Tanco Bosmeniel (Veráfilo), en el *Diario de La Habana*.

[19] Véase el volumen *Misceláneas* de la edición de obras completas de 1914, en el que se compilan los poemas escritos en la Isla a la llegada de la escritora.

Álbum… algunas de sus tradiciones europeas ("La flor del ángel…", "La dama de Amboto…" y "La montaña maldita"), además de escribir artículos de opinión y de crítica literaria (entre ellos, "Situación actual del artista", "La mujer").

También escribirá su última novela, *El artista barquero*. Curiosamente en esta obra Avellaneda se resistirá a abandonar los contextos europeos, y por esta razón reacomodará en ellos la referencia a lo cubano tomando distancia de una representación inmediata del paisaje y de la realidad insular. Situada aún desde una perspectiva transatlántica para narrar la isla, esta se dibujará justamente como un lienzo en la distancia, como si solo a través de esta mirada exotópica –consolidada en más de veinte años de vivir fuera de Cuba– pudiera representar con autenticidad sus propias experiencias de *deslocalización*.

Bibliografía

Agamben, Giorgio. *La comunidad que viene*. Valencia: Pre-Textos, 1996.

Albin, María C. *Género, poesía y esfera pública. Gertrudis Gómez de Avellaneda y la tradición romántica*. Madrid: Editorial Trotta, 2002.

Alzate Cadavid, Carolina. "La Avellaneda en Cuba. Los espacios imaginarios de la historia literaria." *Estudios. Revista de Investigaciones literarias y culturales* 17 (2001): 129-148.

Bauman, Z. "De peregrino a turista, o una breve historia de la identidad". *Cuestiones de identidad cultural*. Stuart Hall y Paul de Gay (Eds.) Buenos Aires: Amorrortu, 2003. (40-68).

Butler, Judith. *Gender Trouble: Feminism and Subversion of Identity*. New York: Routledge, 1999.

Byron, Lord. *El corsario*. Trad. por M.*** París: Librería Americana, 1827.

Cabo Aseguinolaza, Fernando. "Exotopía y emergencia. Sobre *La hija del mar* de Rosalía de Castro." *Literatura, espaço, cartografias*. António Apolinário Lourenço, y Osvaldo Manuel Silvestre (Eds.) Coimbra: Centro de Literatura Portuguesa, Universidade de Coimbra, 2011. (17-38).

Cotarelo y Mori, Emilio. *La Avellaneda y sus obras: ensayo biográfico y crítico*. Madrid: Tipografía de Archivos, 1930.

Cruz, Mary. "Aproximación biográfico-crítica." *Obra selecta. Gertrudis Gómez de Avellaneda*. Mary Cruz (Ed.) Caracas: Ayacucho, 1990. (IX-XXIV).

Ezama Gil, Ángeles. "Los relatos de viaje de Gertrudis Gómez de Avellaneda." *Anales de Literatura Española* 23 (2011): 323-351. Web. 1 Sep. 2013.

FERRÚS ANTÓN, BEATRIZ. *Mujer y literatura de viajes en el siglo XIX: Entre España y las Américas*. Valencia: Universitat de València, 2011.

GIRONA FIBLA, NURIA. "Amos y esclavos: ¿quién habla en *Sab*, de Gertrudis Gómez de Avellaneda?." *Cuadernos de Literatura* XVII. 33 (2013): 121-140.

GÓMEZ DE AVELLANEDA, GERTRUDIS. "Apuntes biográficos de la Señora Condesa de Merlin." *Viaje a la Habana. Mercedes Santa Cruz y Montalvo (Condesa de Merlin)*. Adriana Méndez Rodenas (Ed.) Florida: Stockcero, 2008. (XXXI-XXXIV).

————. *Cartas desde la pasión*. Mónica Olivera Guerra (Ed.) La Habana: Letras Cubanas, 2007.

————. *El artista barquero ó los cuatro cinco de junio*. Habana: Imprenta El Iris, 1861.

————. "Galería de mujeres célebres: Victoria Colonna." *La Avellaneda bajo sospecha*. Susana Montero (Ed.) Letras Cubanas: La Habana, 2005. (194-195).

————. "La velada del helecho ó el donativo del diablo." *Obras Literarias. Novelas y leyendas*. Gertrudis Gómez de Avellaneda (Ed.) Madrid: Imprenta de Rivadeneyra, 1881. (3-57).

————. *Memorias inéditas de la Avellaneda*. Figarola-Caneda (Ed.) La Habana: Imprenta de la Biblioteca Nacional, 1914.

————. "Mi última excursión por los Pirineos." *Obras. Miscelánea*. Aurelio Miranda (Ed.) Vol. 6. La Habana: Imprenta de A. Miranda, 1914. (7-47). 6 vols.

————. *Obras literarias. Poesías líricas*, tomo I. Madrid: Imprenta y estereotipia de M. Rivadeneyra, 1869

————. "Prólogo." *La Avellaneda bajo sospecha*. Susana Montero. La Habana: Letras Cubanas, 2005. (159-166).

————. *Sab: novela original*. Madrid: Imprenta Calle del Barco, 1841.

————. *Tu amante ultrajada no puede ser tu amiga. Cartas de amor. Novela epistolar*. Emil Volek (Ed.) Madrid: Editorial Fundamentos, 2002.

HEREDIA, JOSÉ MARÍA. *Poesias*. Nueva York: Roe Lockwood & Son, 1853.

IANES, RAUL. "La esfericidad del papel. Gertrudis Gómez de Avellaneda, la condesa de Merlin y la literatura de viajes." *Revista Iberoamenricana* LXIII No. 178-79. (1997): 209-218.

MARQUINA, RAFAEL. *Gertrudis Gómez de Avellaneda, La Peregrina*. La Habana: Editorial Trópico, 1939.

MONTERO, SUSANA. *La Avellaneda bajo sospecha*. La Habana: Letras Cubanas, 2005.

PRATT, MARY LOUISE. "La poética de la per-versión: Poetisa inubicable devora a su maestro. No se sabe si se trata de aprendizaje o de venganza". *Ficciones y silencios fundacionales. Literaturas y culturas postcoloniales en América Latina (siglo XIX)*. Friedhelm Schmidt-Welle (Ed.) Frankfurt am Main: Vervuert; Madrid: Iberoamericana, 2003. (27-46).

————. "Las mujeres y el imaginario nacional en el siglo XIX", *Revista de Crítica Literaria Latinoamericana*, 38 (1993): 51-62.

Real Academia Española. Banco de datos (CORDE). *Corpus diacrónico del español.*
    Web. 1 Sep. 2013.

Real Academia Española. *Diccionario de la lengua castellana.* Madrid: Imprenta
    Nacional, 1837. Web. 1 Sep. 2013.

SANTA CRUZ Y MONTALVO (CONDESA DE MERLIN), MERCEDES. *Viaje a la Habana.*
    (Ed.) Adriana Méndez Rodenas. Florida: Stockcero, 2008.

SELIMOV, ALEXANDER. "El romanticismo y la poética de la cultura modernista." *His-
    panic Review* 71.1 (2003): 107-125.

SOMMER, DORIS. *Ficciones fundacionales: las novelas nacionales de América Latina.*
    Bogotá: Fondo de Cultura Económica, 2004.

VITIER, CINTIO. *Lo cubano en la poesía.* La Habana: Instituto del Libro, 1970.

ZAVALA, IRIS M. *Lo que estaba presente desde el origen.* Puerto Rico: Letra & Pixel,
    (2010). Web. 1 Sept. 2013.

Sororidades habaneras entre María Zambrano y Lydia Cabrera

Madeline Cámara Betancourt

Así que estoy entre dos mundos, entre dos continentes, no soy la única y creo que hasta se trata de una situación de privilegio desde el punto de vista moral e intelectual.
(Carta de María Zambrano a Josefina Tarafa, desde París, el 12 de marzo de 1951)

A la memoria de Elias Rivers

En este breve ensayo quisiera explorar otras expresiones textuales y no textuales de las relaciones personales y profesionales que unieron a la filósofa andaluza María Zambrano (1904-1991) y a la etnógrafa cubana Lydia Cabrera (1899-1991) en una profunda amistad intelectual, la cual propongo estudiar como un "dispositivo de sororidad"[1], micro proyecto entre mujeres modernas en épocas de Modernidad transatlántica. Es obvio que tras usar términos que evocan "grandes narrativas" paralelamente surjan estas preguntas. ¿Qué condiciones propiciaron dichas relaciones durante los convulsos y fértiles años de 1923-1958[2], las décadas de la Vanguardia particularmente en Cuba y cómo estas se relacionan con la profunda crisis que significó para España la Guerra Civil y la imposición del Franquismo? ¿Cómo diferentes perspectivas –la etnológica cabreriana y la filosófica zam-

---

[1] Dispositivo, término atribuido a Foucault, *(History of Sexuality)* pero considero pertinente aclarar que uso este término según Deleuze, para el cual, se trata de "a multilinear ensemble [...] composed of lines, each having a different nature" (*Michel Foucault, Philosopher:* 1989, 161). Lo que me interesa es el efecto aglutinador, junto al carácter multilinear, por lo cual no hablamos acá de la percepción de vida y obra como fundidas en el sentido romántico, sino interconectadas por la praxis discursiva. Sororidad, tomo esta terminología de mi memoria de las magníficas clases de la feminista Marcela Lagarde en el Colegio de México, en el pionero PIEM del año 1992. El término es aplicado en detalle por la autora en su libro *Los cautiverios de las mujeres*.

[2] Uso esta cronología según la *Historia de la Literatura Cubana*, Vol.2

braniana– se cruzan en un concepto como *"conocimiento poético"*[3] útil para analizar las estéticas de ambas escritoras? Debo dejar por ahora sin responder a estas interrogantes pues para hacerlo con rigor tendría que abarcar áreas de la política, la sociedad, la educación y la economía cubanas y españolas desde entonces hasta el presente, lo cual rebasa los objetivos de este texto. Aquí, modestamente, me detengo en particulares aspectos biográficos y literarios que no creo deban ser desdeñados ni sobredimensionados por los prejuicios con los que a veces se examina lo subjetivo en la literatura. Va siendo hora de analizar los textos literarios dentro de sus más íntimos circuitos de producción y circulación, sobre todos aquellos escritos por mujeres donde tanto pesan los contextos en el acto mismo de la escritura. No basta usar textos provenientes de otras épocas como pruebas de una u otra teoría, genealogía, etc., y prefijar para ellos ciertas conexiones que pueden convenir al argumento planteado por el trabajo de investigación. Para comprender en qué consisten las concurrencias entre Lydia Cabrera y María Zambrano debo restituir la vida propia de sus textos, tanto como la de sus autoras, los actos y las palabras. Esta labor es parte de otra historia literaria que recién empieza a ser escrita por la crítica feminista.

I. SENDEROS QUE SE ENCUENTRAN

Mi primer encuentro con una relación conceptual y textual entre Zambrano y Cabrera fue una reseña publicada por la española en la revista *Orígenes*, en La Habana, en 1950, "Lydia Cabrera: poeta de la metamorfosis". De allí cito: "Lydia Cabrera se destaca entre todos los poetas cubanos por una forma de poesía en que conocimiento y fantasía se hermanan hasta el punto de no ser ya cosas diferentes, hasta constituir eso que se llama *"conocimiento poético"* (13).

Eso afirma María Zambrano al referirse al tipo de relación que se establecía entre la cubana y sus informantes de raza negra, subrayando de modo perspicaz que la etnógrafa-escritora recibe de ellos, y disemina "la palabra que a veces no tiene la forma que aún le falta"

---

[3] Véase Cámara, *Antígona* 2 (2008).

(21). Suerte de premonición de lo que luego Michel Foucault llamará "saberes sometidos".

Nótese que esta intuición, nacida del reseñar el libro ¿Por qué? Cuentos negros de Cuba (CR, 1948), se adelanta en captar lo que luego se ha estudiado como el método cabreriano, una forma híbrida entre testimonio y ficción que no es calco ni remedo de la oralidad del informante, sino arte logrado en el traspaso de la ficha etnográfica a un texto de calidades poéticas[4]. Por su parte, el conocido estudioso zambraniano Juan Fernando Ortega Muñoz[5] ha planteado que debemos ver en la definición de "conocimiento poético", que surge en la reseña para Cabrera, un par metodológico del concepto de "Razón poética" luego central en la filosofía de Zambrano. ¿Casualidad o causalidad entre poéticas transatlánticas?

Los estudios más citados sobre la relación entre la andaluza y las islas caribeñas (Arcos, Abellán y Sanz) han refundado la utopía que la propia Zambrano se encargó de sembrar: las islas como catatumbas de su resurreción espiritual, las islas como lámparas de fuego, las islas como ideal. Por lo general, las vivencias de Zambrano entre islas se ha presentado dentro de su trayectoria intelectual sin repararse en los hitos del viaje hacia el descubrimiento de sí misma que estaba tomando lugar. Son estos los años en que pierde a su madre, se quiebra su matrimonio, decide vivir como mujer soltera con su hermana Araceli, y comienzan a crear entre ambas las zisiguías[6] que las sostendrán moral y económicamente por estos y aun luego en el exilio europeo.

---

[4] Véase Cámara, Cuban Women Writers (2008) y Edna Rodríguez Mangual: Lydia Cabrera and the Construction of an Afro Cuban Identity (2004).

[5] Véase Ortega Muñoz (1994) 73-78.

[6] Véase para este concepto en Zambrano: Cartas de La Pièce, compiladas por el filósofo y gran amigo de Zambrano, Agustín Andreu. De él es esta definición que me transmite en comunicación personal de noviembre del 2013 y que deseo compartir con el lector: "De la syzyguía como categoría metafísica que se da –se "da"– en diversos grados, situaciones y realizaciones consiste en una resonancia mutua absorbente y total pero que no desquicia ni domina necesariamente, es decir, cabe con entera y suprema normalidad así como también en modalidades patológicas. Afinar y concretar más en muchos casos ya no es cuestión del científico sociólogo o historiador o psicólogo sino del novelista o poeta. La syzyguía se puede sentir sin saberla ni explicarla y se puede sentir con lucidez; María la sufrió hasta el extremo con su hermana y la

En el cenit de su amor por las "islas" escribiría en 1940, recién visitado Puerto Rico, un texto en el que desarrolla la idea de la Isla como utopía: "Isla de Puerto Rico: nostalgia y esperanza de un mundo mejor". Véanse fragmentos de este breve libro poético, evocador, y a la vez programático, cuando se lee su mensaje ideológico panamericanista[7]:

> Pero este carácter de graciosa donación con que las islas se nos muestran en nuestra imaginación espontánea, está unido a otro que es como su base: la isla nos parece ser el residuo de algo, el rastro de un mundo mejor, de una perdida inocencia [...]. Las islas han jugado siempre un gran papel en esto del "mundo mejor". Concretamente estas de las Antillas lo fueron para el español en la época de Colón. Mundo que entonces se concretara en riquezas [...] ¿Qué ha cambiado? [...] ¿Qué ha pasado? ¿Qué nos han quitado? [...] Nos han quitado una forma de vida, un repertorio de cosas y de maneras, un estilo, es decir, un sistema de atenciones y de desdenes, una unidad de razón y sensibilidad; una medida consciente y flexible [...] Y ahora, concretada así nuestra nostalgia, la terrible nostalgia de un estilo de vida [...] la isla nos devuelve su imagen. El que vive en una isla tiene la imagen real de su propia vida... (3, 15, 18)

A la isla de Cuba se vinculará sentimentalmente para siempre en "La Cuba secreta", 1948, texto sobre los poetas del grupo *Orígenes*, publicado en la revista del mismo nombre, del que cito:

> Yo diría que encontré en Cuba mi patria prenatal [...] Ahora un libro de poesía cubana me dice que mi secreto, Cuba, lo es en sí misma, y no solo para mí [...] ¿Será que Cuba no haya nacido todavía y viva a solas tendida

---

aprovechó sufriéndola y gozándola con algunas personas generosas, muy inteligentes y nada vanidosas. Y hay que distinguir a la joven María de la posmadura del exilio suizo. La syzyguía de María había que dibujarla en el rebote estratosférico de estrella en estrella. Vivió la difícil facilidad confraternal donde se le ofreció; hay encuentros eternos que duran medio minuto. En lo verdaderamente gnóstico hay una ocultación, un misterio [...] La syzyguía es una reciprocidad relacional muy normal y poco visible, secreta e implícita; si se exhibe se hunde y desaparece; no se busca, no se compra, no se sabe o es consciente".

[7] Coincido en la necesidad de explorar este aspecto del ideario político zambraniano, lo que ha tomado un capítulo del libro *El exilio español ante los programas de identidad cultural en el Caribe insular (1934-1956)* de Carmen Cañete Quesada, pero no con sus conclusiones.

en su pura realidad solitaria? [...] que la isla dormida comienza a despertar como han despertado un día todas las tierras que han sido después historia. (4)

Pero no siempre su sentir sobra las islas tuvo ese tono; para encontrar otros registros comencemos por documentar las huellas más íntimas de su diálogo transtlántico.

Para Zambrano, la vivencia podía convertirse en *experiencia* lo cual para ella significaba más que una simple categoría de la Fenomenología. Pudo heredar ese enfoque de su maestro José Ortega y Gasset −y así lo ha señalado Abellán (2006: 53-54), que *el yo y mi circunstancia*, en Zambrano, es camino de aprendizaje, conocimiento de salvación cercano a "la vía dolorosa" mística sobre la cual también aprende muy temprano en las clases de otro maestro: Manuel García Morente. Transitándolo, apurándolo como un "cáliz", supo convertir en esperanza los momentos más difíciles de su exilio. Desde esa perspectiva no debe presentarse como contradictoria sino como complementaria la visión crítica del exilio que aparece en la carta de Zambrano a su familia, madre y hermana, fechada el siete de enero de 1946[8].

Después de haber escapado de las tropas franquistas por la frontera francesa, Zambrano y su entonces esposo Alfonso Rodríguez Aldave, parten en el año 1939 por un breve tiempo a México, mientras la madre y hermana están en el París ocupado por los nazis. Luego de haber sido segregada del grupo más selecto de exiliados que se nucleó en torno a la Casa de España en la capital mexicana, la pareja se establece en Morelia, donde Zambrano no se entendió con las expectativas de la Universidad Michoacana. Finalmente, luego de arduas situaciones profesionales, aunque positivos logros en el plano de la creación −de entonces es su libro *Filosofía y poesía*−, Zambrano cree que le será más fácil abrirse camino en Cuba o en Puerto Rico. Hacia allá parte llegando a Cuba a principios de enero de 1940 y luego visitando Puerto Rico en el mes de mayo del mismo año. Por casi una década vive entre las islas. Estos ires y venires los ha estudiado con precisión Jorge Luis Arcos en su antología *Islas*. Ahora solo me detendré en una carta escrita en La Habana donde Zambrano se revela en total intimi-

---

[8] En texto incluido en la antología del 2011 di a conocer fragmentos de esta carta.

dad y se debate sobre cómo ayudarlas y cómo explicarles la situación que ella y su esposo han encontrado en el que Zambrano llama con ironía "El Nuevo Mundo".

Estamos frente un lenguaje sencillísimo y descriptivo, que recurre a una escritura dominada por la función comunicativa mediante vocativos. Sentimos la urgencia de "apurar" –en el doble sentido del verbo– el inventario de una cotidianidad vulnerable que poco se tiene en cuenta cuando se estudian las circunstancias de creación de Zambrano. Aquí son "expuestas" crudamente para que sean comprendidas *y hasta cierto punto perdonadas* por la desprotegida familia al otro lado del Atlántico. Al releer esta carta, encuentro una mini biografía, una retórica dictada desde *las entrañas*. En aras de la legibilidad, he intervenido cuando hay letras repetidas, palabras unidas por obvio error, y he incorporado las letras o signos escritos por ella con lápiz sobre el papel. Pero no he arreglado las faltas en la mecanografía, tan comunes en la correspondencia íntima de Zambrano, ni las letras saltadas, el no uso de mayúsculas obligatorias respetando su sintaxis *oralizante*, no he tocado la puntuación (cuando los tres puntos suspensivos son de Zambrano los he puesto entre corchetes) y los subrayados a mano los he transcrito; en fin, he tratado de reproducir todo lo que capta el ritmo y crea un tono confesional:

> Queridas mama y hermanita: Quizas porque el escribiros diciendo todas las cosas, expresandome, fuese una de mis primeras necesidades y gustos, me haya privado voluntariamente de ello; tengo ya costumbre de renunciar a lo bueno y tambien el temor de haceros daño [...]
>
> Pero antes de nada quiero deciros dos cosas, una buena noticia y un plan que en toda esta noche he estado elaborando. La noticia es que se marcho la fiebre. Ayer domingo salí. Fui a media tarde a casa de Lydia y me hizo daño la belleza de aquel lugar [...] Me ahogo casi de calor; la temperatura ha vuelto a subir y es como en el mes de junio en Madrid [...] Pero que conste que del pulmón no he tenido nada, nada, nada. ¿lo os? Nada. Solo en los nervios y es razon.
>
> El plan es el guiente: ¿No podrías ir un par de meses a Suiza; alla hay de todo, con un certificado médico que podría hacer el Dr Llopis os daría[n] el visado. El dinero yo os lo ma[n]daría desde aquí a un Banco suizo [...]. Yo le digo a Lydia que habeís escogido eso y ella me dará el dinero prometido [...]
>
> Yo sé que a estas horas tendreis la impresión quiza no muy clara por no haber recibido mi ultima carta (la del dia primero de año) de que yo no quiero

que vengáis [...] Yo misma no puedo explicarmelo pero me da espanto que vengáis a América [...] Pienso y siento desde el fondo de mi alma que este caliz americano lo debo de apurar yo sola...

Perdonadme que os hable asi y os cuente estas cosas, pero quiza el hacerlo os da una idea, aunque no completa, de este Continente que llaman el Nuevo Mundo y me haga a mí el bien inmediato de ir recobrando la espontaneidad [...] Sí, hermanita querida, la he perdido. Aquí tienden sobre el alma una especie de inhibición terrible que lo hace a uno dejar de sentir hasta para uno mismo...

No estallaré porque ya he estallado; esta enfermedad ha sido eso y no otra cosa, la crisis de no poder estar más con este ambiente [...] en la tierra del azúcar hay dias que no la hay, y que hemos pasado meses sin manteca y con un aceite tan apestoso que me da nauseas [...] En Puerto Rico cuando salimos de alli llevabamos tres meses comiendo huevos y latas pues como alli nada se produce todo tenía que ir de Estados Unidos [...] ya veis, nunca os hubiera dicho estas cosas, pero ¿No es mejor? [...] para desentumecerme el alma y reaprender a decir la verdad y lo que siento [...] que me han acostumbrado a no sentirme, a no contar conmigo para nada [...] Sí, me han doblegado en ese aspecto pero yo he contestado escribiedno y hablando en las confereencias y en las clases. A veces mi trabajo intelectual ha sido toda una venganza: hablando de Cervantes, de Quevedo o de los griegos o de cualquier filosofo europeo me he vengado, pero sin odio, claro esta. La venganza esta en hacerlos resplandecer, en decir 'aquí los teneis, ellos son los que son'...

Una cosa te quiero decir mamaita; me dices que los que estan ahi no han podido escribir nada [...] Yo no me voy a comparar con ellos, pero muchos que estan aquí y en mejores condiciones que yo no los han escrito. Intelectualmente me he batido en la primera línea, pero es porque tenía mucho dentro y callado de años de estudio en silencio y he tenido brío y valor. Alfonso me ha ayudado ¡inmensamente! Ningún otro hombre lo hubiera hecho así.

Mil abrazos de vuestra María. (Fundación María Zambrano, manuscrito)

Se hizo necesaria la larga cita para dar al lector idea de la intimidad entre las hermanas y la participación de la familia en la vida de Zambrano aun desde tan lejos. Es interesante apreciar juicios de valor enunciados coloquialmente como el desprecio de Zambrano por otros exiliados españoles, en América y en Europa, que corrieron con mejor suerte en el momento final y llegaron a países extranjeros con puesto ya reservados[9], y sin embargo no fueron capaces de generar una

---

[9] Nos dice al respecto María Elizalde en su compilación de la correspondencia Frank-Zambrano: "Sin embargo, el mayor interés de este epistolario reside en la

abundante producción intelectual como ella. Otro aspecto polémico
–aunque debemos ponerlo en el paréntesis de la emotividad con que
se escribieron estas líneas– es su confesión de haber usado en América
del saber adquirido en Europa, o el saber llamado clásico, como venganza, algo que resulta chocante cuando se leen los estudios realiza-
dos sobre la interacción de Zambrano con los intelectuales caribeños.
En esa misma línea de rechazo debe captarse la sutil ironía cuando
menciona la lista de productos alimenticios en las islas. Más interesante aun es su opinión sobre el modo de ser del cubano cuando habla
de esa "inhibicion terrible" [sic] que en principio parecería inconce-
bible para juzgar a los de esa isla tan conocidos por su desenfado.
Creo que Zambrano nunca entendió que el famoso choteo cubano,
que bien caracterizó Jorge Mañach (al que por cierto también critica
en fragmento no citado de esta misma carta), conlleva una fase de dis-
tancimiento (eso sí lo supo sentir), pero recrea también una cómoda
posición que permite a ese pueblo ponerse una muy oportuna máscara
frente a lo trágico o lo inevitable. Como se verá en este mismo trabajo,
Cabrera hizo pagar a su amiga andaluza por esta incomprensión.

Junto a esos textos bien conocidos por todos que nos presentan
a una andaluza enamorada del Caribe, tenemos ejemplos totalmente
inéditos, como el citado –y hay otros en su correspondencia privada–
donde la "oímos" quejosa de vivir en una isla, Cuba, cuyo clima detes-
ta, y cuya intelectualidad oficialista no la ha bien recibido, desosegada
doblemente por los apuros económicos de su familia fuera de Cuba, y
por los propios. No muy diferente es el tono cuando se refiere a situaciones pasadas en Puerto Rico, pero ahora no podemos entrar en estos
detalles más estudiados en otras ocasiones y también abordados por
Fenoy y Quirós. Como se nota en esta carta antes citada, y es aun más

---

narración sobre el primer exilio, y las circunstancias acaecidas, que sufre Zambrano
en Morelia y en La Habana; las dificultades que se van transparentando a lo largo de
las cartas frente a las instituciones académicas, la situación política alrededor de la II
Guerra Mundial y, lo que es más grave, frente al mismo exilio español: "Soy", escribe
en febrero de 1940, "la única mujer intelectual que ha llegado, soporté la guerra y
mi marido estuvo de verdad en el frente y para ninguno de los dos ha habido nada.
¿Comprende?" Es decir, no solo sobre María Zambrano arroja luz este epistolario,
sino también sobre la organización del primer exilio en los países de América" (126).

obvio en la estudiada por mi ensayo del 2011, Lydia Cabrera, María
Teresa de Rojas y Josefina Tarafa trataron de ayudarla en Cuba; Elsa
Fano, Nilita Vientós, Jaime Benítez e Inés María Mendoza, la susten-
taron en Puerto Rico. Pero también parece inferirse que el orgullo de
Zambrano se resentía con estas ayudas económicas que no resolvían a
fondo sus problemas domésticos (su esposo Alfonso Rodríguez Aldave tampoco obtuvo un trabajo de remuneración fija), junto a otros de
sentido intelectual y moral que causaba esta situación.

Los apoyos materiales y profesionales de Cabrera a Zambrano
datan de antes, desde su misma llegada a la ciudad de La Habana. En
marzo de 1940, recién llegada, María Zambrano y su esposo viven
en casa de la madre de María Teresa de Rojas, donde también viven
Cabrera y Rojas, es decir, en la Quinta de San José. Allá está fechada
la carta que Zambrano escribe a Waldo Frank con quien compartía por
entonces la utopía de lo que con razón llama Arcos un "panamerica-
nismo verdadero"[10]. Este le propone traducir un libro suyo, *Chart for
Rough Water: Our Role in a New World*, para ayudar económicamente
a Zambrano, que a su vez le ha escrito solicitándole algún tipo de apoyo financiero mediante publicaciones de sus textos en Norteamérica, lo
cual parece no logró entonces. Zambrano, que no sabe inglés, primero
rechaza la oferta pero luego la acepta en los siguientes términos, cito:

> Voy a decirle una cosa, Ay, y no se extrañe de mi versatilidad porque le
> explicaré: si todavía no tiene Ud traductor para su libro, me atrevo a aceptar
> la oferta que me hizo de que yo se lo tradujera al castellano. Estudio inglés y
> además tengo quien me asesore sabiendo mucho. (19 de marzo, 1940. Cit. en
> Elizalde: 128)

Ya en siguiente carta a Frank es más específica: "Me ayuda una
amiga extraordinaria Lydia Cabrera, de quien será Ud. amigo enseguida" (20 de agosto, 1940. *Idem*: 130). Sin embargo, dentro de la
correspondencia citada, nunca se da por terminada la colaboración ni
como resultado la mencionada traducción. Aún en carta del 23 enero
de 1941, Zambrano sigue prometiendo que la terminará[11] pero más

---

[10] Véase en Arcos, 150.
[11] Finalmente no sale por la editorial Losada, ni bajo la firma de Zambrano sino
de otro traductor en Americalee, en Buenos Aires, en 1952.

significativo resulta que en esa misma carta ella aluda a otro apoyo que recibe de Cabrera y Rojas. Aunque acá no se mencionan sus nombres hemos corroborado, en la correspondencia estudiada (Cfr. Cámara 2011) que se trata de estas personas. Transcribo la cita de Zambrano contándole sus penurias a Waldo Frank:

> La Universidada [sic] pasa por una situación sumamente complicada; ha estado cerrada dos meses, todavía la huelga estudiantil no ha cedido del todo; la situación de la Hispano Cubana de Cultura es mala económicamente; ahora yo estoy dando en ella un curso de Filosofía Griega en ocho lecciones, pero ha sido subvencionado por unas amigas. Le digo todo esto para que no crea que se trata defalta [sic] deinterés [sic], si no de la mala situación del país. Aparte de eso si los políticos se interesaran lo harían, pero yo estoy al margen de todo eso y si podemos vivir es por los amigos de Puerto Rico y por esta [sic] amigas de aquí que subvencionaron mi curso. Ni la Universidad, ni ningún otro Centro me ha dado el menor trabajo en este tiempo[12]. (Cit. en Elizalde: 139)

Anotemos entonces estas *experiencias* como una prueba más de las sororidades efectivas desarrolladas entre la cubana y la española.

Dentro de estas relaciones sin embargo no todo era color de rosa. El humor criollo de Cabrera, su choteo, ideó una broma tremenda contra el orgullo hispano de la Zambrano creando un personaje ficticio que alababa las ideas de la filósofa inundándola de cartas. De su existencia ella quedó convencida puesto que Cabrera y Titina llegaron al punto de hacer pasar a una persona por dicho personaje, Ínclita del Porro, con la cual María tuvo un fugaz encuentro –así tenía que ser para mantener el juego– en una estación de trenes. Es de imaginarse que las cubanas se divertían mucho al ver cómo Zambrano admitía o rebatía juicios de la tal Ínclita que en realidad Cabrera o Titina se

---

[12] Nos da cuenta Jorge Luis Arcos de que a partir del 15 de enero [1941] impartió un curso de ocho lecciones de filosofía griega en la Institución Hispanocubana de Cultura, y que este fue reseñado por Miguel Jorrín y Fabián en *Ultra*. [Se trataría del curso subvencionado por las amigas]. Publicó en *Revista Cubana* "La agonía de Europa", una síntesis del ciclo de conferencias ofrecido en marzo en el Instituto de Investigaciones Científicas y Altos Estudios de la Universidad de La Habana [...]. El ciclo constó de "La agonía de Europa", "La violencia europea", "La influencia de Grecia en la vida europea" y "San Agustín, padre de Europa".

inventaban. La anécdota ha sido recogida por Margarita Mateo Palmer y llega a ella por Graciela Pogolotti a su vez recogida directamente de la amiga que fingió ser, por breves minutos en un fugaz encuentro, Ínclita del Porro. Tengo en mis manos la grabación hecha a Mateo Palmer mientras visitó mi casa el verano pasado donde me cuenta la anécdota que siempre me ha llegado por vía oral aunque quizás ya esté recogida con más detalles. Lo que interesa es recoger la esencia de juego, que es la manifestación del espíritu de *chicherekú* en Cabrera, frente al orgullo hispano con el cual Zambrano hubo de parapetarse para sobrevivir en condiciones sicológicas y económicas difíciles. Como ella misma dice, sin que ello obstara para que su creatividad y su curiosidad intectual frente a ese "nuevo mundo" del que se quejaba y burlaba, la llevaran a producir allí ensayos imprescindibles en su obra como *Persona y Democracia* (1954), *El hombre y lo divino* (1958) y *Delirio y Destino* (1989), algunos publicados posteriormente.

Otro modo de ilustrar las modalidades de esta relación complejísima entre amigas es la historia de un retrato de grupo en dos partes, la historia de aquella amistad en dos momentos. Cabrera, Titina y María en una fiesta de disfraces supuestamente en La Habana de los cuarenta. María, como una hermosa dama, en compañía de otras elegantes señoras, entre ellas Cabrera y Rojas. Así aparece la foto, completa, en los archivos de la Cuban Heritage Collection entre los papeles de Lydia Cabrera, sin fecha. Pero del otro lado del Atlántico, en la papelería zambraniana que guarda su Fundación, encontramos la misma foto, cercenada, que nos muestra una inverosímil Zambrano, sola, con abanico de plumas, una imagen que no tenía explicación para mí, una joven luciendo un vestido de fiesta y un aire complaciente, inexplicable en momentos tan trágicos de su vida. Tuve que reconstruir no solo la foto en su totalidad (que alguien o ella misma separó en dos fragmentos-contextos) para inferir que, borrando uno de ellos, quizás Zambrano, ya anciana, de vuelta a Europa y finalmente a Casa, decidiera alejar de su memoria una fiesta en la alta sociedad habanera, de las que Cabrera y Titina frecuentaban y a las que ella iba solo para mantener contactos personales necesarios para su trabajo, todo que luego a la autora de *Claros del Bosque* le parecería vanidad de vanidades.

II: Del hombre y lo divino

No podía quedarse en el tintero una última correspondencia, per-
teneciente ya a la etapa posterior al exilio de Lydia Cabrera en Miami
y la estancia de María Zambrano en Roma, fechada en 1962, que nos
llevaría a campos espirituales más allá de la religiosidad católica que
ambas practican de modo heterodoxo, Zambrano con influencia gnós-
ticas, Cabrera, con familiaridad con la cosmovisión yoruba. Sin haber
entrado en la dimensión ético-filosófica del pensamiento de estas
grandes mujeres, no pueden comentarse como es debido estas citas,
pero las dejaré al lector como un ejemplo más de la vitalidad de aquella amistad, de la complicidad final a que arribaron. En una carta que
Zambrano incluso pide a Cabrera que "queme", lo que ella obviamente no hizo, esta le cuenta sobre la "aparición" del espíritu de Teresa de
la Parra en una sesión de mediumnidad en Roma, junto con amigos
venezolanos (que imagino fueron Reina y Enrique Rivas) en la que
participaba su hermana Araceli Zambrano. He aquí un fragmento que
transpone el diálogo de Araceli con la presencia de Teresa de la Parra:

> Entonces Ara le dijo: "¿Quieres algo que yo pueda hacer, decirme algo
> para alguien". "Sí; Lydia"–. Los demás no sabían quien era Lydia y pregun-
> taron: ¿"Vive?". "Si, en Florida"–. Y Ara: "¿Qué le digo?"–. "Olvidar" [ter-
> mina la transcripción directa del diálogo y prosigue Zambrano (MC)] […] le
> diré algunas palabras más, llegadas por otra vía –valga lo que valieran: […]
> "abandoner" […] "rayer, effacer". Y en cuanto a estado de espíritu –que Ud.
> debe tener: "calme" [*sic*]. (Zambrano: carta fechada el 30 de enero de 1962
> depositada en Lydia Cabrera's Papers)

En respuesta no fechada pero al parecer inmediata, Cabrera le
dice:

> Es muy curioso lo que Ud. me cuenta de Te. De la P y a serle franca: en
> general, no creo que nos hablen a través de las mesas los que están del otro
> lado […] Suponiendo que en la otra vida se haya vuelto lo que no era, cursi,
> demuestra no conocerme al aconsejarme que olvide ¿Qué es lo que tengo que
> olvidar? Desde que tengo uso de razón me he pasado la vida recordando" [*sic*]
> (Lydia Cabrera's Papers).

El tono tajante, muy cabreriano, se entiende mejor si recordamos
que no fueron buenas las condiciones económicas en las que –fruto

de ese empeño de no renunciar a sus recuerdos– fue capaz de seguir
escribiendo cuando carecía de los informantes y del ambiente de cubanidad criolla que alimentó su obra. Sin embargo, ella la reviviría con
el poder irrenunciable de la memoria.

A MODO DE CONCLUSIÓN

María Zambrano y Lydia Cabrera, las discípulas rebeldes de sus
maestros respectivos, José Ortega y Gasset y Fernando Ortiz; las escritoras que habían creado escuelas con sus obras desafiando las etique-
tas de los géneros literarios (dos en particular muy afines con el tema
de esta última correspondencia: los "delirios zambranianos" y "los
itinerarios del insomnio cabrerianos"), las intelectuales que supieron
tomar con dignidad el camino del exilio y mantener dentro de sus rigo-
res una inaudita creatividad; cuando estas mujeres fueron ancianas,
supieron mantener en el filo de la letra –que no por coincidencia ambas
odiaban la mecanografía– el deseo de comunicarse, expresar sus convicciones, y mantener un diálogo sobre lo humano y sus misterios.
Aunque obviamente se percibe en esta conversación una diferencia de
registros y de convicciones, el solo hecho de que este intercambio de
experiencias e ideas tenga lugar, nos habla del privilegio de las autén-
ticas sororidades.

Una reseña, cartas, anécdotas, han sido presentadas al lector
como muestras fehacientes de esa *red de soutien* que dos intelectuales
hispanas supieron crear. No caben dudas de que sin la difusión del
Feminismo tanto en Europa como América Latina, como parte de la
Modernidad en el siglo XX, sería más difícil que se hubiesen creado
las instituciones, y sobre todo los *habitus* (en el sentido de Bordieu[13])
que facilitaron que estas mujeres interactuaran del modo estudiado. La
lectura de la identidad cubana desde el siglo XXI puede beneficiarse si
prestamos atención a los espacios intersubjetivos como "dispositivos
de sororidad" de los discursos de fundación de las naciones.

---

[13] Véase: *Distinctions*. Harvard UP, 1984: 466-484.

Bibliografía

ABELLÁN, JOSÉ LUIS. *El exilio como constante y categoría*. Madrid: Biblioteca Nueva, 2001.
——————. *María Zambrano: una pensadora de nuestro tiempo*. Barcelona: Anthropos, 2006.
ARCOS, JORGE LUIS. *Islas*. Verbum: Madrid, 1996.
CABRERA, LYDIA. *Por qué... Cuentos negros de Cuba*. La Habana: Ediciones C.R., 1948.
——————. "Lydia Cabrera Papers." *Cuban Heritage Collection*. University of Miami.
CÁMARA, MADELINE. "Estancias y ensueños de M. Zambrano en Puerto Rico en diálogo con Inés María Mendoza". *Antígona* 3. *Revista de la Fundación María Zambrano*. (2009): 69-79.
——————. "Para llegar a Lydia Cabrera a través de María Zambrano. Hacia un conocimiento poético de lo cubano". *Antígona* 2. *Revista de la Fundación María Zambrano*. Málaga, España (2007): 20-33.
——————. *Cuban Women Writers: Imagining a Matria*. New York: Palgrave, 2008.
——————. *María Zambrano: Palabras para el mundo*. Madeline Cámara y Luis Ortega (Eds.) Newark: Juan de la Cuesta, 2011.
ELIZALDE, MARÍA. "16 cartas inéditas de Waldo Frank". *Revista de Hispanismo Filosófico* 17 (2012): 115-139.
FENOY, SEBASTIÁN. "María Zambrano en el Departamento de Instrucción Pública Puertorriqueño". *Actas II Congreso Internacional del Centenario de María Zambrano*. Vélez Málaga: Fundación María Zambrano. (210-219).
Instituto de Literatura y Lingüística: *Historia de la Literatura Cubana*, Vol. 2: La Habana.
MORENO SANZ, JESÚS. *La razón en la sombra. Antología de pensamiento de María Zambrano*. Madrid: Siruela, 1993.
——————. *El logos oscuro*. Madrid: Verbum, 2008.
ORTEGA MUÑOZ, JUAN FERNANDO. *Biografía de María Zambrano*. Málaga: Editorial Arguval, 2006.
——————. *Introducción al pensamiento de María Zambrano*. México DF: Fondo de Cultura Económica, 1994.
QUIRÓS, JULIO. "Encuentros y mediaciones entre dos Marías". *María Zambrano. Palabras para el mundo*. Madeline Cámara y Luis Pablo Ortega (Eds.) Newark: Juan de la Cuesta, 2011. (105-135).
ZAMBRANO, MARÍA: "Lydia Cabrera, poeta de la metamorfosis". *Orígenes* 25 (1950): 11-15.
——————. "La Cuba secreta". *Orígenes* 5.20 (1948): 3-9.
——————. *Isla de Puerto Rico: Nostalgia y esperanza de un mundo mejor*. La Habana: La Verónica, 1940.
——————. *Archivos*. "Fundación María Zambrano".

María Zambrano y Virgilio Piñera: un contrapunteo trasatlántico[1]

RITA MARTIN

Desde el ensayo crítico, "La Cuba secreta" (1948), María Zambrano se ha convertido en referencia obligada cuando se habla de rasgos y características literarias, y aun de poéticas, de los literatos nucleados en torno a la revista *Orígenes* (1944-1954) y otros creadores cubanos de la época[2]. Si bien la autora ofreció más de una conferencia filosófica en el Lyceum habanero, su labor de crítica literaria es la que goza de mayor permanencia en los estudios cubanos. Y debía ser así y no de otra manera por el valor descubridor del acercamiento zambraniano. Recuérdese que estamos hablando de la labor del crítico ante la obra de escritores en pleno quehacer creativo; es decir, ante el trabajo literario doblemente vivo, atravesando el riesgo del experimento y la transformación del estilo individual. Entre los nombres a los que Zambrano se acerca o escudriña, sobresalen José Lezama Lima y la antípoda origenista, Virgilio Piñera[3].

Si bien la labor de un esteta como José Lezama Lima o un experto en trazar equivalencias y paralelismos como Cintio Vitier, resulta ser más cercana a Zambrano y la filosofía con la cual se acerca a revelar la Isla, un espacio que por su juventud, según ella, está naciendo, descubriéndose a sí mismo, o asistiendo a su despertar; si bien esto es cierto, repito, hay también algunas cercanías, incluso, en la compren-

---

[1] Agradezco a *Radford Foundation* por haberme apoyado en la conclusión de este artículo.

[2] Escrito y/o reseña que María Zambrano escribiera sobre *Diez poetas cubanos, 1937-1947*, antología de Cintio Vitier, aparecida en La Habana en 1948.

[3] Además de Lezama Lima y Piñera, Zambrano hace una rápida mención de los otros poetas antologados: Angel Gaztelu (1914-2003), Justo Rodríguez Santos (1915-1999), Gastón Baquero (1916-1997), Eliseo Diego (1920-1994), Octavio Smith (1921-1987), Cintio Vitier (1921-2009), Fina García Marruz (1923-), y Lorenzo García Vega (1926-2012).

sión de ese *despertar* de la Isla, con el Virgilio cubano[4]. Cercanías
tales que, en muchos de los casos, se convierten en un contrapunteo
de enfrentamientos sutiles y por lo cual el diálogo entre la malagüeña
y el matancero termina por ser uno de los más apasionados. Comién-
cese entonces por anotar varios puntos. El primero, la comprensión de
ambos escritores sobre el espacio de *lo cubano*. El segundo, la concepción de ambos sobre la poesía y una detención en la crítica zambraniana sobre el quehacer poético de Virgilio Piñera en el señalamiento de
que este es un poeta que *escribe contra sí mismo* y, por ende, construye una *escritura al revés*. El tercero, la deferencia que ambos escritores profesan por la escritura de Franz Kafka y sus lecturas próximas
y distantes a un tiempo. El cuarto y como en un cierre, la crítica zambraniana sobre el teatro de Virgilio Piñera, caso específico de la pieza
Electra Garrigó –escrita en 1943, pero llevada a las tablas en 1948–
en la que la intelectual española impone la sensibilidad europea en un
acto que termina por ignorar la propuesta y la sensibilidad cubanas.
Si la mirada trasatlántica sobre la poesía piñeriana resulta de alcances
perdurables, la lectura zambraniana de *Electra Garrigó* señala que el
conocimiento que llega del otro lado del océano no logra completar la
mirada teatral que de lo cubano ofrece Virgilio, y advierte que el *tra-
satlantismo hispano* no se afinca solo en lo análogo sino también en lo
desemejante, en esa calidad que hace a los pueblos diferentes entre sí,
o en otras palabras, con una cultura y un saber propios.

1

Desde "La Cuba secreta", la Isla es para María Zambrano la
patria prenatal que describe, en lo principal, en dos fases: *la desnuda realidad carnal* absorta en el olvido y que vive sin imágenes, y
por ende, sin conciencia, y la segunda, *un estado del despertar de la
physis (naturaleza)* dentro de la sobreabundancia en la que la materia
y el espíritu constituyen una unidad aun no diferenciada y en la que
se revela la primera manifestación del espíritu dentro de un estado de
creación poética (sagrada) de raíz trascendente que proyecta una for-

---

[4] Énfasis mío, a menos que se indique lo contrario.

ma en su crecimiento. Para Zambrano, en el principio fue la creación
o sobreabundancia poética donde se realizan la primera afirmación del
espíritu humano dentro de lo vegetal estático, dormido, inconsciente
del adentro y del afuera, y la primera conciencia del sujeto escindido
entre su adentro y su afuera, su primer delirio pero contentivo de la
metafísica del ser viviente y su secreta realidad. A dos años de "La
Cuba secreta", Zambrano, en su ensayo "Lydia Cabrera, poeta de la
metamorfosis", realiza conclusiones mayores sobre lo cubano como
espacio prenatal. Lo cubano es configurado como un lugar arquetípi-
co, antiguo por su calidad de isla y siempre virgen donde los sentidos
penetran en la realidad sin encontrar resistencia. Y por esta misma
condición, la Isla ha quedado fijada en imágenes tales como "vida
intacta y feliz", "cuna de dioses y de mitología", "patria inextinguible
de la metamorfosis" (61)[5].

A la *dimensión prenatal* le sucede la *dimensión histórica* que
Zambrano relaciona nuevamente con la palabra creadora. En este caso
opone poesía versus épica, y añade un elemento sensible, la razón. Es
en la épica (dimensión histórica), en el gesto heroico y la muerte, que
el sujeto realiza su historia e inaugura su modo de vivir como ser histórico. A este instante le sucede la llegada de la razón de *esencia pre-
visora* y el nacimiento de la poesía como lenguaje humano –ha dejado
de ser sagrada– y memoria, mediadora del presente y del pasado, entre
el tiempo histórico y el de la Edad Dorada o Paraíso Perdido. En
este acontecer, la lírica llegaría tras la épica para expresar las emociones del individuo, su nostalgia por un tiempo pasado irrecuperable,
la insatisfacción del presente y el temor ante el porvenir. ("Apuntes
sobre el tiempo y la poesía" 3).

---

[5] Advierte Zambrano "que no se interprete este pensamiento como negación
de lo que Cuba ha conquistado de historia, ni como desvalorización de lo que ha producido y anda en vías de producir de pensamiento" y, siguiendo a la autora, explica
Stefania Tarantino que "[n]o hay contradicción porque el despertar poético atañe la
íntima substancia de Cuba que después se revela en la historia. Este estado de sueño
constituye la patria pre-natal, y no las calidades que son diferencias, sino la substancia en su unidad. Los poetas cubanos representan la conciencia del destino secreto,
pueden contar el estado de silencio, el estado pre-natal, comprender el momento del
despertar; aquí se funden situación vital y obra literaria" (Tarantino 32).

En 1943 Virgilio Piñera publica como separata "La isla en peso", un extenso poema que se convertiría en un texto fundamental dentro de la historia de la poesía cubana del siglo XX y todo un paradigma de la obra piñeriana por la heterodoxia de su conceptualización, su antipoesía y la ruptura de los cánones de la lírica tradicional; su intenso dramatismo, que emerge del envés de la realidad, de su visión del sinsentido de lo real, marca importantes diferencias con respecto a las precedentes visiones de la insularidad que se observan dentro de la poesía cubana[6]. Muy a pesar de que "La Cuba secreta" es un ensayo publicado en 1948, el poema de 1943, "La Isla en peso" parece ser un diálogo piñeriano con algunas de las ideas zambranianas, o viceversa. Uno de los versos más inquietantes de este poema inquiere sobre ambas dimensiones, prenatal e histórica, de la Isla: "ciertamente debo esforzarme a fin de poner en claro/el primer *contacto carnal* en este país, y *el primer muerto*" (38). Pero a diferencia de Zambrano, para Piñera *en el principio está el aire* que en la hermenéutica del cubano significa *logos*, como indica Enrique Saínz en su estudio *La poesía de Virgilio Piñera: ensayo de aproximación*, donde explica que "el *logos*, que en San Juan es la palabra creadora, Dios, será [en el caso de Virgilio Piñera] transformado en sábanas movidas por viento y que habrán de caer en la tierra 'hasta quedar inertes', perdido todo el significado primigenio del término" (142)[7]. A diferencia de San Juan, Zambrano y los origenistas, Piñera establece, primeramente, que la palabra creadora no puede ser sagrada, esta como creación de la mente humana "alcanza su esplendor, declina y finalmente muere. Cuando muere recibe el nombre de palabra-muerta. Podrá seguir usándose (de hecho se sigue usando), pero ya no expresa nada" ("Contra y por la

---

6 "La isla en peso" fue severamente objetado por Gastón Baquero y Mirta Aguirre, críticas a las que le sigue la de Cintio Vitier. Ambos poetas origenistas consideraron que el tono pesimista y la angustia de este poema no se correspondían con el sentido telúrico de la poesía cubana ni con el ánima de lo cubano dentro de su contexto histórico en esa época. Por su parte, Aguirre, si bien reconoce que la poesía de Virgilio significa "un cambio de rumbo, el inicio de un camino", insiste en que este es "poeta, ofuscado por las frutas que se pudren en el lecho de los ríos" y que en su percepción de Cuba es apenas un "poeta que comienza a verla" (30).

7 Énfasis en la cita de Saínz.

palabra" 266). Y en segundo lugar, al identificar el *logos* con el aire, este *logos* (aire) presupone o equivale al caos que desafía la linealidad y lo predecible, y se establece como un complejo sistema, abierto a la simultaneidad y la multiplicidad, a lo aglutinante[8]. Características estas que van como el guante a la mano en la poética piñeriana interesada en las destrucciones. Pero si el *logos* presupone un estar en el aire, para el poeta cubano, el aire-caos está determinado igualmente por la gravedad que llama a lo concreto a todas las cosas y que en lo concreto se modelan y organizan la conciencia del sujeto.

Con Zambrano, Piñera considera el espacio prenatal como un espacio viviente, y lo cubano como un sitio que asiste a su *despertar*, pero a un *despertar* dentro del *dominio del aire* (o caos) del que provienen las aguas, tratadas en "La isla en peso" como un elemento determinante tanto de la metamorfosis como de la fatalidad geográfica. Las aguas sinonimizadas con la enfermedad, la muerte y la peste van trazando en este poema el destino de un país que se mueve dentro de sus luces como una carga mortífera ("[t]odo un pueblo puede morir de luz como morir de peste", 46); dentro de sus sombras que a la par conocen e impiden el conocimiento ("[n]o una mujer y un hombre frente a frente,/sino el contorno de una mujer y un hombre frente a frente", 47); dentro de lo vegetal con agudeza sensual y sexuada ("una letanía vegetal sin trasmundo se eleva/ frente a los arcos floridos del amor", 47) y lo animal ("la bestia atraviesa diariamente los cuatro momentos caóticos/[...] los cuatro momentos en que abre el cáncer:/ madrugada, mediodía, crepúsculo y noche", 43); dentro de la (im) posibilidad del sueño creador ("[e]l rastro luminoso de un sueño mal

---

[8] Según Anaxímenes, lo fundamental y más generalizado en el mundo es el aire (*aer*). El aire es infinitamente vasto en extensión pero perfectamente determinado en carácter: es atmósfera normal, invisible en su consistencia, visible a través de las olas (movimiento) de calor, frío y humedad. Es a partir del aire que todas las cosas existen, han existido o existirán. Anaxímenes indica que el aire primordial está continuamente en movimiento, y este movimiento es la causa de alternar estados físicos. La condensación y rarefacción son las manifestaciones principales del cambio de aire: el aire enrarecido genera fuego, aire condensado crea los vientos, los vientos, las nubes condensadas; nubes condensadas, agua, el agua condensada, tierra, la tierra, piedras y el resto del mundo. (*Encyclopedia of Philosophy* 185-187).

parido", 44); dentro de la representación de distintos ritos donde se mezclan danza, música, puñales, sangre sacrificada, símbolos orientales y aun la doctrina cristiana ("¿[q]uién puede reír sobre esta roca fúnebre de los sacrificios de gallos?", 39); dentro del carnaval "que empieza con el canto del gallo" (44).

No hay *vida intacta y feliz* en este poema de Virgilio, ni tampoco la modelación espiritual dentro de lo prenatal que conduzca, al nacer, a un destino trascendente. Es más, no hay delimitación posible que fije el acabamiento de lo prenatal y el paso a la dimensión histórica. El esfuerzo dialógico con el que el poeta intenta discernir lo cubano aglutina la desnuda realidad carnal, sin imágenes (lo prenatal), con la entrada del país en su historia (dimensión histórica) en una estremecedora superposición de planos temporales y espaciales. Señala un momento anterior en el desconocido son del areíto, la confusión, el terror, la abundancia y la virginidad de una tierra en la que nunca vivieron animales salvajes, pero rápidamente lo incorpora con el instante de la conquista cuando "el galeón cargado de oro se mete en la boca/de uno de los narradores" del relato épico ("La isla en peso" 41).

La dimensión histórica zambraniana en su carácter épico se contrapone de este lado del Atlántico con la mirada de Virgilio Piñera para quien *lo cubano* adquiere formas caóticas, frustrantes y escatológicas. El sujeto de la Isla es representado en "La isla en peso" a través de "un pueblo [que] desciende resuelto en enormes postas de abono,/ sintiendo cómo el agua lo rodea por todas partes,/ […] aullando en el mar, devorando frutas, sacrificando animales,/siempre más abajo, hasta saber el peso de su isla;/el peso de una isla en el amor de un pueblo" (49). La criatura de isla devora "los fragmentos de la isla", "los frutos, las piedras y el excremento nutridor" (43). En esta resonancia escatofágica donde solo el excremento es nutridor no resulta casual la destrucción de lo simbólico y aun de lo mítico. En contraste con Zambrano, en este poema no hay diferencia entre *lo prenatal* y *lo histórico*. Según Piñera, estos han sido interrumpidos por el europeo: "el inevitable personaje de paso que deja su cagada ilustre,/lo sumo, quinientos años, un suspiro en el rodar de la noche antillana" (48). La "santidad", identificada con la cruz "se desinfla en una carcajada" (40). El memorable Cadmo, fundador de Tebas y figura asociada con la inteligencia,

es representado aquí "desdentado" y con "perdido prestigio:/en una
isla tropical los últimos glóbulos rojos de un dragón/tiñen con imperial dignidad el manto de una decadencia" (42). Dentro de este carnaval donde se orina, incluso, en "sentido inverso a la gran orinada/de
Gargantúa en las torres de Notre Dame" (47), *lo cubano* asoma en su
envés y en un mundo al revés, Piñera encara el hecho apuntado por
Zambrano de que en la Isla "los sentidos penetran en la realidad sin
encontrar resistencia" ("Lydia Cabrera, poeta de la metamorfosis" 61),
y destruye poemáticamente la potencialidad utópica que Zambrano le
otorga a este espacio casi virginal. Esta no resistencia de los sentidos
es en el poema piñeriano desconcierto, caos nuevamente.

> Confusamente un pueblo escapa de su propia piel
> adormeciéndose con la claridad,
> la fulminante droga que puede iniciar un sueño mortal
> en los bellos ojos de hombres y mujeres,
> en los inmensos y tenebrosos ojos de estas gentes
> por los cuales la piel entra a no sé qué extraños ritos.
> [...]
> La piel, en esta hora, se extiende como un arrecife
> y muerde su propia limitación. (45)

El sentido de declinación y desesperanza se fortalece en las revi-
sitaciones históricas en las que se da paso a hechos concretos tales
como la dominación de la metrópoli española, la trastocación –metamorfosis– de los papeles de los conquistadores y de los esclavos, allí
donde el europeo compró sus títulos nobiliarios y el príncipe africano
los perdió, o viceversa, dice V.P.; el encuentro o mezclas de etnias,
dado en la isla caribeña por la trata de esclavos y la existencia casi
permanente de la flota en sus costas. Este encuentro, dice, señala la
actitud del conquistador ("la cínica sonrisa del europeo", 42) dentro de
la Isla representada en la violación del cuerpo femenino en ese "apre-
tar" de "las tetas de [la] madre" (42).

De este lado del atlántico, Virgilio Piñera ofrece una de las primeras perspectivas postcoloniales para leer el espacio cubano. La
épica o dimensión histórica, parece decir, no resulta de un momento anterior precolombino o del primer muerto contra el coloniaje, o
incluso, de la primera víctima violada, sino que se encuentra subor-

dinada y sometida tanto a la epicidad y al relato europeos como a su decadencia, lo cual entorpece, sobre todo en el caso cubano, la acción de tres verbos fundamentales para cualquier narrativa: definir, ordenar y relatar (39, 46). La dimensión histórica enfrenta así la hibridez de un espacio metamorfoseado, en espera de su propia narrativa para entrar en su propia historia.

> Las historias eternas frente a la historia de una vez del sol,
> las eternas historias de estas tierras paridoras de bufones y cotorras,
> las eternas historias de los negros que no fueron,
> y de los blancos que no fueron,
> o al revés o como os parezca mejor,
> las eternas historias blancas, negras, amarillas, rojas, azules,
> –toda la gama cromática reventando encima de mi cabeza en llamas–,
> la eterna historia de la cínica sonrisa del europeo. (42)

2

Seis años antes de "La Cuba secreta", en su ensayo "Apuntes sobre el tiempo y la poesía" (1942), publicado durante la breve vida de la revista *Poeta* (1942-1943), fundada por Virgilio Piñera, Zambrano ensaya el relacionar prehistoria y poesía: "La poesía primera que nos es dado conocer es lenguaje sagrado, más bien el lenguaje propio de un período sagrado anterior a la historia, verdadera prehistoria"(3), concluyendo así que durante el período prehistórico (o prenatal), lo único cierto es la manifestación del sujeto a través de un lenguaje tropológico (poesía) y un historiar fabuloso (poético) en el que la existencia de dioses o imágenes poéticas (lo sagrado) constituye en ese momento no solo la única realidad del sujeto sino que modela el crecimiento de este (su raíz psíquica) y fija sus arquetipos[9]. De este modo,

---

[9] Es sabido de la profunda amistad entre María Zambrano y José Lezama Lima, así como de las disidencias y rompimientos entre José Lezama Lima y Virgilio Piñera que terminaron por impulsar a Piñera en la fundación de otras revistas: *Poeta* (1942-1943); *Victrola* (1946) y *Ciclón* (1955-1959), revista esta última que marca la verdadera ruptura entre los dos poetas cubanos. La pensadora española supo, sin embargo, mantenerse al margen de la polémica y continuar un diálogo amistoso e intelectual con ambos creadores. Véanse sus cartas dirigidas a Virgilio Piñera y sus contribuciones en ambas publicaciones piñerianas: "Apuntes sobre el tiempo y la poesía" (*Poeta*)

la palabra creadora (poesía) es el *logos* que contendrá algo de este primer lenguaje sagrado lo cual determinará ciertos contenidos anteriores que el pensar lógico no podrá siempre verificar. Seis años después de estos "Apuntes", la pensadora española concluye que el lenguaje sagrado (poético) se entiende como una acción libertadora del sujeto "que libera al par las formas encerradas en el sueño de la materia y el soplo dormido en el corazón del hombre" ("La Cuba secreta" 51).

La poesía, para Piñera, se funda a partir de una operación frustradora y/o destructora de la imagen. Como Zambrano y los origenistas, Piñera parte de un mismo supuesto: la elección del lenguaje (poesía) como destino; pero su poética, en cambio, impulsa, como he mencionado anteriormente, una mirada concentrada en el caos inaugural de las mismas y, por ende, en la metamorfosis y los estadios de las destrucciones en el plano no menos cosmogónico de lo ordinario, de donde nace la simpleza piñeriana, sin idealidad, donde solo importa la fricción que el sujeto y su lenguaje ejecutan a través de la imaginación. El *lenguaje como destino* o la *poesía* resulta, según Virgilio Piñera, una concreción desde la que el sujeto va formándose, creciéndose, alcanzando su materialidad o *pensamiento*. La doble comprensión piñeriana del origen en el que se alterna el caos como elemento primigenio y la poesía como su lenguaje primero, integra la necesidad del sujeto por lo sagrado como parte de la realidad que el sujeto intenta explicar, imaginar o soñar; pero ella misma por su calidad actuante dentro de (o en) la realidad no constituye para Virgilio Piñera un lenguaje sagrado, sino más bien, de incesante metamorfosis.

La metamorfosis piñeriana ocurre a nivel de la fragmentación del lenguaje o su inestabilidad como consecuencia de la realización o fricción del sujeto y viceversa. Y la radical inestabilidad del texto y el sujeto, va creando una metafísica de cuerpos disueltos, despedazados y en ocasiones enajenados dentro de sus ficciones. Cuerpos, además, que ansían no solo realizarse o conocerse a través de sus imágenes sino también en la imagen de otros semejantes. Desde los inicios de la década del cuarenta el poeta ha comenzado a conformar un espacio

---

y "La filosofía de Ortega y Gasset", en el número homenaje que *Ciclón* dedicara a la muerte del filósofo español. De modo similar, la amistad y postura de Virgilio que publica textos escritos por Zambrano y reseñas sobre la escritura de la misma.

desde el que se discuten las relaciones entre sujeto y texto como un solo cuerpo en constante *performance* o fricción que actúa contra el estado de parálisis o petrificación del sujeto. Estado este al que Piñera le ha dedicado más de una imagen descubridora, como aquellas barbas que como único tesoro trata de salvar un personaje, en tanto el otro intenta preservar sus ojos ("La caída" 53) o la necesidad de que nos carguemos los unos a los otros en esa narración en la que un hombre de cuarenta años decide comenzar su viaje no en un automóvil sino en el frágil coche de un bebé ("El viaje" 107).

Las diferencias entre ambos escritores, sin embargo, no obstaculizarían que María Zambrano muy temprana y acertadamente revelara, en "La Cuba secreta" el método piñeriano, el de la *ascesis literaria* –dado este en la borradura del propio poeta como sujeto lírico y en la eliminación de las conexiones visibles o evidentes establecidas tanto con sus contemporáneos como con otras influencias de la literatura mundial del pasado– y su logro estético en construir una poesía que "tiene mucho de *confesión al revés*" y que "por su actitud roza la novela de un Faulkner, de un Kafka, en las que el mundo dejado a su albedrío se convierte en máquina", (53) lo cual no obstante no impide que "brote en la poesía de Virgilio Piñera una realidad *muy de vida diaria*, y entonces, cuando parece ser más novela, es también más poesía, como en el logrado –perfecto– poema "Vida de Flora" (53)[10].

_____

[10] Por su importancia dentro del comentario zambraniano, reproduzco íntegro el poema "Vida de Flora" (1944):

Tú tenías grandes pies y un tacón jorobado.
Ponte la flor. Espérame, que vamos juntos de viaje.

Tú tenías grandes pies. ¡Qué tristeza en el aire!
¿Quién se mordía la cola? ¿Quién cantaba ese aire?

Tú tenías grandes pies, mi amiga en seco parada.
Una gran luz te brotaba. De los pies, digo, te brotaba
y sin que nadie lo supiera te fue sorbiendo la nada.

Un gran ruido se sentía en tu cuarto. ¿A Flora qué le pasa?
Nada, que sus grandes pies ocupan todo el espacio.
Sí, tú tenías, tenías la imponderable amargura de un zapato.

En este poema piñeriano seleccionado por Zambrano para su comentario, el sujeto lírico aparece solo como acompañante, invistiendo de una casi total autonomía a su personaje a través de una hipérbole sinecdoquizada. En esta realidad de vida diaria –o de un friccionar concreto– los grandes, gigantes pies de Flora ocupan el espacio de su propio cuerpo, de la cama, se hacen equivalentes a las "dos calientes planchas" y de ahí al cuarto de planchar donde Flora se gana la vida hasta convertirse estos dos pies en ese todo que es Flora misma. Una exageración casi burlesca si no fuera por la rapidez con que la fragmentación (pies) de Flora llega con la imagen de la despedida o de su propia desintegración ante la muerte: "Oye, Flora: tus pies no caben en el río que te ha de conducir a la nada/al país en que no hay grandes pies ni pequeñas manos ni ahorcados" (51). Para nombrar la pobreza –y posiblemente la procedencia afrocubana– Virgilio Piñera solo ha necesitado señalar "dos planchas" y "dos pies", ambos enormes,

---

Ibas y venías entre dos calientes planchas:
Flora, mucho cuidado, que tus pies son muy grandes,
y la peletería te contrata para exhibir sus hormas gigantes.

Flora, cuántas veces recorrías el barrio
pidiendo un poco de aceite y el brillo de la luna te encantaba.
De pronto subían tus dos monstruos a la cama,
tus monstruos horrorizados por una cucaracha.

Flora, tus medias rojas cuelgan como lenguas de ahorcados.
¿En qué pies poner estas huérfanas? ¿Adónde tus últimos zapatos?

Oye, Flora: tus pies no caben en el río que te ha de conducir a la nada,
al país en que no hay grandes pies ni pequeñas manos ni ahorcados.
Tú querías que tocaran el tambor para que las aves bajaran,
las aves cantando entre tus dedos mientras el tambor repicaba.
Un aire feroz ondulando por la rigidez de tus plantas,
todo eso que tú pensabas cuando la plancha te doblegaba.

Flora, te voy a acompañar hasta tu última morada.
Tú tenías grandes pies y un tacón jorobado.

(*El oro de los días*, "La Isla en peso" 50-51).

ambos equivalentes dentro de la metáfora popular cubana para la que los pies grandes son "planchas" o "lanchas". "Vida de Flora" supera así en mucho un poema que de alguna manera le precede: "Elegía a María Belén Chacón", en el que Emilio Ballagas, para dibujar la imagen de la africanía y la pobreza, necesitara no solo de la repetición del nombre, buscando sonoridades sino también el dibujo estereotipado y sublimado a la vez del cuerpo de la afrocubana (constelación de curvas), y los elementos folklóricos y musicales que la acompañan (rumba y sandunga), hasta finalmente llegar a la muerte de María Belén Chacón, provocada por "la plancha [que usada], de madrugada fue quien [le] quemó el pulmón" (66). Dentro de esta teatralidad de la vida diaria, interesa ver cómo Piñera da presencia a estos mismos elementos, de una manera más factual (o narrativa).

A diferencia del sujeto lírico ballaguiano que exige que la música cese ante la muerte de María Belén Chacón, Virgilio Piñera se localiza en el centro de los deseos del sujeto marginal cubano y sus ansias de realización a través de la música, aun dentro de la muerte, completando así un deseo ya simbólico dentro del imaginario nacional, la victoria del sonido extremado ante el silencio: "Tú [Flora] querías que tocaran el tambor para que las aves bajaran,/las aves cantando entre tus dedos mientras el tambor repicaba./Un aire feroz ondulando por la rigidez de tus plantas,/todo eso que tú pensabas cuando la plancha te doblegaba" (51). Pero es la poesía la que ha liberado el sueño de Flora y aún su dimensión histórica, y en esta maniobra en que la poesía es agente liberador vuelven a cruzarse Piñera y Zambrano, dado que para ambos, lineal o fragmentariamente, de lo que se trata, además, es de dar expresión a la (des)construcción y (re)construcción de los imaginarios, cubano para el primero, español para la segunda.

3

La construcción piñeriana de un mundo de imágenes capaces de friccionar la realidad, revelarla o actuar contra la petrificación moderna del sujeto (lenguaje) y su realidad, resulta fundamental para detenernos en el sutil contrapunteo establecido a partir de Frank Kafka. Pareciera que ambos coinciden, que el ensayo zambraniano de 1941,

"Frank Kafka, mártir de la miseria humana", se prolonga en "El secreto de Kafka" publicado por Piñera en 1945. Pareciera porque, en realidad, el del cubano constituye una respuesta al primero. Atengámonos entonces a varios puntos. Al describir a Kafka, Zambrano utiliza la misma frase que usará posteriormente, en 1948, para referirse a Piñera: "Escritor de extraña vocación [Kafka] es un escritor contra sí mismo" y *el escritor contra sí mismo*, explica Zambrano con mayor detenimiento en ese ensayo "es aquel que ha sido condenado a ser testigo de algo horrible", estos "son los mártires, los llamados a dar testimonio de oscuridad, de destrucción siniestra" (3). El *estar contra sí mismo*, además, aclara la localización zambraniana de Kafka –y del propio Piñera– en un sitio marginal, donde ambos son a la par, testigos y testimoniantes de la destrucción en espacios diferentes.

Sin embargo, si para Zambrano Kafka es un profeta, Piñera contrapuntea que este es un literato. Más que antagónicos parecieran enunciados complementarios de no ser por el hecho de que profeta no solo encuentra sus sinónimos en palabras tales como 'elegido' o 'visionario', sino que la palabra misma entraña una actitud: la del creyente, mientras que para Piñera el creador es necesariamente un sujeto crítico, rebelde, descreído; pero sobre todo, un constructor de imágenes, o mejor, un sujeto que se expresa necesariamente a través de imágenes. Según Piñera, la imagen en Kafka tiene un valor transformador capaz de presentar la vida local y cotidiana dentro de un sistema de interrogantes. Y tiene este valor, entre otras cosas, porque el autor se sabe algo o alguien que crea arte en oposición a ser algo o alguien que sirve al arte. Como explica más adelante en "El País del Arte" (1947), lo que se llama arte (la materia ficcional) no es religión. El arte y la religión son entes diferentes. El primero exige acción, el segundo adoración. Contrariamente a la religión que requiere de adoradores y/o sujetos pasivos, solo un sujeto activo y en consecuencia no adorador es quien crea arte. Kafka triunfa porque no trata de encontrar la esencia del arte, sino la sustancia del ser a través del mismo.

En este ensayo Piñera, además de Kafka, menciona a Dante Alighieri, dos de sus héroes literarios que han realizado una hazaña dentro del trabajo de la imagen. Desde aquí se anuncian dos tópicos fundamentales: el primero, la realización por medio de la imagen de textos que pueden ser leídos también de una manera ahistórica ya que producen "a través de una expresión nueva, ese imponderable que espera el lector y que se llama sorpresa literaria" (231). El segundo tópico, intrínsecamente relacionado con el primero, señala que la imagen penetra en el receptor y este, que ya retiene algo de esa imagen nueva, realiza a través de esta retención de la imagen sus propios descubrimientos dentro de lo desconocido. Estos dos tópicos resultan fundamentales dentro de la hermenéutica de Piñera quien desde la década del cuarenta comienza a relacionar a la vez la defensa de la autonomía del trabajo artístico con la atopía de su carácter, es decir, la no pertenencia del objeto (texto) artístico a un lugar ni tiempo específico, así como con la capacidad y resonancia de la imagen en el receptor

> *alguien que no la haya leído* [la *Divina Comedia*] le sucederá lo mismo que al primero de los lectores de Dante; *se sentirá colmado*, inundado *mediante el extraño método de la sorpresa por invención* (en este caso literaria). Y no será por cierto esta sorpresa ni el fondo ético de la Comedia, el platonismo que alienta en ella ni la asombrosa erudición que la recorre. *Se verá sorprendido por la invención de Dante de un infierno que se proyecta en embudos, de un purgatorio en rampas y un paraíso movido por esferas. Y no se detendrá ni un momento en las ideas que dichas metáforas sustentan* –o que dicen, ¡ay!, sustentar sus hermeneutas de seis siglos– de pecado y salvación. (231)

Hacia la década del sesenta, Roland Barthes llamará la atención sobre este asunto al afirmar que el texto "es atópico, si no en su consumo por lo menos en su producción" y "de esta atopía el texto toma y comunica a su lector un estado extraño: simultáneamente incompatible y calmo" (*El placer del texto* 41).

Pero no solo el texto goza de esta atopía dentro del sistema piñeriano, sino aún más, el propio cuerpo del autor como sujeto también la goza. Aquí Piñera divide la humanidad en dos mitades desde el plano de la personalidad. La primera mitad, indica a "los que tienen fe", o creyentes cuya limitación es la fe misma; mientras que la segunda señala a "los que dan fe", o los artistas –creadores– cuya no creencia es la que les permite dar fe de la marcha del mundo. La actitud de descreimiento –posible teísmo si no ateísmo– potencia la posibilidad de dar fe, o relatar la marcha del mundo. Estos artistas cuya condición es siempre marginal, no tienen otra misión que una mirada crítica que se

realiza a través de la acción movilizadora del lenguaje. De esta manera, el propio artista, por su capacidad marginal y crítica, contiene en sí
el relato-crítico o extraño como condición de la atopía que se desplaza
al texto y viceversa, el texto se desplaza al lugar del autor convertido
en un no-lugar y un no-tiempo.

El estado de extrañeza en que, según Barthes, se realiza la lectura, induce a pensar, dentro del sistema piñeriano, que el consumidor,
o lector del texto, retiene algo de este carácter atópico, al menos, la
distancia de aquel, su disociación interpretativa, o la insistencia, para
Piñera, de la imagen rara que crea ese estado disociativo en el receptor. Para Piñera, ese estado de extrañeza en que se realiza la lectura se
corresponde con el estado de goce en el lector que, además, precisa
ser un lector activo, impelido a pensar a través de lo nuevo que la
imagen artística propone: "Por eso los primeros [los lectores] gozan
tanto cuando se ven transformados por el artista en entes imaginarios,
en personas despersonalizadas" ("El secreto de Kafka" 230).

Mientras Zambrano insiste en recordar lo hondo o profundo de
La metamorfosis y *La Divina Comedia*, para Piñera el literato se veri-
fica por medios puramente literarios o enormes arquitecturas de imágenes. Zambrano advierte las líneas geométricas de la obra kafkiana,
en tanto Piñera indica que esas arquitecturas de imágenes producen
una expresión nueva o sorpresa literaria o, aún más claro, sorpresa
por invención. Mientras la aproximación zambraniana habla de una
profecía kafkiana que se revela más en los aspectos sociológicos ya
que esta "resulta mucho más clara que los acontecimientos, no es
enigmátic[a], sino que es una radiografía de la realidad social, pero
una visión todavía de algo oculto" y en la que interviene la sabiduría
del sueño creador ("Frank Kafka, mártir de la miseria humana" 3, 4);
Piñera opone el movimiento de la imagen, su agencia destructora y su
capacidad de establecer un estado de extrañeza o sorpresa dentro de
un triple cuerpo: autor, texto y lector. Zambrano apunta que la imagen
como radiografía queda en la memoria del receptor, fija como una
obsesión, como los sueños que no tienen nada que ver con nosotros
mientras están pero cuando ya han pasado, "quedan incrustados en
nuestra conciencia", (4) en tanto para Piñera, ese estado de extrañeza
en que se realiza la lectura se corresponde con el estado de goce en el

lector que se produce, además, dentro de una atopicidad temporal y que conduce, de cualquier manera, a través de las infinitas proporciones de la ficción y la invención, a la búsqueda y problematización de la identidad concreta y metamorfoseada, y la trascendencia artística. Mientras Zambrano concluye su ensayo casi agónicamente al señalar que *La metamorfosis* conduce a "un tiempo catastrófico en que la conversión del hombre en el extraño animal no es síntoma de paz ni de restablecimiento de la perdida unidad sino, al contrario, la desgraciada posibilidad abierta de nuevo, o amorfa materia sin esperanza (5), Piñera remata el suyo con las ideas de que la ficción e invención adquieren formas infinitas que posibilitan que el sujeto actúe sobre el conocimiento siempre subjetivo y múltiple como el propio individuo y por ende fragmentado y acrático. Este proceso protesta o negación, cuya realización se opera a través de la imagen y se concreta en la palabra escrita, anuncia la rebeldía misma de la palabra –y del sujeto– que se resiste a ser leída/o pasivamente y que reclama ser reinterpretada/o.

4

Sin dudas, 1948 resultó ser un año difícil para Virgilio Piñera. La crítica literaria y tradicional del patio no solo reaccionó desfavorablemente ante el poema "La isla en peso", sino que la acogida de la puesta en escena de *Electra Garrigó* tampoco le fue propicia, muy a pesar de que el público –ese receptor piñeriano– salía encantado del teatro[11]. Aun María Zambrano, quien había sabido leer a Piñera como el escritor que escribe *en contra de sí mismo* y construye una *escritura al revés*, aun ella, repito, muy a pesar de que anota dos rasgos esenciales de la pieza (modernidad y despersonalización) se suma al grupo que no alcanza a entender la pieza dentro del espacio de la Isla. Piénsese en la necesidad utópica de María Zambrano de hallar un espacio diferente del europeo ya que, para ella, la contemporaneidad de ese continente se muestra en su decadencia y destrucción, y que se

---

[11] *Electra Garrigó* fue estrenada el 23 de octubre de 1948 por el grupo teatral "Prometeo", bajo la dirección de Francisco Morín, en el Teatro "Valdés Rodríguez", en La Habana.

opone, además, con la sustancia formadora de la cultura occidental en el cristianismo.

Necesidad, pues, de un descendimiento, en busca de un *logos sumergido*, pero para ascender luego hacia la luz. Busca, pues, "esa profunda cueva donde late sin atreverse a aflorar, la esperanza". Esperanza, "afán utópico", se apresura en aclarar, para nada coincidente con la tendencia europea contemporánea, que ha desembocado, dice, "en la destrucción", sino que busca *otra* utopía, la que "está *en el fondo* de ese perenne cristianismo, manantial de la cultura europea"[12]. Porque lo que ella busca, como Lezama, es la resurrección. La necesidad de una vía mística de conocimiento (luego veremos que muy cercana a su vivencia de la de San Juan de la Cruz). ("El alma se da en la sombra" 74)

Europa, en el ensayo zambraniano sobre Franz Kafka, se encuentra enferma (corroída por el cáncer) no solo por las dos primeras guerras mundiales que la azotan en los primeros cincuenta años del siglo XX, sino por la conversión del sujeto humano en pura abstracción no de la culpa del pecado original "que espera y obtiene la gracia de la redención", sino "abstracción de la persecución" por "la feroz máquina persecutoria sin entrañas, por el nadie, por la nada" que se alimenta del sujeto viviente, finalizando la idea de que "hemos de ser testigos de que la criatura humana fue alguna vez algo más que gusano, algo más que pasto de una insaciable, infernal abstracción" (8). Y esta experiencia o testimonio, tal vez sea una de las causas que determinan que Zambrano busque una vez el alma de las cosas, ya no de una manera utópica, pero sí de un modo que le permita encontrar otras formas de vida, siendo el secreto de su Cuba prenatal una de ellas.

La lectura zambraniana comprende *Electra Garrigó* como una obra que expresa los conflictos de la conciencia moderna y brinda al espectador un mundo de puros hechos. Estos dos rasgos presentes en la pieza validan la pieza piñeriana, pero en un juego de doblete igualmente la invalidan dado que Zambrano, por una parte, no comprende la entrada a la modernidad de lo cubano, un espacio que aún no ha sido "dominado[s] del todo por el afán de definición" y "donde aún

---

[12] Énfasis en la cita de Jorge Luis Arcos.

palpita[n] asomándose por entre las rendijas de un mundo todavía sin cristalizar" ("Lydia Cabrera, poeta de la metamorfosis" 61); y por lo cual, por otra parte, se hace extraña –tanto a lo cubano como a lo cristiano– la representación de un mundo de puros hechos cuyos personajes huecos y anti-religiosos –afirma en su reseña "Electra Garrigó"– no posibilitan la concreción de la tragedia: "La negatividad, el eclipse de Dios cubre con su sombra el aire todo de esta tragedia actual, pero bastaría al poeta caer en la cuenta de que ni siquiera la tragedia existe, cuando no existe Dios (117). Esta es, para María, la grieta de *Electra Garrigó*, y esta es justamente, su falla al acercarse a esta obra y no percatarse de que el propio título alerta de que esta pieza es una parodia a la cubana, donde el absurdo y el choteo, se mezclan y construyen *imágenes sorprendentes y humorísticas* que van desde la nominación de los personajes, Electrá Garrigó, y la palangana que Agamenón Garrigó usa como sombrero a la inclusión de la guantanamera y de personajes construidos en un desplazamiento del mito y convertidos en seres ordinarios y pertenecientes a cualquier familia cubana.

El propio Piñera, al hablar de la génesis de su *Electra*, explica en cierta medida que Electra, Agamenón y Clitemnestra tendrían que seguir siendo ellos mismos ya que "fueron creados por unos autores que conocían muy bien a su pueblo", ("Piñera teatral" 10) y en esta reflexión, a propósito de conocer y representar a un pueblo, el dramaturgo cubano se da a la tarea de cubanizarlos en sus características externas: en el traje, en los símbolos, en el lenguaje mismo. Amén de las "características externas" –si es que el lenguaje es una de ellas– la cubanización no estaría completa sin la inclusión del humor.

> Aquí tocamos con aquello de cómo es el cubano. A mi entender *un cubano se define por la sistemática ruptura con la seriedad* entre comillas. Como cualquier mortal, el cubano tiene sentido de lo trágico. [...] Pero al mismo tiempo, este cubano no admite, rechaza, vomita cualquier imposición de la solemnidad. Aquello que nos diferencia del resto de los pueblos de América es precisamente el saber que *nada es verdaderamente doloroso o absolutamente placentero*. ("Piñera teatral" 10)

El conocimiento del pueblo cubano y de su vitalidad o *sistemática ruptura con la seriedad* conduce a la construcción de la parodia que alterna a la vez con lo cómico y lo trágico en los diálogos de los personajes que fluctúan continuamente entre parlamentos grandilocuentes y un humorismo y puerilidad que *juegan* a equilibrar y a limitar tanto lo trágico y lo doloroso como lo cómico y placentero. Por ejemplo, la solemnidad y el tono altisonante con el que Clitemnestra comparte con la audiencia sus temores por la seguridad de su hijo, Orestes, ("Orestes expuesto al viento, Orestes a merced de las olas, Orestes azotado por un ciclón", 41), se derrumba en el enunciado final, cómico y popular que a la vez que acalla la tensión provoca la risa: "Orestes picado por los mosquitos" (*Electra Garrigó* 41).

Electra Garrigó no es en su totalidad ni una tragedia ni una parodia. Tal vez sea una "tragiparodia" o una "parodia trágica", y sus personajes comitrágicos y anti-religiosos significan la vida del individuo que no puede hacer otra cosa que depender de sí mismo:

> En la tragedia griega los personajes creen en los dioses. Sin ellos no hay tragedia. Así como no podían vivir sin respirar, los griegos no podían pasarse sin los dioses. [...] En cambio, esta Electra (¿cubana?) prescinde de ellos. [...] He aquí la diferencia: *Electra no depende de los dioses*, por el contrario, *depende solo de sí misma*. Ahora yo pregunto, en esos años ominosos que hemos atravesado desde la fundación de la República, ¿qué otra cosa hemos podido hacer sino depender de nosotros mismos? [...] *Si el griego podía basarlo todo en la divinidad se debe al hecho de que no fue traicionado por sus prohombres. En cambio, ¿podíamos nosotros tener dioses cuando empezábamos por no tener hombres probos?* ("Piñera teatral" 11)

Y otra vez *lo cubano*, ahora desde una dimensión histórica presente y moderna, diríase que sociológica más que filosófica; de concreta realidad de políticas frustradas en las que un pueblo, como diría el inolvidable pintor José Mijares, baila al son de todas las religiones sin creer verdaderamente en ninguna. Cuando Electra, dependiendo solo de sí misma, increpa a los no-dioses, muestra con humor la irreverencia que mientras más avanza en su ironía se vuelve más tragedia que apunta a la existencia de un pueblo en sus límites y carencias que permean, definitivamente, la psiquis y la identidad del individuo y su colectivo.

Al igual que Eugene O'Neil, T. S. Eliot y Jean-Paul Sartre, Piñera utiliza el mito para cuestionar la moral tradicional que esclaviza al sujeto humano a través de la superstición y las costumbres. Como aquellos, el cubano afirma que los dioses no existen y es el sujeto el que tiene que elegir, en cada momento, cómo entender el mundo y responsabilizarse con cada uno de sus actos. Rebeldía, responsabilidad y redención del sujeto a través de sí mismo y de su circunstancia que acerca el pensamiento de Piñera al de los existencialistas, mientras, muy a la cubana, el humor y la irreverencia sintetizan la cultura de un país que se desprende de la vida más fácil que del sentido del humor. Ciertamente, como advierte Zambrano en su reseña, Electra Garrigó como personaje resulta ser un personaje hueco, "la hueca personificación de una conciencia sin piedad" y añade: "Personaje el de Electra Garrigó que es una pura metáfora de la conciencia, pálida luz indiferente que no nace de un foco reflejo, de una luz originaria, ni de un fuego íntimo, hogar de la piedad" (115-116).

Pero la ausencia del sujeto moderno, parece decir Piñera, debe comprenderse como uno de los problemas fundamentales de la modernidad, tal vez como la tragedia de la época moderna, en la que la persona ofrece su borradura y su inclusión en un mundo de apariencias. Así, el teatro le sirve a Piñera no solo para proponerle un *juego* a la criatura humana, sino para avisar la mirada o la visión que el sujeto tiene de las cosas. Dentro del espacio teatral el espectador deberá desentrañar las imágenes propuestas (personajes huecos, la sangre sin cauce e importancia, la apatía, la muerte sin objeto o el crimen como un acto de mera cuestión sanitaria) para descubrir las verdades de su propio cuerpo y finalmente *jugar* a realizarse en los lindes de lo que es y no es. Y en esta finalidad vuelven a tropezarse María Zambrano y Virgilio Piñera, una en su ansia de iluminación no entiende la oscuridad, el otro en la creencia de la anulación de la luz para provocarla crea la conciencia de su necesidad.

Bibliografía

ARCOS, JORGE LUIS. (Ed.) "El alma se da en la sombra. 'La Cuba secreta' de María Zambrano, o la revelación de lo sagrado". *República las Letras: Órgano de la Asociación Colegial de Escritores de España* 89 (Abril 2005): 70-103.

————. (Ed.) *La Cuba secreta y otros ensayos.* Madrid: Ediciones Endymion, 1997.

ARRUFAT, ANTÓN, ed. *La Isla en peso: obra poética*. La Habana: Ediciones Unión, 1998.

————. (Ed.) *Poesía y crítica*. México D.F.: Cien del Mundo, 1994.

BALLAGAS, EMILIO. "Elegía a María Belén Chacón". *Obra poética*. Cintio Vitier (Ed.) Miami, FL: Mnemosyne Publishing Inc., 1969. (66-67).

BARTHES, ROLAND. *El placer del texto*. Nicolás Rosa. (Trad.) Buenos Aires: Siglo XXI, 1974.

BORCHERT, DONALD M. (Ed.) *Encyclopedia of Philosophy*. 2nd Ed. Vol. 1. Detroit: Macmillan Reference USA, 2006.

DIAMANDOPOULOS, P. "Anaximenes (6th Century BCE)." *Encyclopedia of Philosophy*. 2nd Ed. Vol. 1. Donald M. Borchert (Ed.) (185-187).

DIEGO, ELISEO. (Ed.) *María Zambrano en Orígenes*. México D.F.: Ediciones El Equilibrista, 1987.

LEZAMA LIMA, JOSÉ. "La imagen histórica". *Las eras imaginarias*. Madrid: Editorial Fundamentos, 1971. (55-56).

PIÑERA, VIRGILIO. "Contra y por la palabra". *Poesía y crítica*. Antón Arrufat (Ed.) México D.F.: Cien del Mundo, 1994. (265-270).

————. *Electra Garrigó. Teatro completo*. La Habana: Ediciones R, 1960. (34-84).

————. "El país del arte". *Poesía y crítica*. Antón Arrufat (Ed.) México D.F.: Cien del Mundo, 1994. (135-140).

————. "El secreto de Kafka". *Poesía y crítica*. Antón Arrufat (Ed.) México D.F.: Cien del Mundo, 1994. (280-281).

————. "La caída", "El viaje". *Cuentos completos*. Antón Arrufat. (Intr.) Madrid: Alfaguara, 1999. (35, 107).

————. "La isla en peso". *El oro de los días. La isla en peso: obra poética*. Antón Arrufat (Ed.) Barcelona, España: Tusquets Editores, 2000. (37-49).

————. "Piñera teatral". *Lunes de Revolución* La Habana. 28 Mar. (1960): 10-11; 4 Apr. (1960): 18-19.

————. "Vida de Flora". *La isla en peso: obra poética*. Antón Arrufat (Ed.) Barcelona, España: Tusquets Editores, 2000. (50-51).

SAÍNZ, ENRIQUE. *La poesía de Virgilio Piñera: ensayo de aproximación*. La Habana: Letras Cubanas, 2001.

TARANTINO, STEFANIA. "Ciudad histórica y ciudad del alma". *Aurora. Papeles del Seminario María Zambrano* 2 (1999): 31-34.

VITIER, CINTIO. (Ed.) *Obra poética de Emilio Ballagas*. Miami, FL: Mnemosyne Publishing Inc., 1969.

ZAMBRANO, MARÍA. "Apuntes sobre el tiempo y la poesía". *Poeta* 93 (1942): 3.

————. "Electra Garrigó". *La Cuba secreta y otros ensayos*. Jorge Luis Arcos (Ed.) Madrid: Ediciones Endymion, 1997. (115-118).

————. "Frank Kafka, mártir de la miseria humana". *Espuela de Plata* H (1941): 3-8.

─────────. "La Cuba secreta". *María Zambrano en Orígenes*. Eliseo Diego (Ed.) México D.F.: Ediciones El Equilibrista, 1987. (43-56).

─────────. "La filosofía de Ortega y Gasset". *Ciclón* 2.1. (1956): 3-9.

─────────. "Lydia Cabrera, poeta de la metamorfosis". *María Zambrano en Oríge-nes*. Eliseo Diego (Ed.) México D.F.: Ediciones El Equilibrista, 1987. (57-67).

Negociaciones en el devocionario:
Juan Ramón Jiménez y los origenistas

WALFRIDO DORTA

Una *escena*, que citaré largamente, abrirá este ensayo: un escritor ante la imposibilidad de estampar una firma en un libro suyo, lo que se convierte en un lamento sobre la desposesión y el extrañamiento forzosos. Hay escrituras, como esta, que serán adjudicadas a un autor según ciertos lugares comunes, pero tal atribución conduciría al error. Esta escena de la que hablo es una de esas escrituras. Su entramado profundo (no los datos de la superficie) nos conduce, por ejemplo, a Virgilio Piñera, al imaginario agobiante de "La isla en peso"... pero erramos en tal suposición:

> Mi primera impresión peor (baja, seca, fea, fatal) de estas bellísimas Antillas [...] fue el libro mohoso. Cuando la primera muchacha antillana me trajo el estraño ejemplar de un libro mío publicado en España [...] para que yo se lo firmara, no supe cómo poner mi nombre sobre el moho, qué hacer con el hongo que lo manchaba todo [...] Creí que aquello era pobre accidente. Pero luego fue otro libro, otro, todos mis libros, y los ajenos [...] Todos olían, en la estación total antillana, a humedad y a sequedad al mismo tiempo [...] como la tierra de cementerio, como la muerte. Todos los libros, mis libros tenían un siglo de existencia, eran de otra rara época, de estraña gente anterior [...] Y la tristeza, la fatalidad del libro mohoso, atacado, transformado, destruido [...] me hicieron fijarme en otras destrucciones, que en otra parte no me habían llamado la atención y que acaso no me la hubiesen llamado aquí sin el libro [...] metales, maderas, telas, cueros, las teclas del piano, la piedra de la acera ... Y ¡ay! las personas, viejos, jóvenes y niños, todos tan hermosos. (129)

Y desde aquí, el escritor que no puede autentificar con su firma un objeto ya extraño, pasa a reflexiones más abarcadoras y a preguntarse por otras imposibilidades:

> Ni el hombre ni el libro resisten el ataque diario, normal del trópico. La vida exuberante los llena de exuberante muerte. ¿Cómo concebir aquí el libro

total y único, resultado del mundo, del triste Mallarmé? […] ¿Vivir siempre, haber nacido, morir en estas tierras escesivamente hermosas donde el presente es tan fugaz […] donde la vida se desarrolla en volumen tan apresurado y se vive luego mucho tiempo como muerto […] donde es tan evidente y tan rápida nuestra deformación, nuestra transformación y nuestra destrucción en persona y obra, en libro? (130)

Estos fragmentos pertenecen al apartado "Trópico jeneral," en "De mi 'Diario poético.' 1937-39," publicado por Juan Ramón Jiménez [JRJ] en la revista *Universidad de la Habana* en 1941[1]. Tres entradas, la citada "Trópico jeneral," "La fuente de la juventud" y "Heliotropiquismo," presentan unos escenarios en los que las fuerzas letales de lo *demasiado joven*, de la luminosidad cegadora, dibujan unos *vanitas* incontestables. La extranjeridad y la ajenidad atraviesan la experiencia antillana de JRJ, según estos apuntes:

Tierras de juventud, países de la mañana […] sois para la juventud que se consume de prisa […] Pero mala tarde y mala noche las vuestras para el decepcionado, el ausente, el solitario, el aislado, el escondido, que anhelan 'lo otro.' Mala tarde y mala noche las de la vida consciente limitada por el fuego cegador, la delirante luz de una mañana, una juventud jeneral así. (Jiménez, "De mi 'Diario'" 129)

Vida y muerte entrelazadas hasta desdibujar las fronteras de sus potencias, y propiciar objetos *monstruosos* que llegan a ser ininteligibles:

Trópico, vida redonda exuberante […] espectacular muerte pública. En las Antillas, si la vida está más muerta, la muerte está más viva. […] Por esta América, ante la destrucción natural permanente, la soledad atacadora, la belleza y la fealdad confundidas, aisladas, me asalta la idea de que cierta poesía monstruosa americana es permanente transformación mortal poética. Y de que nuestra crítica estranjera no es aquí suficiente ni válida. […] Demasiada flor, trópico, paraíso. España, mi flor suficiente. (Jiménez, "De mi 'Diario'" 130)

Hay, por contraste, otro relato de la influencia benefactora de la 'luz' y de 'lo americano' para la obra de JRJ, y de manera más general, sobre las calidades áureas del trópico. Sus iteraciones están dise-

---

[1] Citado por Jiménez, "De mi 'Diario'" 129, 130.

minadas en los discursos críticos o memorialísticos de varios de los pertenecientes al grupo Orígenes. Así, Gastón Baquero produce esa narrativa vitalista, de fecundidad: nos habla del

> efecto de la luz antillana en la obra final de Juan Ramón [...] cómo esa luz se le transfiguró en la luz misma de la eternidad, y del dios deseante y deseado, y del cielo en llamas. La iluminación verbal de esa última etapa de Juan Ramón [...] fue en gran medida obra de los elementos [...] como se manifiestan en el Reino Antillano. ("Juan Ramón..." 62)

Y añade: "En las islas [...] [s]e le trasfundió mucha vida [a JRJ] [...] esto cuando más parecía [...] que su obra estaba cerrada, sellada y exangüe" ("Juan Ramó[n" 62)[2]. José Lezama Lima escribía al propio JRJ en enero de 1940:

> [qué] necesaria su llamada al centro total, a buena cantidad de luz. Es necesario, en nuestro trópico, la luz es el punto de partida. Hay que fabricar la trampa y el olvido. [...] Si la luz, aire, transparencia de nuestra ínsula es de recomendable calidad, hay que atenerse a ella, dolorosamente volver a ella. ("Carta IV" 77)

Tales calidades de la luz insular ya habían sido celebradas por el propio Lezama en *Espuela de Plata*, justo en el mismo año 1939 en que JRJ anotaba aquellos fragmentos en su diario:

> En el trópico hay lo vegetal mágico, pero no olvidemos que el rayo de luz es constante. Lo mágico, pero sin olvido de humildad y llamada oportuna. Hay la abundancia de la descomposición, pero también decimos como buena señal: abundancia de sangre. ("Razón" 199)

Sin embargo, otras disensiones son las que me ocuparán en lo que sigue. He desgranado las anteriores solo a manera de pórtico, y como muestra de las distancias entre imaginarios que fueron suturados mediante narrativas de idolatría y de deuda producidas por los autores de esos discursos; distancias que no han sido detenidamente leídas. Quisiera agrietar un poco las líneas maestras que sostienen a la mayoría de los discursos sobre las relaciones entre JRJ y los origenistas,

---

[2] Ver otras afirmaciones similares en Baquero ("Viaje" 116), García Marruz ("Juan Ramón" 70), Vitier ("La luz" 157).

las cuales suelen apuntar hacia los "lazos de empatía y convergencias de espíritu [...] [la] colaboración 'participante' del hecho poético;" las comuniones, empatías, equilibrios, convergencias, afinidades, la "unión raigal de significados entrañables" (citas de Fuentes)[3] entre el poeta español y los escritores cubanos. Estas apelaciones consensuales son reflejo de la política de la convivialidad que se dibuja en los textos origenistas y en los relatos memorialísticos de algunos miembros del grupo como Cintio Vitier y Fina García Marruz ("la profunda unidad que les dio [a los origenistas] ese inconfundible aire de familia espiritual más que de grupo literario" [Vitier, "El pensamiento"]); una política que ha tenido, como se sabe, contestaciones desde el 'interior' del origenismo, como traslucieron en su momento algunos discursos de Gastón Baquero, Lorenzo García Vega o Virgilio Piñera.

De tal forma, el centro de disensión que me interesa explorar es la idea de Dios, y en general la relación con lo católico que sostuvieron y promovieron los origenistas y JRJ. Voy a colocarme en el espacio de desencuentro que esas disensiones trazan, en muchas ocasiones de manera no explícita, y en otras atravesadas por un no siempre manifiesto deseo de negociación identitaria. Es innegable que la figura de JRJ fue central para los origenistas, y que un aura de padre literario venerado rodea los discursos de algunos origenistas sobre JRJ. Pero justamente por esta centralidad y esta veneración, y por el lugar excepcional que ocupa lo católico en Orígenes, es que se tornan atendibles las operaciones mediante las cuales los origenistas intentan 'rescatar' a JRJ como figura canónica, desde un distanciamiento conflictuado que tiene como pivote la idea de Dios y de lo religioso. Lo que me va a ocupar aquí son las negociaciones en el devocionario origenista hacia Dios y hacia JRJ: en él se disputan algunas apropiaciones que deben tenerse en cuenta.

I. ORÍGENES CATÓLICO

Como afirma Díaz, "[l]a orientación católica del grupo [...] permea la poesía y la poética origenista" (17), y al decir de Fuentes, Orí-

---

[3] La edición del libro de Fuentes no está paginada.

genes incorpora "las voces de un secular cristianismo y particularmente de un humanismo cristiano". Vitier ha enumerado "las múltiples
fuentes y proyecciones diversas de [...] la catolicidad [que él mismo
llama "incorporativa"] y la religiosidad origenistas" ("La aventura"
72); apelación esta, la de la "catolicidad," a una relación esencial,
no ortodoxa, con la doctrina católica, como subraya Gutiérrez (63).
Arcos apunta al "ecumenismo" y a la "proyección universal" como
"los valores positivos de la catolicidad origenista" ("*Orígenes*" 146).

En una caracterización de Orígenes que creo muy precisa, Díaz
incluye una cita de Vitier que apunta asertivamente hacia la destinación primordial de la literatura insular, según el origenista; un destino
ligado esencialmente al ámbito católico:

> Contra el páramo contemporáneo, culminación de una crisis espiritual
> iniciada en el Renacimiento y la Reforma, la poesía; contra el desierto republì-
> cano [...], el rescate de las esencias nacionales y del espíritu de los fundadores
> del siglo XIX: esa doble resistencia define a Orígenes. Avanzar [...] 'hacia
> la coherencia y la intimidad dentro de un orbe cultural que tiene a Roma por
> centro'. (Díaz 44, 45)

Las palabras de Vitier corresponden a "*En la calzada de Jesús
del Monte*," una reseña sobre el libro homónimo de Eliseo Diego
publicada en *Orígenes* en 1949, en la que el paratexto rector que se
activa para leer el poemario es la doctrina católica. Así, dirá Vitier
que en el "momento esencialmente posterior de la sobre-naturalidad y
la alabanza coloca el libro de Eliseo Diego a nuestra poesía" ("*En la
calzada*" 54); esa "alabanza [que] nos descubre el estado de pobreza,
sustancia inexpugnable del cristiano" (55). De igual manera busca-
rá todos aquellos signos de *En la calzada*... que lo convierten en un
comentario poetizado de la metanarrativa católica: "a todo lo largo y
hondo del libro resplandece la vocación de alabanza encarnada en la
aplastante pesadumbre de la Culpa que se entrehila con los colores
purísimos, opulentos de pobreza, del éxtasis de lo Creado" (55). La
reseña de Vitier es un excelente ejemplo de cuán imbricada está en
todo el discurso origenista la relación con el catolicismo.

Por su parte, Díaz y Gutiérrez han vuelto excelentemente a las
fuentes de la "catolicidad" de Orígenes. Paul Claudel, Jacques Mari-

tain, Wladimir Weidlé, entre otros, informan "la idea esencialmente religiosa de la poesía que distingue a los origenistas" y proveen "nociones fundamentales del origenismo católico," como las de "[l] ímite, sacrificio, origen," que además "subyacen al misterio de la Encarnación" (Díaz 26). Gutiérrez ha hecho hincapié en una fuente según él no subrayada, "la influencia de la espiritualidad teresiano-sanjuanista" (69), y ha matizado que la ortodoxia de los poetas creyentes origenistas pasa por la "obsesión por el hombre adámico. El hombre en sus condiciones más primitivas de relación con Dios" y por el "deseo de reconstruir un espacio que se perdió y que el poeta debe colaborar para restaurar" (71). Por otra parte, aun cuando la relación de Orígenes con la Iglesia católica pudiera calificarse de polémica, "la vida sacramental de los poetas creyentes se mantuvo", de manera que el "vínculo con una Iglesia católica de la resistencia y la renovación teresiano-sanjuanista, pero sin negar la Tradición como parte inseparable de la fe cristiana, es una característica de la eclesiología origenista" (Gutiérrez 72).

Varios poemas origenistas señalan de manera evidente el peso del catolicismo en el grupo. Baste mencionar "Oración y meditación de la noche", de Ángel Gaztelu; "San Juan de Patmos ante la Puerta Latina", de José Lezama Lima; "Saúl sobre su espada", de Gastón Baquero; "Transfiguración de Jesús en el Monte", de Fina García Marruz (inventariados por Vitier ["La aventura" 71]). Estos textos poetizan algunos misterios que tienen a Cristo en su centro, y que son esenciales para comprender ese catolicismo origenista: la "encarnación, la resurrección, la transfiguración y su presencia [la de Cristo] junto a los hombres" (Gutiérrez 77). La importancia que jugó la traducción por parte de Gaztelu del "Carmen de Pascua", de Lactancio Firminiano para la conformación de la espiritualidad cristiana de Orígenes, ha sido reconocida por Vitier ("La aventura" 72) y comentada por Gutiérrez en este sentido: "Esas epopeyas cotidianas que se miran con la 'visión esencial de Cristo' forman parte de una realidad que se descubre como resucitada. Este es otro punto fundamental de la catolicidad origenista" (78).

Algunas ideas de los propios textos origenistas articulan filosófica y críticamente la "catolicidad" del grupo. Vitier sostiene el vínculo

esencial de la poesía con la caída, de manera que sus derivas se origi-
nan en una falta primera y deben ser leídas a partir de esta: "La poesía
[...] nace y se define por la perenne incoincidencia, por la angustiosa
desemejanza en que a todas luces ha caído el hombre. Es hija de la
caída y en la caída se mueve" ("Experiencia" 35, 36)[4]. Para mi lectura sobre las relaciones entre JRJ y los origenistas, será importante
retener por ahora los reclamos de Vitier sobre España (compartidos
de diferentes maneras por García Marruz en otros textos) "como la
destinataria más amorosa y fatal del Cristianismo", en virtud de "un
paladar robustamente poético para saborear y aprovechar los fastuosos
misterios de la eucaristía y la resurrección" ("Experiencia" 37). Esto
se relaciona con lo que llamaré la orientalización de JRJ, producida
discursivamente a causa de las fugas de este paradigma de lo español
como lo depositario de lo propiamente católico que realizarían algunas concepciones poéticas y filosóficas de JRJ.

Un lugar esencial en esta articulación lo tiene "Poética" (1961),
el libro de Vitier que recoge su filosofía sobre la poesía, comentado en algunos de sus aspectos fundamentales por Díaz (130-132), y
conectado por mí a otros discursos para visibilizar un determinado
relato sobre la poesía como conocimiento (Dorta 12-32). Vitier va
fundamentando la "esencia religiosa [incuestionable] del acto poético" ("Poética" 93) a través de algunas asunciones centrales: aquel es
una manifestación de la trascendencia "que sostiene a la criatura", no
un acto "voluntario y controlado del *yo*" (94)[5]; el nombre poético,
mediante el cual el poeta realiza su destino genésico, sirve para que las
cosas nazcan "al sentido anagógico de su transfiguración" (el "sentido

---

[4] "La poesía tiene que empatar o zurcir el espacio de la caída" (Lezama Lima,
"La dignidad" 762). Dice García Marruz por su parte: "La caída se manifiesta en esa
oscuridad de las imágenes que no se saben a sí mismas, que no saben de qué otra realidad son espejo, que se jerarquizan sólo a través de ese dato superior invisible. [...] la
caída no afecta la imagen, muestra misteriosa de bondad divina, sino que la deja ciega,
incapaz de conocerse sino a través de otra que le sirve de lazarillo, de la que ella ni
siquiera conoce el nombre" ("Juan Ramón" 64-65).
[5] Recordemos aquí "Lo Exterior en la poesía," de García Marruz: "La libertad
no debe residir [...] en nosotros, nuestra elección, sino en la visión exterior de nuestro
fin, en la entrega amorosa a un Objeto" ("Lo Exterior" 77).

anagógico es el que adquieren las cosas desde la futuridad absoluta de su transcendencia", 105). Dos principios se oponen en la concepción vitieriana: el de metamorfosis ("mundo cerrado, inmanente, circular", 106) y el de transfiguración ("traspasar la figura [...] hacerla penetrar en un reino donde no esté sujeta a la mudanza", 106), propio del cristianismo. En este segundo cifra Vitier la comprensión de la poesía, "en el misterio del nombre como epifanía y de la realidad que se transfigura para alimentar nuestra esperanza" (106). La poesía cristiana será la que encuentra inspiración en una experiencia inmediata y simbólica, concreta y alusiva (113), y sobre todo, la que se oponga "a la acepción fabuladora y pagana de la imaginación," y se fundamente en "la acepción simbólica", en la que las cosas se presentan como imágenes "de otra realidad en otro plano" (118). Dos tipos de imágenes completan la argumentación filosófica de Vitier: "la imagen simbólica verificable", que ha producido "la poesía más genuinamente cristiana", y "la imagen simbólica no verificable" (120), que conduce al misterio de la encarnación, "cristiano por excelencia" (121)[6].

"Lo Exterior en la poesía," de García Marruz, se publicaba en *Orígenes* en 1947. La autora llamaba a superar la nominación de 'poesía,' y a hablar de religiosidad, "porque la poesía, en cuanto tal, se ha hecho poco menos que imposible" y se habría acercado más que nunca "a ese punto de la intimidad y la lejanía que constituye lo que llamamos hogar de lo Exterior" ("Lo Exterior" 76). La poesía, apelación caduca, pierde toda inocencia y toca "el desconocido religioso", además de comprometer "totalmente a la persona, en sus extremos de salvación o perdición eternas"; dos planos "puramente religiosos" que ya no le pueden seguir siendo ajenos a la poesía (76)[7]. Es así que se traza una determinación para la religiosidad poética ligada a lo católico, actuante desde una temporalidad fundada en la fe: "la *distancia* que separa nuestro ojo del tamaño ideal, aparente, de las cosas, estuvo

---

[6] Ver Arcos ("Los poetas" 178, 179) para otros comentarios sobre la concepción de la poesía como transfiguración.

[7] Un dualismo semejante es acotado por Baquero: "La poesía se ha encargado [...] de recordarnos que somos un misterio, una metáfora, una rara sustancia que, o está ligada a otra superior –religada, religiosada–, o está condenada al vacío" ("La poesía" 20).

medida desde el Principio, su longitud exacta es la cuerda de la alabanza del Padre y la que hace posible el cántico en las lenguas justas"
(83; cursiva mía)[8].

En lo que según Arcos es "el núcleo discursivo del pensamiento
poético origenista" (*"Orígenes"* 136), es decir, en Vitier y en García
Marruz (como se acaba de ver someramente), y en Lezama Lima, se
encuentra esparcida la fundamentación de la "catolicidad" del grupo,
modulada en cada caso según diferentes especificaciones, pero atada a
la centralidad de los misterios cristianos, como decíamos más arriba.
Ambas derivas se registran en Lezama Lima, en el que el misterio de
la resurrección, por ejemplo, se vislumbra como la realización última
y plena cifrada en el *"potens"* o "la posibilidad infinita" de la poesía,
que "cuando se desarrolla en lo invisible, nos regala el prodigio de la
imagen de la resurrección" ("Preludio" 819). Lezama, en una frase
conocida, define a partir de aquí al poeta como "el ser causal para la
resurrección", en virtud de ser "el decidido dominador de toda causalidad", el que adquiere dominios vastos que solo pueden contenerse en
la resurrección (819).

En 1953, María Zambrano escribía a Lezama desde Roma, y le
decía al amigo lo gozosa que estaba descubriendo "lo que tienes de
teólogo" y "que toda tu obra anda en busca de definiciones de Dios
y de lo divino en sus modos humanos" (citada en González 104).
En esta particular teología lezamiana, "el conocimiento poético, por
medio de la alabanza puede alcanzar y descansar en Dios" (Lezama
Lima, "Conocimiento" 248). Al cristiano y al católico le son confe-
ridas ciertas prerrogativas de intelección: "para el cristiano el orden
de lo natural es la ceniza de lo sobrenatural" ("La imaginación" 120),
y para el católico "lo inexistente no solo tiene una gravitación, sino
forma inclusive una sustancia", es decir, "la sustancia de lo inexistente" que es la fe ("La dignidad" 771). Así, el católico se asimila al
poeta como el "guardián de la sustancia de lo inexistente" (774). Fe y
resurrección se anudan en el discurso de Lezama: "la gran plenitud de

---

[8] Este es un asunto de *proxémica* entre el hombre y la figura divina; Baquero
habla de "la inquietud que produce en toda alma el *distanciamiento* de la divinidad"
("La poesía" 23; cursiva mía).

la poesía corresponde al periodo católico, con sus dos grandes temas, donde está la raíz de toda gran poesía: la gravitación metafórica de la sustancia de lo inexistente, y [...] la resurrección" (774).

En un texto mucho menos citado que los anteriores, una carta de Lezama a Baquero presumiblemente escrita entre 1942-43, el primero traza lo que ve como "el contorno de nuestra generación" ("*Querido Gastón...*" 456), a partir de algunas apelaciones a la convergencia en la órbita del catolicismo, visto este como lo que "nos suma, porque nos seducía con su impulsión y su sentido" (460). Se suceden algunas caracterizaciones del católico como sujeto especialmente proclive a la acción "como un no actuar [...] como una acción incesante, petrificada", por lo que "puede causar la impresión de que siempre está actuando y siempre está esperando. Por eso sus momentos más activos son los de la vela de la batalla –quién puede preparar una batalla [...] con más riqueza que un católico" (465, 466); en lo que cabe ver una variante, aquí en discursividad religiosa, de ese particular alejamiento activo de la superficie polémica y pública que ya se encontraba en el editorial-poética de *Espuela de Plata*, citado en bastantes ocasiones: "Mientras el hormiguero se agita –realidad, arte social, arte puro, pueblo, marfil, torre– pregunta, responde, el Perugino se nos acerca silenciosamente, y nos da la mejor solución: *prepara la sopa, mientras tanto voy a pintar un ángel más*" (Lezama Lima, "Razón" 199)[9].

De los textos que citaré en este apartado, los que más tardíamente se producen son los de Gastón Baquero. De cualquier manera, "La poesía como reconstrucción de los dioses y del mundo" confluye en la catolicidad origenista a partir sobre todo de la afirmación de y el reencuentro con Dios como destinación primordial de la poesía. Baquero traza el itinerario de la poesía moderna como el de una inexorabilidad milagrosa: no importa el rodeo hecho a través de la blasfemia, el ateísmo y la estetización por parte de alguna de esa poesía, pues "mientras mayor es el desapego exterior, mayor es la secreta ambición por identificarse con Dios y por *ser* en Dios" ("La poesía" 23).

---

[9] Recordemos además que en este mismo texto se declaraba: "Cosas que nos interesan [...] la Resurrección [...] la Doctrina de la Gracia [...] la diestra del Padre ..." (199).

Este es "el puerto seguro" al que conduce la trayectoria de una poesía
que es "instrumento de deificación y teofanía", no importa bajo qué
modalidad se profiera o qué hablas se produzcan, si "el alfabeto del
diablo como lengua comunicante" o "el lenguaje de la alabanza y del
reconocimiento" (22).

Retengamos aquí el énfasis de Baquero cuando subraya "la condición teológica" de la poesía en la cual habría vivido Rainer Maria
Rilke profundamente, y la enseñanza que dejó por ello: "la de que el
poeta trae una misión de reconocimiento, de embajador de Dios y de
las cosas ante los hombres [...] de individuo encargado de demostrar
a los seres que el mundo no está vacío, ni hay *opacidad* en la figura de
lo divino" (34-35; cursiva mía)[10]. Habrá que preguntarse entonces si
JRJ, según los origenistas, *habitó* esta condición teológica, y en qué
medida su desiderátum de *transparentar* la idea de Dios de acuerdo a
su particular paradigma referencial lo convertiría o no en un exiliado
de esa condición, a ojos de los escritores del grupo Orígenes. Pero
antes, será conveniente repasar a grandes rasgos algunos modos de
relación empática entre JRJ y los origenistas; o lo que es lo mismo,
algunas *escenas* de admiración e idolatría.

II. EL "*SYMPATHOS* DE LA AMISTAD" Y LOS "ENCUENTROS PRODIGIOSOS"

Son muchos los momentos en que los origenistas rememoran el
impacto de su encuentro con JRJ. En tales relatos se exponen o se
dirimen puntos cruciales de la relación entre estos escritores: la fascinación ante una especie de padre áureo al que se venera, y al que
hay que guardar una fidelidad a prueba de distancias generacionales y
diferencias de ideas; la naturalización de una relación que es cultural,
contingente, histórica, en un sentido amplio; la continua 'salvación'
de JRJ desde dentro de su mundanidad, la cual podría rebajar esa aura
incandescente que se prefiere mantener estable.

Vitier, por ejemplo, reconstruye en "La luz del imposible" (1957)
algunas de estas *escenas* relacionales. "El examen", subapartado den-

---

[10] Para otros comentarios y glosas sobre Orígenes y el catolicismo, ver Vitier
("La aventura" 71-73), Gutiérrez (63-88), Díaz (17-26; 130-139), Areta (7-56).

tro de "Homenaje a Juan Ramón Jiménez", es la expresión acabada de un psicodrama primigenio de origen y validación, en el que el discípulo busca ansiosamente, con "una fiebre atroz, larguísima, dichosa" ("La luz" 143), la aprobación del maestro –JRJ desde su altura divinizada ("se levantó, imponente y bondadoso. En un papel insigne había escrito [...] el título que le daba a mis nadas primerizas. Y tendiéndome la mano, sin testigos, con la majestad llana de su único tribunal insuperable, me dijo: *sí*" [143]). Si bien es cierto que hacia el final del texto se produce un ajuste moderado entre diferencias poéticas (comentado por Díaz 42), tales distancias, aunque expuestas, terminan por suturarse en virtud del reconocimiento por parte de Vitier de una comunidad de destino entre los origenistas y JRJ ("usted iba también, por su camino distinto y más alto que todos, a un concentrado frenesí abierto, a un delirio insaciable de posesión" [162]), y por la aceptación de un *legado* actuante como pacto siempre renovado ("su semilla cierta en nosotros fue la sed, el deseo, la ambición de una fama del ser que está siempre [...] en los límites del idioma, a las puertas de la huraña, gloriosa e indecible Realidad" [162]), y difícilmente evitable[11].

Y ese pacto debía ser siempre renovado, entre otras cosas porque fue enunciado y asumido como una cuestión natural, de *familia*, que hacía indistinguibles los límites entre el deber de agradecimiento formativo y la consanguinidad del vínculo ("ya se nos ha vuelto algo más que una lección discernible, y nunca podríamos decir dónde acaba este cálido cariño por su obra y dónde empieza nuestra sangre" [Vitier, "Experiencia" 28]).

Lezama Lima modalizó el influjo de JRJ presentando a este como el que posibilitó que el grupo de escritores reconociera su distinción, y como el que mantuvo siempre para ellos esa dimensión de instancia internalizada a la que se le debía –íntima y públicamente– una fidelidad. Rememora así a la altura de 1969 la confluencia con JRJ: "tuvimos una suerte, una dicha sin término. Oímos una voz [...] sentimos un misterio, conocimos de cerca a un gran poeta [...] nos hizo ver a todos con gran claridad, pues la cercanía de un gran poeta es del orden numinoso, nos acerca al milagro" ("Momento" 67). Aunque,

---

[11] "[E]l transparente reino juanramoniano, de cuyos insustituibles tesoros [...] no quiero ni puedo desprenderme" (Vitier, "Experiencia" 29).

como Vitier, Lezama deja claro, en términos más concisos pero no menos definitivos, la direccionalidad del ascendiente de JRJ sobre los origenistas ("En él la influencia que perdura es la de la poesía, no de su poesía. Lo que movilizaba su presencia era la poesía, no su poesía" [67, 68]), esa distancia enunciada queda salvada por la esencialidad del vínculo, y por la figuración de JRJ como una especie de *superyó* de Orígenes, si se permite el salto comparativo: "Hacerme digno de esa amistad que él me regaló en la adolescencia, ha sido siempre para mí como una voz que oía en la soledad terrible de la conciencia, allí donde no se puede llegar ni con las palabras ni con el silencio" (70). Unos años antes, en 1955, había puesto en similares términos la significación del encuentro con JRJ: "Algo como un permanente estado de conciencia, como la aclaración de mi destino, como la marca de mi incesante furor poético. Creo haber sido siempre fiel a sus señales" (citado en González 803). Y en 1965, en unos apuntes de trabajo, la figura fantasmática de JRJ adquiere los visos de la excepcionalidad y lo monstruoso onírico: "algunas noches sueño con él. Pero siempre veo sus ojos, con los que escuchaba, hablaba y cantaba. Unos ojos conducidos por la energía sobrehumana del animal carbunclo" ("Recuerdos" 430).

Los origenistas quisieron, animados por una determinada política de apropiación de la figura pública de JRJ, despojar a este de su mundanidad (o reescribirla bajo tintes moralizantes), y presentar esta variante de la *persona* juanramoniana como la no auténtica. Baquero, por ejemplo, aduce que una lectura que pretenda explicar a JRJ desde su anecdotario es "aberrante" y produce una "monstruosa *desaproximación*" ("Juan Ramón" 55). Cuando se testimonia la acritud y beligerancia de algunos juicios públicos de JRJ sobre sus contemporáneos, se desactiva la *verdad* de tales enunciados, que son atribuidos a un "plan de actor al servicio de lo que esperaba de él la estupidez humana", a un papel "que él creía necesario ofrecer" en ciertas circunstancias (59). El *antifaz*, la *representación* (65), son las atribuciones que cabe conceder a las saetas de JRJ contra Ortega y Gasset, Antonio Machado, la generación del 27.

Mordacidad y aspereza se rodean de ribetes maléficos en una remembranza de Lezama sobre JRJ, quien, dominado por las potencias *endemoniadas* del "rencor," entra en una especie de espiral sin retorno: "El rencor era en Juan Ramón el fragmento demoníaco de su contemplación [...] Ejercicio de su lucidez, llevaba siempre su venablo al sitio donde más duele la maldición [...] Su asombro llegaba a enloquecerlo cuando retrocedía de la cámara de lo órfico, vida y resurrección ceñidas, canto e infierno, mujer y trágicos descensos, al incompleto fulgor del rencor" ("Tránsito" 249-250).

La política de convivialidad propia del imaginario origenista, y específicamente su particular concepción de la sociabilidad intelectual, vienen a invertir la negatividad atribuida a la proyección ocasional pública del propio JRJ, de manera que este es presentado como el que inspira el alejamiento de lo polémico explícito, propio de esa sociabilidad origenista. Así, dirá Lezama que "[t]al vez su presencia nos evitó el peligro con el que toda generación se enfrenta, de ir a la novedad vocinglera, pura abstracción de tétano enfático, prescindiendo del círculo coral donde entonan todas las generaciones en la gloria" ("Momento" 68). Y Vitier ("La aventura" 82) remitirá a un momento de la introducción de JRJ a *La poesía cubana en 1936* como talismán de la política intelectual de Orígenes: "Hay que ir al centro siempre, no ponerse en la orilla a aullar otra vida mejor o peor de nuestro mismo mundo, peoría o mejoría que puede ser la muerte" (Jiménez, "Estado" 444).

Lo irónico es que JRJ no les evitó a los origenistas el "peligro" vocinglero, pues justamente a su "Crítica paralela," publicada en *Orígenes* en el número 34 (1953), cabe atribuirle buena parte de la responsabilidad de la agonía de la revista (la cual sobreviviría dos números más después de este); un texto del que diría Vitier que fue "único por su violencia polémica en los doce años de *Orígenes*" ("La aventura" 92)[12]. En una cadena de acontecimientos conocida, José Rodríguez Feo exige responsabilidades a Lezama por la publicación del texto de

---

[12] Los fragmentos vitriólicos dentro del texto se titulan "Respuesta concisa. A un mutilado auténtico" –dirigido a Vicente Aleixandre– y "Tres respuestas a uno solo" –dirigido a Jorge Guillén (Jiménez, "Crítica" 4-5; 8-12). Una muestra del primero: "un mutilado corporal verdadero, un hombre estirpado por operación quirúrgica, como lo es V. A., no puede escribir poesía esquisita ni siquiera grande, que es la que viene después de la esquisita. V. A. es un existencialista de butaca permanente; y que

JRJ, y finalmente retira el apoyo económico completamente necesario para la producción de la revista. Es así que la 'mundanidad' largamente borrada de la persona pública de JRJ, entra, casi como una Erinia sedienta, en el universo convivial de Orígenes para implosionarlo.

Por supuesto, es de primer orden la importancia de JRJ para la realización de determinadas empresas culturales en la Cuba de la década de los 30 del siglo XX. El capital simbólico del escritor catalizó hechos como el Festival de la poesía cubana (1937); la publicación de *La poesía cubana en 1936* (1937) y del cuaderno *Presencia* (1938), y el mismo capital se *teatralizó* en ese *performance* del disenso que es "Coloquio con Juan Ramón Jiménez" (Lezama Lima "Coloquio")[13]. La presencia de JRJ fue determinante para la conformación de cierta identidad origenista –ya se ha visto en las citas de más arriba–. Vitier lo explicita así: "con Juan Ramón Jiménez tuvimos un aprendizaje que había sido una verdadera iniciación poética y también ética y política" ("La aventura" 82).

Ivette Fuentes dedica su libro *Pájaros de fuego…* (2012) a comentar los estrechos lazos entre los origenistas y JRJ. En un habla crítica que reproduce esencialmente la convivialidad origenista, los vínculos entre el poeta reconocido y los escritores cubanos son presentados como una entidad *orgánica*, sin fisuras, cuya constitución fue posible por el encuentro armonioso de almas gemelares –a veces amenazado por algunas distancias, siempre suturadas: "las ideas de Juan Ramón Jiménez sobre poesía […] calaron en el grupo central de jóvenes que integrarían el Grupo Orígenes, de tal modo que su manifiesto orgánico se fundió con las esencias de la propuesta del poeta andaluz". Sucedió básicamente una afortunada reunión de mismidades que se reconocieron: "Este modo de coincidir 'consigo mismo' en el Otro que le alcanza hasta la médula, siempre se hizo en los jóvenes poetas

---

escribe imaginaciones por serie, en álbumes de fantasmas sucesivos. […] Calcomanía, manía de calco. Simulo y disimulo, en forma amarga" ("Crítica" 4-5).

[13] No me detengo en el "Coloquio…" porque ha sido suficientemente glosado; ver, por ejemplo, en Cañete (101-133) uno de los últimos acercamientos al texto, en un interesante libro que analiza las relaciones entre exiliados españoles como JRJ, María Zambrano y Eugenio F. Granell con lo que la autora llama "programas de rehispanización en el Caribe insular" (241).

origenistas un diálogo de almas, conversación que mantuvieron hasta el final, ya ni siquiera tan sólo del final de sus vidas, sino aún más allá, en la huella perdurable de sus escritos".

Es cierto que ese "diálogo" se mantuvo "hasta el final". Bastante después de la muerte de JRJ, los origenistas seguían rumiando su amistad –como muestran algunos textos citados durante todo este ensayo. Incluso mucho después de la muerte del español, se siguieron produciendo actualizaciones de la lectura origenista sobre el legado juanramoniano, en nuevos enmarcados hermenéuticos de ese *archivo*, derivados de nuevos imperativos ideológicos. De esta manera, lo que destacará Vitier a la altura de 1991 de la herencia de JRJ, cuando escribe "La aventura de Orígenes", es "su extraordinaria crítica y sátira del delirante maquinismo y consumismo norteamericano en 'Límite del progreso' [...] [y] una intuición asombrosa que lo asaltó en Cuba: '*la poesía inmanente antimperialista*'" ("La aventura" 82-83).

Fuentes termina su libro con algunas imágenes de esa comunidad sustancial que representarían las proximidades entre JRJ, Lezama, Vitier o García Marruz:

> [la presencia de JRJ] selló, como una "estación de gloria", una amistad de por vida. Hacerse digno de tal amistad, estar a la altura de su estatura espiritual, fue el ejercicio de virtud de una generación de poetas [...] En medio de esa transparencia, como el Magister de una secreta Castalia, se mantuvo el poeta Juan Ramón, sujeto por los hilos de la empatía y la amistad, y aún más, por el sentido de responsabilidad de saberse parte de un propósito mayor que imantaría su "segundo magisterio lírico" en el pequeño espacio de La Habana.

Pero no siempre los "hilos" fueron tan recios, ni la "transparencia" rigió esos flujos afectivos e intelectuales. La idea de Dios y de lo religioso; la relación con la doctrina católica –que como vimos es adhesiva y ferviente en el imaginario origenista, no obstante cierta heterodoxia que le es atribuible–, asumen diferentes direcciones en los discursos de JRJ y de los escritores del grupo, y como tal, hacen emerger algunas disensiones que deben tenerse en cuenta, para aquilatar el alcance de tales flujos. Unas disensiones cuya lectura se hace pertinente, justamente en la medida en que vienen a quebrar el nudo al parecer seguro que forman la centralidad de lo católico en Orígenes y la veneración hacia el "Magister" Jiménez.

III. NEGOCIACIONES EN EL DEVOCIONARIO

Es ingente la producción discursiva de JRJ que argumenta, comenta, filosofa sobre su idea de Dios, y también sobre su relación con la doctrina católica. Se desarrolla así una gradual construcción del concepto de dios[14], que arriba en la última etapa de su carrera al *dios inmanente* y a la *conciencia inmanente*. En este sentido, el poemario *Animal de fondo* (1949), libro anticipatorio de *Dios deseado y deseante*, se asume como la cristalización poética de tales conceptos[15], fundamentados también en otro tipo de discursos, como prólogos, diarios, aforismos, paratextos varios. *Animal...* es visto como el marco en el que se producen el encuentro con un dios largamente buscado, "una identificación definitiva [...] un proceso de identificación de esencias [...] una vivencia de unificación ontológica" (Blasco, Introducción 94); como la "escritura final que ilumina, en espléndida lectura retrospectiva, toda la obra juanramoniana" (96), y además como el libro que cierra "el proceso abierto por la crisis religiosa de la primera juventud del poeta" (Blasco, *La poética* 225).

Cierto es también que antes se puede rastrear una serie de argumentaciones contrastivas que van construyendo, no solo esa idea de dios finalmente cristalizada, sino también algunas oposiciones que atañen a lo religioso mismo o a la poesía. Así, JRJ dirá en 1946 que "el poeta es mucho más útil que el relijioso [...] porque lo que intenta el poeta es crear 'aquí, ahora y gratuitamente' la eternidad con la belleza que el relijioso pretende encontrar 'allí, luego y como mérito'" ("Encuentros" 3). El esfuerzo conceptual y poético de JRJ estará dirigido a proveerse de una serie de elaboraciones que satisfagan lo que la religión tradicional no le podía ya ofrecer y que se alejen de las promesas trascendentalistas de esta: "[la poesía] es un método mediante el cual el hombre llega a Dios en un esfuerzo por conseguir la fuerza espiritual que necesita para expresar aquí en la tierra, de un modo práctico, la inmanencia divina que encierran él y todos sus semejantes"

---

[14] "[L]a evolución, la sucesión, el devenir de lo poético mío ha sido y es una sucesión de encuentro con una idea de dios" (Jiménez, *Dios* 1053).

[15] Para una historia editorial de *Animal...*, y sobre las dificultades para la fijación del texto, ver Bejarano y Llansó (63-93).

(JRJ citado en Blasco, *La poética* 242). Como bien apunta Blasco, JRJ "no niega la existencia de un ser originario y creador, lo que hace es afirmar que la existencia de dicho ser no es significativamente valiosa. La existencia de Dios se va realizando en cada esfuerzo del poeta por hacer consciente 'su realidad'" (*La poética* 242). Por lo tanto, a JRJ le era inservible un Dios trascendente y una moralidad calibradora y sacrificial que operara con el 'premio' o el 'castigo' 'eternos'; su "dios no podía hallarse fuera del proceso vital que desarrolla la formación de su conciencia" (Blasco, *La poética* 242).

En todo caso, lo que se produce en JRJ es una contestación o reapropiación de un concepto de la figura divina y de la relación del hombre (del poeta) con ella. Y esta contestación pasa, por ejemplo, por acentuar el carácter 'construido', de suplemento existencial no sustantivo del Dios tradicional ("Dios es como un hombre superior provisional que muchos hombres necesitan para que les realice todos los sueños que ellos no pueden realizar, como en un milagro" ["Crítica" 5]), o de entelequia que sustenta una narrativa de compensación ("El hombre, aburrido de sí mismo, inventó a Dios; pero le salió mal el invento y entonces inventó que Dios lo había inventado a él" [*Aforismos* 83]). De manera que todo el marco que da sentido a esa narrativa, queriendo ser una "teología," es una "mitolojía" ("I" 100); un añadido o prótesis inoperante (se debe "pensar en Dios sin todo ese aparato y achaque que le han puesto los hombres durante tantos siglos sobre su inefabilidad" [*Dios* 1071]). Se quiere por otro lado desactivar ese marco como regulador moral, como prescripción de una determinada relación del hombre con la figura divina, y a esta como el paradigma que debe realizarse, en virtud de su ejemplaridad: "Dios es para mí orijen y no hombre ejemplo ni redentor de hombres. Dios es lo esencial infinito y es la belleza y verdad abstractas del universo. [...] [yo no amo a este dios en] modo alguno como algo relacionado con un código de moralidad ni de ninguna otra idea práctica. [...] Mi dios no es legal" (*Aforismos* 116).

Se impone entonces 'limpiar' este añadido que sublima la figura divina y erige como imperativo una relación reverencial; un desprendimiento concretado en lo que JRJ llamará "la vida menor" (*Dios* 1157), o el escribir *dios* con minúscula ("No es irreverencia, pero tampoco es reverencia" [*Aforismos* 115]). Esa "vida menor" que anula "un sentido más o menos reverente de amo a esclavo" y acoge "un sentido amoroso y simpático de parte a centro [...] conciencia, orijen, principio y fin mío de los que yo participo como ente necesario e integrante" (*Dios* 1157).

Lo que persigue afirmar JRJ es "el hallazgo de su dios, de esa conciencia inmanente que, lejos de ser una conciencia única y singular del poeta, es la conciencia universal del hombre, la que hace que el hombre sea justamente hombre" (Bejarano y Llansó 41). Cito largamente a JRJ, por lo programático de este fragmento, que supone derogar toda mediación en la relación sujeto y figura divina, y desactivar las modalidades idolátricas (y hasta iconográficas)[16] de esa relación:

> el principio de todo es la Conciencia, porque lo que sabemos lo sabemos por la Conciencia. Porque la Conciencia es superior al Verbo y a la Acción. [...] no es necesario adorar ni levantar templos a la Conciencia, hay que suprimir esa idolatría de la adoración al Principio. Lo que debemos es adorarnos a nosotros y por amor; nosotros, los seres que participamos de esa Conciencia y podemos comprendernos por ella. [...] La Conciencia está en nosotros. Templo somos todos nosotros, y el universo con nosotros. Tenemos nuestro dios, es decir, nuestro amor conciente dentro. Por amor conciente todos somos dioses. (*Aforismos* 103)

Es importante para JRJ hacer ver que, por un lado, lo que se pone en lenguaje poético es el suceso mismo del encuentro con ese dios como conciencia inmanente, no la predicación de las características de ese dios; y por otro lado, que si él hiciera lo segundo, se convertiría en un "teólogo" o un "pedagogo", funciones que no le competen: "no necesito recalcar los atributos de ese dios, que tiene los que se le atribuyen a dios en cualquier concepción deísta. Mi canto es de gozo, de exaltación [...] de fe, de confianza. [...] Yo no puedo decir de mi dios [en mi canto] más que la verdad del hallazgo. Lo demás sería invención y falta de respeto a esa conciencia mía, que tiene a dios en su inmanencia" (*Dios* 1127).

---

16 "¡Qué obstáculo terrible éste de la tradición iconográfica, no ya de Dios, sino de Cristo, desde el niño con la mula y el buey al terrible crucificado!" (Jiménez, *Dios* 1071).

Javier Blasco, en *La poética de Juan Ramón*, que he venido citando en este apartado, explica excelentemente las razones por las cuales llega JRJ a la identificación que está en el centro de su ideología poética: "Se hace posible la identificación de la conciencia última con *dios*, porque es la conciencia –creada en la palabra poética– forma definitiva que le permite al poeta burlar a la muerte, penetrar en lo desconocido y fundar una nueva realidad vital". Entonces, la conciencia "constituye la entidad más rica que el poeta llega a realizar en su búsqueda –ontológica y epistemológica– de lo infinito y de lo desconocido" (242)[17].

En ocasiones, los dardos de JRJ se tornan menos abstractos y mucho más incisivos, cuando se dirigen a ciertos dogmas católicos o al propio marco regulatorio de *verdad* del cristianismo ("*La ciencia cristiana*; a investigar, a investigar, pero ¡cuidado con descubrir!" ["Estética" 250]), y cuando directamente cuestionan las prácticas de los que profesan la doctrina cristiana ("Estética" 249; 353). Se concentra a veces en la cristología, y apunta, como hace en otros momentos con la idea de divinidad misma, hacia la estructura compensatoria que sostiene una imagen de esta naturaleza. Dirá que "La idea de la iglesia católica sobre el nacimiento de Cristo es la contradicción más ridícula" (*Dios* 1153). Y reflexionará así: "Cuando el hombre inventa el mito de un dios confuso, Buda, Cristo, que nace de mujer sin intervención de hombre, está revelando el disgusto de su conciencia por la materialidad de su propio orijen" (*Dios* 1155-1156).

Me interesa especialmente este momento en el que JRJ caracteriza a España y su relación con el cristianismo, y concluye con una idea de poeta de la que se ha extraído programáticamente el vínculo con la divinidad tradicional: "En España, país *hondamente realista y falsamente relijioso* en su conjunto, *católico más que cristiano*, eclesiástico que espiritual, país de raíces y pies más que de alas, la verdadera poesía [...] la iniciaron [...] los escasos y estraños místicos [...] la mejor

---

[17] El propio Blasco consigna una amplia variedad de fuentes que según él influyen en las nociones de JRJ de inmanentismo y conciencia; ver Introducción 73; 75; 81; 93. Sugiero también leer a Bejarano y Llansó, para una reflexión de corte mucho más filosófico sobre las nociones de inmanencia y trascendencia en la obra de JRJ (Introducción 15-60).

lírica española ha sido y es fatalmente mística, con Dios o sin él, ya que el poeta [...] es un místico sin dios necesario" ("Poesía" 86-87; cursivas mías).

En esta calculada erosión ideológica; en esta ausencia de *dios* por su inoperancia, se enfriarían, si las pusiéramos a reverberar, las encendidas loas de Vitier que yo citaba en un momento anterior del presente ensayo, cuando hablaba del Orígenes católico, y que ahora completo, para ver mejor el quiebre que produce el encuentro de discursos:

> nos luce España como la destinataria más amorosa y fatal del Cristianismo [...] hace falta un paladar robustamente poético para saborear y aprovechar los fastuosos misterios de la eucaristía y la resurrección. [...] Al español eterno lo que más le impresiona es [...] la promesa de que la carne resucitará como Cristo. [...] ciertamente son ojos de almas españolas los que más directa y dolorosamente han comprendido y amado el drama de la nueva revelación. Y es que en el Cristianismo España encuentra [...] la clave y la salvación de esa irrenunciable ternura que sufre por las cosas que pasan [...] por la muerte misma, que la hace requerirla, aun en los místicos, como a una novia. ("Experiencia" 37)

Las distancias entre imaginarios y el espacio de los desencuentros están trazadas. Cómo conciliar por parte de los origenistas el fervor que profesan hacia la figura magisterial de JRJ, que por ratos parecería *fugarse*, en virtud de la dirección que toman sus juicios; cómo evitar esta fuga, que provocaría el vaciamiento de la figura paternal y su ascendencia, y una consiguiente orfandad; cómo rellenar una no deseada imagen fantasmática, para evitar abrazar aire... Ciertas operaciones de los discursos origenistas sobre JRJ pueden proveer algunas respuestas.

Tales operaciones –a veces en tensión unas con otras– constituyen una reorientación de los marcos de lectura posibles de la poesía y de la *persona* de JRJ; de manera que uno de esos marcos se reconstruye desde lo católico como referencia esencial. Ahí tienen lugar una serie de ordenamientos que pasan por la reapropiación y resignificación del significante 'dios' desde una perspectiva no contemplada por el universo referencial de JRJ; la hermenéutica de algunos símbolos o elementos de los textos juanramonianos (y de los textos mismos como un todo) desde una perspectiva catolizante y según una teleología redentorista; la orientalización de JRJ como forma de hacer inteligibles sus fugas, vincularlo a determinada tradición cultural que las explique, pero que no lo exotice ni lo aleje en demasía; el acercar a JRJ a una legibilidad cristológica, de tal forma que se rodea de un aura sacrificial, martirológica.

García Marruz, teniendo como centro de discusión la idea de inmanentismo y de sensación en JRJ, despliega algunas dicotomías en las que se hace necesario colocar al poeta, y de paso religarlo a determinada tradición cultural y filosófica. A mi juicio, es tan interesante esta colocación (que es en toda regla un capítulo de la orientalización que acabo de mencionar), como los gestos de 'recuperación' o 'salvamento' de JRJ que se producen casi siempre en el discurso crítico origenista –lo hemos visto en los apartados anteriores–, en los que el marco referencial católico actúa como instancia que restituye el equilibrio presumiblemente perdido. García Marruz contrapone dos 'aventuras de la sensación':

> la que realizó la inspiración cristiana, al tomarlo como dato primero del conocimiento, que permanecía entero y legítimo por sí mismo, aunque sólo válido por su condición de órgano resonante alusivo a otro orden mayor, y el que realizó la inspiración árabe: absoluto de la sensación, permitiendo llegar, a virtud de su propio ahondamiento, a la linde misma de las Esencias[18].

Seguidamente, van unidos el reproche y la sutura; por su parte, JRJ

> prefirió pensar en términos de Belleza pura y de emanaciones sucesivas, sin lograr salvar *el escollo del inmanentismo*[19]. Pero hay siempre en él una inmediatez tan poderosa del dato primario, de la sensación en la imagen, que por

---

[18] García Marruz se pregunta retóricamente –aunque la propia pregunta señala una determinada resistencia de la obra de JRJ– con quién relacionar a este. Una respuesta posible se la facilita Vitier, tal como ella declara: el *linaje* de JRJ puede reconstruirse a través de "Abentofail" (o Ibn Tufail, el poeta y filósofo del siglo XII), o de "aquellos filósofos árabes influidos por el neoplatonismo" ("Juan Ramón" 62).

[19] Que en palabras de Lezama será el "*en mí*, hipertróficamente dilatado, tal vez con el afán de que Dios sea un imprescindible fragmento, el *en mí* que se hace pleno obligando a la subordinación del *en ti* [...] El *en mí* fue siempre en Juan Ramón, una exigencia de la gravitación, un lavado de tierra, apetito desde la sangre en un solo círculo" ("Juan Ramón" 258).

ahí regresa de la metafísica a la poesía, dejándonos a solas con la imagen de
un hombre que habla con un espino. Juan Ramón tiene del árabe la voluptuo-
sidad y la marcha por el desierto (citas de "Juan Ramón" 63; cursivas mías).

Este "espino" mencionado, que podría consumirse en su inmanencia, es reinsertado por García Marruz, así como otros elementos o
símbolos de la poesía de JRJ, en una órbita católica, y remediada así
una carencia constitutiva: "Hay un elemento judaico, de Viejo Testa-
mento, en su aridez [de JRJ] última. Ese espino tiene de zarza ardiendo. Y la Mujer, en su poesía, ya no se sabe lo que es, como en el cantar
salomónico" (63). A lo que añade la origenista: "La sensualidad de
Juan Ramón es tan casta, tan límpida, que hace pensar en un mundo
anterior al pecado original" (63).

Recordemos el vínculo esencial que para los origenistas tiene la
caída con la poesía, tal como se vio en el primer apartado de este ensayo. De esta relación surge una suerte de ansiedad crítica, que es por
supuesto una ansiedad ontológica en este caso, de detectar espacios de
construcción poética que permitan restaurar filosóficamente *el espacio de la caída* (Lezama). De ahí se deriva esa observación de García
Marruz que acabo de citar. Como también la lectura que hace Lezama
de JRJ en "Gracia eficaz de Juan Ramón y su visita a nuestra poesía",
texto en el que el primero "introduce [...] como criterio crítico-poético
la eficacia de la *gracia*, un concepto de raigambre católica" (Fornieles,
"Juan Ramón Jiménez" 251), y "se afana en dirimir los aspectos esenciales que puedan revelar el secreto de la gracia y restituir al hombre
del pecado original" (252). Quedará así afirmada "la eficacia redentora
de la poesía juanramoniana que supera el pecado y la culpa" (253).

Una cierta soberbia metafísica, que sostiene la idea de JRJ de
que el poeta se convierte en creador-dios de su propio mundo poético, nunca será sancionada por los origenistas, para los cuales, como
afirma García Marruz, y como determina el deber ser del poeta en
"el ámbito católico", este "no es un 'creador,', sino un relacionador
de dos órdenes de sentido, uno de los cuales permanece oscuro para
él, aunque significativo, el otro no" ("Juan Ramón" 64). Es por ello
que se añora una 'edad áurea' de JRJ –primera poesía– en la que esa
soberbia no aparecía. De manera que la última poesía del autor vendría

a ser como la particular *caída* juanramoniana que provoca en los origenistas un ansia restauracionista o algunos enunciados conflictuados.
Véase aquí esa añoranza: "No nos extraña que cuando el mundo de
Juan Ramón –el de las *Pastorales* y las *Arias tristes*–, se alimentaba de
sensaciones y nostalgias, no escribiera todavía Obra con mayúscula, y
que lo del Creador sin escape, viniera también después. En el mundo,
de encarnadura cristiana, de la sensación, el poeta no es un 'creador'"
(64). Y véase aquí un momento en el que se anudan la orientalización
de JRJ y su propia *caída*: "En Juan Ramón, tan lejos de este ámbito
católico, no se da la imagen resonante […] ni su correspondencia en
una escala más alta, sino que busca –por la mayor presencia en él de
lo árabe-andaluz–, el sin fin de la imagen en sus propias esencias, una
especia de agudización de las mismas" (65). Como afirma Díaz, "[l]
a absolutización del intelecto y la absolutización de la sensación [en
JRJ] se tocaban en su fundamental clausura de la trascendencia y de la
necesaria exterioridad de Dios" (42).

Pero la represión menos contenida de García Marruz a JRJ se
enuncia cuando lo que está en juego es la conceptualización de dios,
que es decir, la trascendencia misma de esta entidad: "Su 'dios' es
inmanente. Al suprimir la vía purgativa […] la vía iluminativa no
podía conducirlo a éxtasis real, a unión verdadera. Quedaban los dos
extremos iluminados pero fragmentarios: una extensión casi planeta-
ria en medio, una soledad que no podía transfigurar el más exaltado
canto […] ¡Poeta! Se comprende que hayas tomado tu conciencia por
un dios. Pero ¿cómo puede haber encuentro de amor con un dios que
no sale de la conciencia?" ("Juan Ramón" 72).

Entonces, para reponer retrospectivamente una insuficiencia
incómoda, García Marruz articula una hermenéutica catolizante del
poema "Paloma ofendida" de JRJ[20], visto como "la canción más espiritual de toda su obra", y equiparado a los diálogos místicos de San
Juan. La paloma será, en la lectura de la origenista, la "que aparece
después de los diluvios arrasadores, la que se posó en el hombro del
bienamado en que tiene Dios su contentamiento", y todo el poema será

---

[20] García Marruz no explicita el nombre del texto. El poema se publicó origi-
nalmente por JRJ en *Platero*, no. 20, 1953.

visto como un repositorio de "la sencillez de los símbolos cristianos" (citas de 73).

"Paloma ofendida", que en la arquitectura retórica del ensayo de García Marruz funciona como cierre interpretativo, formará parte de la arquitectura simbólica restitutiva de Orígenes, actuante durante todo el ensayo, que se potencia justamente en su final. En este final, JRJ queda salvado y reincorporado al universo católico, mediante una serie de alusiones definitivas, y mediante la afirmación de una causalidad para la poesía toda de JRJ que contraviene en sus caracteres más generales el desarrollo de esa misma obra en su conjunto. Una obra vista como el escenario agónico de potencias cuyo triunfo respectivo decide justamente los "extremos de salvación o perdición eternas" (76) de los que la propia García Marruz habla en "Lo Exterior en la poesía":

> Más honda que su lucidez, más allá de todo *endemoniamiento progresivo*, algo [...] estremecedoramente dulce, volvió a su voz para rescatarlo [...] su poesía volvió a encontrar la naturaleza del canto, la memoria primera [...] como si Virgilio lo hubiese tomado de la mano antes de emprender su viaje hacia las sombras. ("Juan Ramón" 74; cursivas mías)

Por su parte, Lezama va a trazar el perímetro de donde está excluida la poesía de JRJ, por designio propio. Es así que aparecen "la alabanza", "la gracia", "el Padre actuante", para delinear los límites de un marco en donde no es posible incluir a JRJ, por la preeminencia del inmanentismo, del *en mí*, como dirá Lezama:

> Creyó que en la soledad se extraían palabras [...] que de allí surgía la poesía y el dios salido de la poesía, de la creación [...] ¿Pero cómo un yo rescatado, un yo solitario, un yo que comenzó por romper, por separar, puede crear un dios que no sea el del rescatado y no el del anegado...? ("Juan Ramón" 258)

Y seguidamente reafirma las interdicciones que la poesía de JRJ quebraría:

> la criatura es una derivación del aliento del Padre. La poesía, ¿quién podrá ir más allá del salterio de David? Dios no es un fragmento de la poesía [...] Si

no obra el Padre en nosotros, no podemos obrar en la poesía. Si no obra la gracia, cómo podemos estar despiertos para la inspiración, que es la gracia regalada. (259-260)

De los origenistas, el que más textos unitarios dedicó a JRJ fue Gastón Baquero. En ellos se encuentran casi todas las variantes de la reapropiación que estoy analizando. Profundamente relacionada con el redentorismo propio de la narrativa origenista sobre JRJ, está la visión de este desde imágenes cristológicas y martirológicas. En Baquero, esas visiones se articulan a partir del relato de la esencialización de JRJ, su entrada en la "Poesía" misma como un reino de formas descarnadas (vincúlese a esto la dilución de la mundanidad de JRJ, de la que hablaba en otro momento de este ensayo), una de cuyas claves es lo sacrificial:

> Él realizó la trayectoria imposible, la dificilísima para una sola vida de humano: comenzó siendo poeta, y al cabo de sus tiempos, ya era la Poesía. Esto, ser poeta para dejar de serlo una vez que el ser se ha [...] unificado con la Poesía [...] es la tarea suprema del doloroso y crucificado Juan Ramón" ("Juan Ramón" 108)[21]

JRJ viene a cumplir un destino sacro, excepcional, con lo que se completa el círculo de su consagración; su "convivencia" con la "Poesía" "puede recibir el nombre sagrado de consustancialidad", y su pasar de "ser efímero y mudable [...] a hacerse intemporal y eterno ...] es el ensueño supremo de las religiones" ("Eternidad" 79).

También Baquero orientalizará a JRJ, y hará evidente que juzga su obra como el escenario de las tensiones entre salvación y condena, que suponen dos paradigmas de relación con la figura divina –un dualismo que acabo de comentar en relación a García Marruz: "hay [en JRJ] auténtica melancolía de origen árabe [...] muy llena del desistimiento de los poetas cordobeses [...] él es un árabe de cuerpo entero, *cristianizado hasta el límite del panteísmo, pero no más allá, por desdicha*" ("Eternidad" 85; cursivas mías).

---

[21] La escritura de JRJ se convierte en la Pasión juanramoniana, según Baquero: "Y en el hombre tenaz Juan Ramón, ¡cuántas sangres, maceraciones, cruces y agonías precedieron a la aparición de la palabra!" ("Juan Ramón" 109).

Baquero casi sucumbe a la tentación de equiparar el nacimiento de JRJ la noche de Navidad de 1881 con la Natividad cristiana; aunque la evita explícitamente, no deja de trazar algunos paralelos a los que subyace el *agón* entre dos concepciones del mundo y de los dioses: "La primavera del mundo pagano se sucedió en la gran primavera del Nacimiento de Cristo. [...] Otra poesía había nacido para la tierra un 25 de diciembre: la poesía de la nueva luz" ("Nacimiento" 73). El peligro de reafirmar el paganismo propio del determinismo de los horóscopos, si se afirma que el destino de JRJ estaría fijado por el *fatum* de la datación, es conjurado por la redención que propicia el "reino de la nueva luz:" "Quienes nacen a partir del 21 [de diciembre] participan a rodo del reino de la nueva luz. [...] si se trata de personas convocadas desde lo alto para traducirse en poesía, esta poesía suya quedará por siempre bien explicada en función de la luz" (74), lo que es decir, en función de la metanarrativa católica.

En el universo referencial que resulta del 'encuentro' entre los origenistas y JRJ, una de las cosas más disputadas sea quizás la idea de 'dios' –lo hemos visto con anterioridad–. Baquero igualmente se reapropia del dios deseante juanramoniano y lo identifica con Cristo, aunque no puede dejar de señalar hacia la resistencia que supone la poesía de JRJ y su 'conversión' cristológica, tal como Baquero quiere asentar, para cerrar así un círculo ideal de resignificación: la idea del "dios deseante" es "absolutamente congrua con el dogma católico, el completo, el perfecto, y se evidencia su verdad en la práctica cristiana, derivada directamente de Cristo, que es la encarnación del dios deseante" ("Eternidad" 93). Y dice así sobre la fuga que el propio Baquero ha intentado reparar –nótese que el *dios* de JRJ se ha transformado en el mayúsculo Dios–:

> para el Dios deseante, para el Creador que nos echó aquí, sobre la tierra, y luego nos espera de regreso a su reino [...] Juan Ramón tiene la *grave* polémica, la *disensión* que llamaríamos *herética* si él fuera un dogmático: hace coincidir al dios deseante con la realización de la belleza (94; cursivas mías).

De cualquier manera, Baquero conducirá el ensayo hacia su final con la fuerza afirmativa que le provee la identificación de la poesía de JRJ con algunas nociones cristianas; en este sentido, sí puede hablarse de un círculo que se cierra y de un desiderátum que se cumple, al menos en la virtualidad del discurso de Baquero: "No había llegado [JRJ] al final, al Perfecto, pero había llegado al Sotero, a la salvación primera, pues la Poesía había sido su Paráclito"; la obra de JRJ "pregona la realización de una experiencia esencial, y sentimos dentro de ella que la Extraña [la Poesía] se hizo presente al fin, que el dios volcó su parusía" (98).

Una escena improbable, contrafactual, pero no *imposible*, cerrará este ensayo. En ella, el mismo poeta que quería inscribir su nombre pero se veía impedido por una superficie mohosa que imposibilitaba la escritura y cortaba la posibilidad de ratificar la *autoría* misma, también ahora, en esta nueva virtualidad que convoco, vería obstaculizado cualquier fruición especular. Una espesa capa discursiva (por la repetida iteración de sus manifestaciones) rodearía su *nombre*, y los discursos que produjo, bajo el socorrido manto de lo católico, de lo cristiano, de la redención y del martirio. A la *hipóstasis* origenista de la obra de JRJ (y nunca será más efectiva la ambivalencia del término) cabría atribuir la clausura de ese principio de identificación, y la misma producción de ajenidad que una húmeda película enojosa.

Bibliografía

ARCOS, JORGE LUIS. *La palabra perdida. Ensayos sobre poesía y pensamiento poético*. La Habana: Ediciones Unión, 2003.

——————. "Los poetas de Orígenes". 2002. *La palabra perdida. Ensayos sobre poesía y pensamiento poético*. La Habana: Ediciones Unión, 2003. (167-184).

——————. "*Orígenes*: ecumenismo, polémica y trascendencia". 1999. *La palabra perdida. Ensayos sobre poesía y pensamiento poético*. La Habana: Ediciones Unión, 2003. (136-166).

ARETA, GEMA. (Introducción). *Verbum*. Sevilla: Renacimiento, 2001. (7-56).

BAQUERO, GASTÓN. "Eternidad de Juan Ramón Jiménez". 1958. *Andaluces*. Alberto Díaz-Díaz (Ed.) Sevilla: Renacimiento, 2009. (77-98).

——————. "Juan Ramón en su luz verdadera". 1958. *Andaluces*. Alberto Díaz-Díaz (Ed.) Sevilla: Renacimiento, 2009. (107-110).

——————. "Juan Ramón, vivo en el recuerdo". 1981. *Andaluces*. Alberto Díaz-Díaz (Ed.) Sevilla: Renacimiento, 2009. (54-67).

——————. "La poesía como reconstrucción de los dioses y del mundo". Alfonso Ortega, y Alfredo Pérez (Eds.) *Ensayo*. Gastón Baquero. Salamanca: Fundación Central Hispano, 1995. (11-41).

——————. "Nacimiento de Juan Ramón Jiménez II". 1970. *Andaluces*. Alberto Díaz-Díaz (Ed.) Sevilla: Renacimiento, 2009. (73-76).

——————. "Viaje a los recuerdos de Juan Ramón Jiménez". 1973. *Andaluces*. Alberto Díaz-Díaz (Ed.) Sevilla: Renacimiento, 2009. (111-123).

BEJARANO, ROCÍO, y JOAQUÍN LLANSÓ. (Introducción general. Poética del acontecer). *Dios deseado y deseante (Animal de fondo)*. Por Juan Ramón Jiménez. Rocío Bejarano y Joaquín Llansó (Eds.) Madrid: Ediciones Akal, 2008. (15-60).

BIANCHI, CIRO (Ed.) *Imagen y posibilidad*. Ciudad de la Habana: Editorial Letras Cubanas, 1981.

BLASCO, JAVIER. (Introducción). *Antología poética*. Por Juan Ramón Jiménez. Javier Blasco (Ed.) Madrid: Cátedra, 1993. (9-97).

——————. *La poética de Juan Ramón. Desarrollo, contexto y sistema*. Salamanca: Ediciones Universidad de Salamanca, 1982.

CAÑETE, CARMEN. *El exilio español ante los programas de identidad cultural en el Caribe insular (1934-1956)*. Madrid: Iberoamericana; Frankfurt am Main: Vervuert, 2011.

DÍAZ, DUANEL. *Los límites del origenismo*. Madrid: Editorial Colibrí, 2005.

DÍAZ-DÍAZ, ALBERTO (Ed.) *Andaluces*. Gastón Baquero. Sevilla: Renacimiento, 2009.

DORTA, WALFRIDO. *Gastón Baquero: el testigo y su lámpara. Para un relato de la poesía como conocimiento en Gastón Baquero*. La Habana: Ediciones Unión, 2001.

FORNIELES, JAVIER, "Juan Ramón Jiménez y José Lezama Lima: poéticas cruzadas". *Querencia americana. Juan Ramón Jiménez y José Lezama Lima. Relaciones literarias y epistolario*. Javier Fornieles (Ed.) Sevilla: Espuela de Plata, 2009. (245-267).

——————. (Ed.) *Querencia americana. Juan Ramón Jiménez y José Lezama Lima. Relaciones literarias y epistolario*. Sevilla: Espuela de Plata, 2009.

FUENTES, IVETTE. *Pájaros de fuego: el exilio poético de Juan Ramón Jiménez en Cuba. La ética estética de su decisiva huella en el grupo Orígenes*. Madrid: Del Centro Editores, 2012.

GARCÍA MARRUZ, FINA. *Ensayos*. La Habana: Editorial Letras Cubanas, 2003.

——————. "Juan Ramón". 1960. *Ensayos*. La Habana: Editorial Letras Cubanas, 2003. (59-74).

——————. "Lo Exterior en la poesía". 1947. *Ensayos*. La Habana: Editorial Letras Cubanas, 2003. (75-85).

GARFIAS, FRANCISCO (Ed.) *Estética y ética estética (Crítica y complemento)*. Juan Ramón Jiménez. Madrid: Aguilar, 1967.

GONZÁLEZ, IVÁN (Ed.) *Archivo de José Lezama Lima*. Madrid: Editorial Centro de Estudios Ramón Areces, 1998.

——————. (Ed.) *La posibilidad infinita. Archivo de José Lezama Lima*. Madrid: Verbum, 2000.

GUTIÉRREZ, AMAURI. *Orígenes y el paraíso de la eticidad*. Santiago de Cuba: Ediciones Caserón, 2010.

JIMÉNEZ, JUAN RAMÓN. "I". 1953. Francisco Garfias (Ed.) *Estética y ética estética (Crítica y complemento)*. Juan Ramón Jiménez. Madrid: Aguilar, 1967. (99-100).

——————. *Aforismos*. Ed. Andrés Trapiello. Albolote: Editorial Comares, 2007.

——————. "Crítica paralela". *Orígenes* 34 (1953): 3-14.

——————. "De mi 'Diario poético'. 1937-39". 1941. Cintio Vitier (Ed.) *Juan Ramón Jiménez en Cuba*. Ciudad de la Habana: Editorial Arte y Literatura, 1981. (119-132).

——————. *Dios deseado y deseante (Animal de fondo)*. Rocío Bejarano y Joaquín Llansó (Eds.) Madrid: Ediciones Akal, 2008.

——————. "Encuentros y respuestas". *Orígenes* 10 (1946): 3-6.

——————. "Estado poético cubano (En 'La poesía cubana en 1936')". 1937. *Política poética*. Madrid: Alianza Editorial, 1982. (435-448).

——————. "Estética y ética estética". *Estética y ética estética (Crítica y complemento)*. Juan Ramón Jiménez. Francisco Garfias (Ed.) Madrid: Aguilar, 1967. (231-392).

——————. "Poesía y literatura". *Política poética*. Madrid: Alianza Editorial, 1982. (81-104).

——————. *Política poética*. Madrid: Alianza Editorial, 1982.

LEZAMA LIMA, JOSÉ. "[Carta IV. Enero de 1940. De José Lezama Lima, en La Habana, a Juan Ramón Jiménez, en Miami.]" 1940. *Querencia americana. Juan Ramón Jiménez y José Lezama Lima. Relaciones literarias y epistolario*. Javier Fornieles (Ed.) Sevilla: Espuela de Plata, 2009. (77-78).

——————. *Obras completas. Tomo II. Ensayos / Cuentos*. México: Aguilar, 1977.

——————. "Coloquio con Juan Ramón Jiménez". 1938. *Analecta del reloj. Obras completas. Tomo II. Ensayos / Cuentos*. México: Aguilar, 1977. (44-64).

——————. "Conocimiento de salvación". 1953. *Analecta del reloj. Obras completas. Tomo II. Ensayos / Cuentos*. México: Aguilar, 1977. (246-249).

——————. "La dignidad de la poesía". 1958. *Tratados en La Habana. Obras completas. Tomo II. Ensayos / Cuentos*. México: Aguilar, 1977. (760-792).

——————. "La imaginación medioeval de Chesterton". 1953. *Analecta del reloj. Obras completas. Tomo II. Ensayos / Cuentos*. México: Aguilar, 1977. (118-134).

——————. "Preludio a las eras imaginarias". 1970. *La cantidad hechizada. Obras completas. Tomo II. Ensayos / Cuentos*. México: Aguilar, 1977. (797-820).

——————. "Juan Ramón y su integración poética". 1958. *La posibilidad infinita. Archivo de José Lezama Lima*. Iván González (Ed.) Madrid: Verbum, 2000. (254-261).

—————. "Momento cubano de Juan Ramón Jiménez". 1969. *Imagen y posibilidad*. Ciro Bianchi (Ed.) Ciudad de la Habana: Editorial Letras Cubanas, 1981. (66-71).

—————. *"Querido Gastón…"* 1942-1943. *Archivo de José Lezama Lima*. Iván González (Ed.) Madrid: Editorial Centro de Estudios Ramón Areces, 1998. (456-468).

—————. "Razón que sea". 1939. *Imagen y posibilidad*. Ciro Bianchi (Ed.) Ciudad de la Habana: Editorial Letras Cubanas, 1981. (198-199).

—————. "Recuerdos de J. R. J". 1965. *Archivo de José Lezama Lima*. Iván González (Ed.) Madrid: Editorial Centro de Estudios Ramón Areces, 1998. (418-430).

—————. "Tránsito de Juan Ramón". 1958. *La posibilidad infinita. Archivo de José Lezama Lima*. Iván González (Ed.) Madrid: Verbum, 2000. (248-250).

ORTEGA, ALFONSO, y ALFREDO PÉREZ (Eds.) *Ensayo*. Gastón Baquero. Salamanca: Fundación Central Hispano, 1995.

VITIER, CINTIO. "El pensamiento de *Orígenes* (en diez puntos)". *La Jiribilla* 83 (2002). Web. 14 mayo 2013.

—————. *Obras 1. Poética*. La Habana: Editorial Letras Cubanas, 1997.

—————. "La luz del imposible". 1957. *Obras 1. Poética*. La Habana: Editorial Letras Cubanas, 1997. (123-185).

—————. "Poética". 1961. *Obras 1. Poética*. La Habana: Editorial Letras Cubanas, 1997. (61-121).

—————. "Experiencia de la poesía. Notas". 1944. *Obras 1. Poética*. La Habana: Editorial Letras Cubanas, 1997. (23-44).

—————. *"En la calzada de Jesús del Monte"*. *Orígenes* 21 (1949): 53-59.

—————. (Ed.) *Juan Ramón Jiménez en Cuba*. Ciudad de la Habana: Editorial Arte y Literatura, 1981.

—————. "La aventura de *Orígenes*". *Para llegar a* Orígenes. La Habana: Editorial Letras Cubanas, 1994. (66-96).

Nicolás Guillén en el laberinto del mestizaje cubano

MAMADOU BADIANE

Al reflexionar sobre la poesía mulata o negrista en 1936, Fernando Ortiz afirmaba en su artículo "Más acerca de la poesía mulata. Escorzo para su estudio" que "en los versos mulatos, se advierten todos los elementos lingüísticos que han entrado en la estratificación del mestizaje: voces y formas blancas y negras, vocablos pardos y giros amulatados. Pueden observarse versos mulatos con lenguaje blanco, con lenguaje mestizo y con lenguaje negro" (30). Es, sin duda, esta perspectiva mestiza de la poesía de Nicolás Guillén la que Nancy Morejón pone de relieve cuando afirma que "Nicolás Guillén (1902-1989), es el más español de todos los poetas cubanos" (69). Guillén supo desarrollar una poesía "batida entre las olas del Atlántico […], por tanto, en la mejor historia del español de América" (Morejón, 70). Estas reflexiones de Nancy Morejón enfatizan la situación específica de la creación literaria de Guillén bañada en el mundo del mestizaje negriblanco. El objetivo de este artículo consiste en destacar que Nicolás Guillén siempre dejó fluir estas dos vertientes en su creación literaria.

Como es bien conocido, luego de pasar dos años en La Habana, Guillén regresa a Camagüey en 1922, retorna al periodismo, y deja de escribir poemas. "Desde 1922 a 1927 no escribí un verso" (Augier 54). De regreso en La Habana, tras la llegada al poder del General Gerardo Machado en 1925, Guillén establece una relación laboral con el *Diario de la Marina* dirigido por Fernando de Castro, lo que hizo brillar la poesía del futuro poeta nacional. Afirma Guillén que:

> Mi verdadera resurrección poética débese a Gustavo E. Urrutia, quien, siguiendo consejo de Lino Dou, me pidió colaboración para una página titulada "Ideales de una raza" de la que él era redactor principal, y que aparecía cada domingo en el *Diario de la Marina*. (Augier 63)

Realmente esta revista fue la que le abrió a Guillén el camino hacia el éxito, ya que fue allí donde se publicó el 20 de abril de 1930 *Motivos de son*, poemario con el que afirma su negritud en un español cubano. Este primer conjunto de poemas permitía de cierta manera combatir la discriminación racial que existía entre los negros y los blancos. Los primeros poemas de Guillén en *Motivos de son* pueden considerarse el reflejo de una injusticia social hacia los negros y mulatos durante los años treinta. Después de esta etapa, aparece en 1931 *Sóngoro Cosongo* que el mismo autor calificó de versos mulatos:

> Diré finalmente que éstos son unos versos mulatos. Participan acaso de los mismos elementos que entran en la composición étnica de Cuba [...] Y las dos razas que en la isla salen a flor de agua, distantes en lo que se ve, se tienden un garfio submarino, como esos puentes hondos que unen en secreto esos dos continentes. Por lo pronto, el espíritu de Cuba es mestizo. Y del espíritu hacia la piel nos vendrá el color definitivo. Algún día se dirá: "color cubano". Estos poemas quieren adelantar ese día. (*Summa Poética* 75)

Guillén emprende su larga reflexión sobre la nación cubana, que como veremos posteriormente, abarcará a todos los miembros del país sin distinción de raza. Tomás Fernández Robaina en su libro *Cuba: personalidades en el debate racial*, explica que para Guillén la lucha contra el problema racial era una lucha patriótica porque para él "la patria no era la formada solamente por los cubanos blancos o por los cubanos negros, sino la integrada por ambos" (11). Guillén tuvo la lucidez de captar aquella situación mestiza de la isla e inmortalizarla en forma poética. Según Ángel Augier:

> En el centro de la dramática circunstancia política y económica que vivía el país, los cultivadores de las artes y las letras demandaban nuevos y exactos módulos de expresión del alma nacional, que cuajaban en aquella voz fresca y robusta que irrumpía de repente, con una fórmula cuya difícil sencillez envolvía una sorpresa estética y un testimonio social. (101)

Uno de los módulos de la expresión del sentimiento nacional era el son, un ritmo que servía de lazo invisible entre las distintas razas del país, tal como lo veía Augier al afirmar que esta era una "danza cálida nacida del encuentro negriblanco bajo la luz antillana" (102).

Mediante la incorporación del son a la literatura, Guillén meta-forizó el mestizaje de las razas de la nación. Un ritmo que se practicaba solamente entre las bajas capas de la población accedía así a las formas más cultas de la expresión literaria. Guillén logró concretar un deseo muy profundo que consistía en definir, a su manera, la identidad cubana a través del son. Con Guillén, este ritmo musical dejó de ser exclusivamente negro y se hizo cubano.

Nancy Morejón ha captado muy bien esta idea en su libro *Nación y mestizaje en Nicolás Guillén*:

> No nos asimilamos, es decir, no nos *aculturamos* a la cultura española o a la africana; con un espíritu altamente creador, en una búsqueda constante del ser nacional, nos producimos como pueblo mestizo, heredero y susten-tador de ambos componentes, sin ser ya más ni españoles, ni africanos, sino cubanos. (29)

Morejón describe la identidad de los cubanos en esta cita y desta-ca el carácter mestizo del cubano a nivel cultural y biológico. No son africanos ni tampoco son españoles, sino cubanos. Morejón estudia cuidadosamente el laberinto caribeño a través de la poesía de Guillén. Subraya que: "en el contexto de las Antillas, la categoría de nación nunca podrá aprehenderse en su totalidad, integral y dinámica, si no tomamos en cuenta el proceso de transculturación que la ha gestado" (19-20). Tal vez voces disidentes digan que el mestizaje también haya servido para legitimar un blanqueamiento mestizador que, cuando se critica, muestra los límites de la democracia racial cubana. Según Aymée Rivera Pérez, por ejemplo, "Nancy Morejón no privilegia lo negro como herramienta analítica; estima que es imposible producir lo que denomina una crítica exclusivamente epidérmica de la literatura" (231). Cuando en abril del 2013, el escritor y ensayista Roberto Zurba-no escribió en el *New York Times* que para los negros cubanos, la revo-lución todavía no ha terminado, fue pura y simplemente degradado[1] de su cargo en la Casa de las Américas, y atacado por otros intelectuales cubanos en *La Jiribilla*. Nota Antonio López, a propósito, que "soon

---

[1] http://www.nytimes.com/2013/04/06/world/americas/writer-of-times-op-ed-on-racism-in-cuba-loses-job.html?_r=0

after the appearance of his essay, Zurbano was demoted from editor
of the Casa de las Américas, the famous state publishing house" (10).
Este recién episodio realza los desafíos de la transculturación orticia-
na que se refleja en muchos poemas de Guillén a quien "le preocupa
la construcción y la afirmación de una identidad cubana sincrética"
(Rivera Pérez 231).

El proceso identitario cubano, vale la pena recordarlo, ha sido
estudiado a fondo por Fernando Ortiz quien acuñó la palabra "transculturación". Al publicar el *Contrapunteo*, Ortiz estaba muy al tanto
de los problemas raciales que enfrentaban a ciertos cubanos. En este
sentido, su libro fue como una respuesta a las incertidumbres plantea-
das por la redefinición de la identidad nacional cubana. En su prólogo
a la edición de 1987 de *Contrapunteo*, Julio Le Riverend señaló que:

> Lo cierto es que la historia va ocupando en su obra un lugar fundamen-
> tal. Es cosa de advertir que, a lo largo de más de un siglo, el sueño sociológico
> de Comte se iba desvaneciendo frente a la ciencia histórica y al proceso de
> historización de todas las demás disciplinas sociales. (21)

Al utilizar el tabaco y el azúcar, Ortiz hace tanto un juego ono-
mástico como racial. Los nombres en sí simbolizan el origen de los
dos elementos estudiados en el libro; al mismo tiempo, el tabaco y el
azúcar también personifican los dos colores que hoy en día constituyen gran parte de la población cubana.

Según Enrico Mario Santí, no es casualidad que el *Contrapunteo* se publique en 1940. Entre la caída de Machado y la llegada de
Fulgencio Batista, ocurrieron eventos muy importantes en la vida de
la isla:

> Si el libro es un estudio del nacionalismo económico y sus reflejos
> sociales para brindar, según nos dice, "alguna nueva sugestión para el estu-
> dio económico de Cuba y de sus peculiaridades históricas" ningún momento
> más propicio que el año en que entra en vigencia la nueva constitución de la
> República. (Santí 37)

Lo que se propone ser un estudio histórico-económico representa, a mi parecer, una indagación sobre la definición del cubano en
general sin distinción de raza. Ortiz, después de los años treinta, era

consciente de la necesidad de incluir a todos en la construcción identitaria del país. Y para que se lograra aquel plan, era necesario definir lo que significaba ser cubano.

Es importante destacar que los protagonistas, el azúcar y el tabaco, son dos productos agrícolas que marcaron la vida de la isla desde la revolución haitiana. Fue después de aquella que la producción azucarera cubana se elevó a un nivel muy alto. Ada Ferrer, a propósito, ha subrayado que la revolución haitiana ha sido usada muchas veces por los criollos cubanos opuestos a la guerra de independencia para prevenir el peligro haitiano. Al mismo tiempo, las autoridades coloniales también supieron usar el caso haitiano para hacer fracasar la rebelión de los independentistas:

> The insurrection, critics argued, was leading Cuba precisely down the path of its neighboring black republic. Thus Spanish colonel Francisco Acosta y Albear argued that the rebellion was preparing for Cuba the kind of "civilization and happiness" present in Haiti and Santo Domingo, where polygamy is permitted and practiced by all their inhabitants who settle their affairs with machetes and who live deprived of all that is indispensable to civilization, although they are entirely free to run naked if they so desire. (Ferrer 48)

Esta ideología se basa en la simple razón de que los cubanos eran distintos. Los que se opusieron a la guerra de independencia basaron su decisión en que la independencia conducía directamente a otro Haití. Evidentemente, los que desarrollaban esta postura estaban de una manera u otra relacionados con la administración colonial. Al usar el caso haitiano para avivar el miedo a la independencia, intentaban atrasar la marcha hacia la independencia y la integración. De nuevo surge el problema de la raza, de la pertenencia cultural y nacional.

Nicolás Guillén inmortaliza esta dualidad de los cubanos en el poema "Balada de los dos abuelos":

> Sombras que sólo yo veo,
> Me escoltan mis dos abuelos.
> Lanza con punta de hueso,
> Tambor de cuero y madera:
> Mi abuelo negro.
> Hoguera en el cuello ancho,

Gris armadura guerrera:
Mi abuelo blanco. (*Summa Poética* 91)

Son los dos elementos que usa Ortiz para exponer su tesis sobre el carácter mestizo de la isla. Se puede, sin duda, afirmar que Guillén intentó reconciliar la realidad del mestizaje en la fusión de las imágenes de las dos culturas.

Yoruba soy, lloro en yoruba
Lucumí
Como soy un yoruba de Cuba,
Quiero que hasta Cuba suba mi llanto yoruba
Que suba el alegre llanto yoruba
Que sale de mí
(*Summa* 142, "Son Número 6")

Como subraya Keith Ellis, Guillén está listo para "disolve himself into other identities" (115). Aquel procedimiento, cabe recalcarlo, se efectuó con dolor en ciertos momentos de la vida del poeta. En *A Nation for All: Race, Inequality, and Politics in Twentieth Century Cuba*, Alejandro de la Fuente habla de los problemas que enfrentaron los afrocubanos en el camino hacia la ciudadanía:

> By 1899 it was the U.S. Army who ruled the island. And although they had entered the war with the avowed purpose of encouraging Cuba's independence, American authorities entertained serious doubts about Cubans' capacity for self-rule, particularly due to the racial composition of Cuba's population. General Leonard Wood and other American officers did not hide their disdain for dark-lower class Cubans, and they openly supported what they referred to as 'the better class'. (24)

A pesar de afirmar que su intención era ayudar a los cubanos para que accedieran a la independencia, los americanos complicaron más la definición de la ciudadanía cubana. Además, ciertos sectores del ejército de liberación estaban también preocupados por el gran número de negros en su seno. Para dificultar más el camino hacia la ciudadanía, "some members of the 'better class', supported by the American authorities, even questioned whether Cubans of African descent were real full members of the nation". (De la Fuente 24). Los desafíos planteados en el camino hacia la ciudadanía eran entonces internos y externos. Por un lado, los americanos, a través de su ocupación militar de la isla, no favorecían la igualdad de todos los cubanos; por otro, algunos cubanos blancos tampoco querían incluir a los negros en una ciudadanía cubana. Sin embargo, durante el mismo período, patriotas como José Martí habían visto el problema de diferente manera. Como afirma De la Fuente: "The experience of war and the presence and leadership of blacks within the army reinforced the image that independent Cuba would have to be egalitarian (27).

La cuestión de la raza parece estar en el centro de la definición de la ciudadanía, lo que está estrechamente ligado con la definición de la identidad cultural. Si uno está excluido de la nación por razones raciales, se ve por consiguiente excluido de la identidad cultural de ese espacio. Estas tensiones estaban muy presentes durante la guerra de los diez años (1868-1878). A propósito, Ada Ferrer ha subrayado que: "The nationalist movement gave rise to one of the most powerful ideas in Cuban history –the conception of a raceless nationality (7).

Los combatientes blancos y negros que se unieron contra el poder colonial español, supieron desarrollar una relación de respeto mutuo frente al mismo enemigo. La guerra de independencia ayudó a reforzar, sin duda, las bases fundamentales del mestizaje que se desarrollará en la creación literaria del poeta nacional. En el poema "Son Número 6", Guillén ejemplifica este aspecto del cubano con el uso de la primera persona del plural:

> Estamos juntos desde muy lejos,
> Jóvenes, viejos,
> Negros y blancos, todo mezclado;
> Uno mandando y otro mandado,
> Todo mezclado;
> San Berenito y otro mandado,
> Todo mezclado;
> Negros y blancos desde muy lejos,
> Santa María y uno mandado,
> [...]
> Yoruba soy, soy lucumí,
> Mandinga, congo, carabalí.
> Atiendan, amigos, mi son, que acaba así:

> Salta el mulato,
> Suelte el zapato,
> Díganle al blanco que no se va: (*Summa* 142)

Estos versos de Guillén ponen de relieve lo que afirmaban Fernando Ortiz y Lydia Cabrera sobre el carácter del cubano. El uso del son es una inserción de lo popular en la poesía. Alejo Carpentier ha reconocido este aspecto de la poesía de Nicolás Guillén: "Cuando la negra Mamá Rosa canta, su idioma tiene ya el tono percutante que Nicolás Guillén habría de llevar, transformado en valores rítmicos verbales, a ciertos sones" (*La música en Cuba* 232). Cabe recordar que en cuanto al son, todo empezó en el siglo XVI con la Má Teodora. Pero, como recuerda Alejo Carpentier, en su comienzo estaba ya la canción transculturada a raíz de la separación espacial y temporal:

> Cuantas veces el individuo es separado de su grupo cultural y puesto en contacto con otros grupos y otras culturas, tiende, en la segunda o tercera generación, a olvidar las culturas primitivas y a asimilar las nuevas con que ha entrado en contacto. Este proceso de transculturación se había operado ya en siglos anteriores. El *Son de la Má Teodora* constituye el más típico ejemplo de ello, en el siglo XVI. (287-288)

También en el mismo poema "Son Número 6", se puede notar el uso de la primera persona del plural como una invitación a la construcción nacional que requiere la participación de todos. Además, en estos versos de Guillén, se evidencia una falta de rencor por parte del poeta cuando pide que le digan al blanco que no se vaya. Es una de las características de la poesía negrista al menos bajo la pluma de Guillén. El sentimiento de mezcla está siempre presente.

En *Dialogue and Syncretism: An Interdisciplinary Approach*, André Droogers ha afirmado que:

> Syncretism is a tricky term. Its main difficulty is that it is used with both objective and subjective meaning. The basic objective meaning refers neutrally and descriptively to the mixing of religions. The subjective meaning includes an evaluation of such intermingling from the point of view of one the religions involved. (7)

Si se considera esta definición, lo que tuvo lugar en el Caribe puede considerarse como un sincretismo subjetivo. Hoy en día, uno puede afirmar que el sincretismo antillano es pacífico; sin embargo, al principio, ya que los esclavos tenían que esconder sus prácticas, el sincretismo simbolizaba la confrontación de la que habla Droogers. Julia Cuervo Hewitt habla de este aspecto de los primeros momentos del sincretismo cubano durante la esclavitud:

> Todos sabemos que [en] aquella época no se permitía en este lado del mundo más que la religión católica; no había libertad de culto y fue precisamente ante esta realidad que los astutos Yorubas inventaron un procedimiento para burlar la vigilancia del dueño en materia religiosa, y no fue otro que el de exhibir una imagen católica presidiendo sus ceremonias, mientras que en realidad subía el *bembé* [baile Yoruba-Lucumí]. (41)

La astucia del esclavo tiene que ponerse en relación con la ignorancia del mayoral quien también contribuyó a la transculturación sin saberlo. Esta situación describe un mundo al revés por la sencilla razón de que el mayoral que tiene la función de controlar a los esclavos, asiste como un ciego a la actuación religiosa de estos. Realmente se trata de una *performance* religiosa porque los esclavos simulan adorar a un dios que ni conocen mientras sus almas se nutrían de otro dios que el mayoral-controlador no podía ver. Aquella actitud es plausible si entendemos las religiones como sistemas con formas de funcionamientos diferentes. En el caso de las religiones africanas en contacto con la religión católica, esta consideró a aquella como una amenaza por lo que urgía suprimirla, o por lo menos mantenerla invisible. En el caso del Caribe, o por lo menos, en el momento en que se escribía la poesía negrista, el sincretismo había pasado del conflicto entre religiones a un proceso en el cual los dos sistemas de creencias se habían mezclado en un procedimiento en formación desde hacía siglos.

Este reajuste a un nuevo espacio por parte de las religiones en el Caribe es el signo del nacimiento de un nuevo ser que tiene que disfrazar su creencia para sobrevivir. La religión católica sufrió cambios insignificantes; sin embargo, las religiones africanas tuvieron que modificarse mucho más a causa de su situación de religión dominada, prohibida, y hasta asociada con el diablo. En *Cultos afrocubanos*, Bar-

net pone de relieve este carácter cambiante de las religiones africanas
en la isla. Da ejemplos de unas deidades muy poderosas en Nigeria,
que casi no se conocen en Cuba; al mismo tiempo, nos presenta otras
deidades hoy muy famosas en Cuba, pero que no ocupaban tal lugar
entonces:

> Acerca del número de divinidades a las que se rinde culto en la santería,
> y a la importancia o jerarquía de las *orishas*, se ha discutido mucho y no hay
> nada categórico. Divinidades que ocupan un lugar importante en el panteón
> yoruba de Nigeria como Oddúa, por ejemplo, casi se han perdido en nuestra
> tierra; otras que no son tutelares ganaron primacía y hoy se les rinde un culto
> preferencial. (41)

Fue este espíritu el que captó Nicolás Guillén en su poesía
negrista a principios del siglo XX. No se trataba de una poesía africana o europea, sino de una poesía afro-antillana consciente de las
diferencias y las singularidades del nuevo ser caribeño. Los primeros
autores blancos que iniciaron este proceso poético tuvieron una visión
profética si consideramos que su creación literaria era una tentativa
de renegociar la identidad nacional en un contexto que era muy hostil
a este tipo de cambio. Guillén estaba seguro de que la unicidad del
negro cubano era el resultado de un sincretismo y de una transculturación que tuvieron lugar durante siglos. Según Nancy Morejón la finalidad de la transculturación era la la creación de "un tercer conjunto
cultural […] nuevo e independiente […] sobre los elementos precedentes…" (23-24). Morejón enfatiza el carácter particular del nuevo
ser americano cuyos componentes –negro, blanco– sufrieron distintas
transformaciones desde su llegada al Caribe. Los negros tenían que
ajustarse a los nuevos cambios. La espiritualidad podía seguir siendo
vigente en su mente; sin embargo, era inevitable la mudanza tanto en
las prácticas religiosas como lingüísticas. Los negros llevados forzosamente al Caribe venían de distintas regiones geográficas; por ende,
pertenecían a zonas lingüísticas muy distintas. Además, era fuerte la
voluntad de los europeos de separarlos para evitar futuras rebeliones.
En sociedades basadas en la dominación de un grupo por otro, la vigilancia y el castigo, como diría Michel Foucault, eran fundamentales.
Para Morejón, "el rasgo que diferencia una inmigración de otra es la
función esencial que han de llevar a cabo uno y otro" (27).

En las Antillas españolas, los componentes africanos y europeos fueron los más importantes; sin embargo, no hay que olvidar las demás poblaciones que fueron traídas al Nuevo Mundo sobre todo después de la abolición de la esclavitud. Evelyn Hu-Dehart en su artículo "Chinese *Coolie* Labor" ha estimado que entre 1847 y 1874 en Cuba había 125,000 chinos. Según la autora, "the Spanish and the Cubans were faced with the dilemma of the end of slavery when the plantation economy continued to flourish" (68). Los chinos coolíes firmaban contratos de ocho años; sin embargo, estos nunca se respetaban. Como Benítez Rojo en *La isla que se repite*, Hu-Dehart también subraya los cambios económicos ocurridos en Cuba entre 1763 y 1836 cuando pasa de la pequeña plantación a la gran plantación. Al mismo tiempo, el artículo de Hu-Dehart constata los esfuerzos que se hacían para atraer a los inmigrantes europeos que no respondían tal como lo quería la Comisión de Población Blanca. En 1844, La Junta de Fomento y Colonización, "sent an agent to China to study the possibility of importing Chinese coolies" (69), quienes desembarcaron en junio del año 1847. Una vez en Cuba, los chinos se dieron cuenta de que no se trataba realmente de contratos de trabajos con total libertad. Muy pronto, sufrieron casi la misma suerte que los africanos. Subraya Hu-Dehart que ciertos chinos participaron en la Guerra de Independencia de 1868. Finalmente, para agrandar el círculo de la transculturación, Hu-Dehart menciona que algunos chinos también huían al monte para escapar de las malas condiciones a que estaban sujetos. A esto, habría que añadir un gran número de suicidios entre los chinos, como menciona el ex-esclavo Esteban Montejo en *Autobiografía de un cimarrón*, escrita por Miguel Barnet.

Esos distintos grupos fueron los que iban a constituir las nuevas naciones caribeñas de hoy. Por esta razón Nancy Morejón desarrolla una idea de cubanidad para definir al negro, al blanco, y al mestizo. Para ella, no se trata de identificarse como africano o español, sino simplemente como cubano (29). Esta postura recuerda la nueva generación del movimiento de la *Créolité*[2] que se desarrolla en las Antillas

---

[2] Frente a la postura identitaria desarrollada por Aimé Césaire con su Negritud, los miembros de la *Créolité* martiniqueña publicaron *L'éloge de la Créolité* en 1989

francesas con Jean Bernabé, Raphael Confiant, y Patrick Chamoiseau quienes también aplican la misma idea al ser antillano. La aspiración principal parece ser la búsqueda de una identidad que ponga más el acento en la pertenencia nacional y cultural que en la racial. Se trata de poner más énfasis en la nación que en cualquier otra cosa, siguiendo de esta manera el deseo de los negros y mulatos que lucharon ferozmente durante las tres guerras de independencia. Lucharon para expulsar a los españoles, pero también para ser considerados como ciudadanos con todos los derechos inherentes.

A diferencia de Nancy Morejón, De la Fuente explica que la marcha hacia la ciudadanía estaba sembrada de muchos obstáculos. Según este autor, los blancos tenían que contar con los negros y los mulatos para poder lograr su independencia de España. No obstante, el dilema que se les presentaba era que la independencia significaba al mismo tiempo la abolición de la esclavitud y la igualdad de todos los cubanos. Esta perspectiva es la que se popularizó en la poesía afrocaribeña de Nicolás Guillén; sin embargo, la invasión norteamericana de la isla no ayudó a construir una Cuba libre de discriminación racial, y complicó la definición de la raza en relación con la cubanidad, tal como lo subraya De la Fuente:

> The American occupation forces brought this ideology [segregation] with them to the island. They encountered in Cuba a population that, according to their own racial ideology, was made up largely of Negroes in need of guidance and supervision. (40)

Al presentar al negro como un ser caribeño, Guillén enfatiza en sus peculiaridades lingüísticas mestizas. Guillén usó este lenguaje como un signo de particularización:

> ¡Hay que tener voluntá
> que la salasión no e
> pa toa la vida!
> Camina, negra, y no llore,
> Vén p'aca

_____

para afirmar su identidad en estos terminos: "ni europeos, ni africanos, ni asiáticos, nos proclamamos Créoles" (p. 13). *Eloge de la Créolité*. Paris: Editions Gallimard, 1989. [La traducción es mía].

> Camina, negra, camina,
> Que hay que tener voluntá! (*Summa* 69)

Además de la crítica social que se dirige a una situación económica precaria, el juego lingüístico capta obviamente el habla cubana. La elisión de la [d] final, las contracciones "p'aca" son signos que se reconocen fácilmente.

El negro que se ve en estos versos está moviéndose en su propio espacio registrado por el paisaje. Parece el poeta querer decir que se trata de un ser especial en un lugar especial que son las Antillas. Gracias a las descripciones externas, el poeta era consciente de que hablaba de un ser ya transculturado.

Para concluir, podemos afirmar que en la poesía de Guillén, el mestizaje ha ocupado un lugar de suma importancia; sin embargo, se debería hacer una evaluación del intercambio que tuvo lugar entre los distintos grupos étnicos cubanos. El "toma y daca" es una constituyente muy fuerte del ser caribeño pero dentro de este mundo de intercambio, el negro parece haber dado menos por razones históricas desde la esclavitud hasta la formación de las nuevas naciones. Ya al cruzar el Atlántico, empezó el negro a perder su identidad. Así que cuando llegamos al siglo XX, el mestizaje es como un compromiso, o un contrato para la redefinición del nuevo ciudadano que Guillén intentó inmortalizar en su creación literaria. Este artículo intentó destacar que Guillén siempre quiso pintar su poesía como el resultado de un mestizaje tanto biológico como cultural. Guillen se mostró particularmente diestro en la negociación de una identidad nacional cubana que tuviera en consideración el carácter mestizo de la isla.

Bibliografía

ARCHIBAULD, RANDALL. "Editor Who Wrote of Racism in Cuba Loses His Post, Colleagues Say," *New York Times*. Web. 6 Apr. 2013.

AUGIER, ANGEL. *Nicolás Guillén: Estudio biográfico-crítico*. La Habana: Ediciones Unión, 1984.

BARNET, MIGUEL. *Cultos afro-cubanos: La Regla de Ocha, La Regla de Palo Monte*. La Habana: Ediciones Unión 1995.

BENÍTEZ ROJO, ANTONIO. *La isla que se repite: El Caribe y la perspectiva post-moderna*. Hanover, CT: Ediciones del norte, 1989.

CARPENTIER, ALEJO. *La música en Cuba*. Mexico D.F.: Fondo de Cultura Económica, 1993.

CUERVO HEWITT, JULIA. *Aché, presencia africana: tradiciones Yoruba-lucumí en la narrativa cubana*. New York: Peter Lang, 1988.

DROOGERS, ROGER. *Dialogue and Syncretism: An Interdisciplinary Approach*. Amsterdam: Editions Rodopi, 1989.

ELLIS, KEITH. *Cuba's Nicolás Guillén: Poetry and Ideology*. Toronto: University of Toronto Press, 1983.

FERNÁNDEZ ROBAINA, TOMÁS. *Cuba: personalidades en el debate racial*. La Habana: Editorial de Ciencias Sociales, 2007.

FERRER, ADA. *Insurgent Cuba: Race, Nation and Revolution, 1868-1898*. Chapel Hill: The University of North Carolina Press, 1999.

FUENTE, ALEJANDRO DE LA. *A Nation for All: Race, Inequality and the Politics in Twentieth-Century Cuba*. Chapel Hill: The University of North Carolina Press, 2001.

GUILLÉN, NICOLÁS. *Summa poética*. Madrid: Editorial Cátedra, 1980.

HU-DEHART, EVELYN. "Chinese Coolie Labor in Cuba in the Nineteenth Century-Free Labour or Neosalvery." *Slavery and Abolition* 14, 1 (1993): 69-86.

LÓPEZ, ANTONIO. "To Be Black in Cuba". *The Chronicle Review*. Web. 8 Oct. 2013.

MOREJÓN, NANCY. *Nación y mestizaje en Nicolás Guillén*. La Habana: Ediciones Unión, 1982.

ORTIZ, FERNANDO. "Más acerca de la poesía mulata: Escorzos para su estudio". *Revista Bimestre Cubana*, 37 (1936): 19-39.

—————. *Contrapunteo cubano del tabaco y el azúcar*. Caracas: Ayacucho, 1987.

RIVERA PÉREZ, AYMÉE. "El imaginario femenino negro en Cuba". *Afrocubanas: historia, pensamiento y prácticas culturales*. Daisy Rubiera Castillo e Inés Maria Martiatu Terry (Eds.) La Habana: Editorial de Ciencias Sociales, 2011. (225-250).

RUSCALLEDA BERCEDÓNIZ, JORGE MARÍA. *La poesía de Nicolás Guillén: cuatro elementos sustanciales*. Río Piedras: Editorial Universitaria, 1975.

SANTÍ, MARIO ENRICO. FERNANDO ORTIZ: *Contrapunteo y transculturación*. Madrid: Editorial Colibrí, 2002.

El vasto *Mare Atlanticum* o algunas estrategias para desmantelar la neocolonización en la narrativa de Mylene Fernández Pintado

MABEL CUESTA

> Para Nara Araújo, quien nos habló de 'la periferia de la periferia' y también de la 'diferencia'; un concepto que no refería exactamente a Derrida.

1. PERIFERIA-CENTRO-PERIFERIA O DE CÓMO REGRESARON LOS ESPAÑOLES

Los posibles debates cubanos en torno a la poscolonialidad y los estudios transatlánticos han sido generalmente pospuestos a favor de una hermenéutica de la condición insular (sus relatos) y también de una arqueología literaria detenida en labores tan loables como el rescate de escritores nucleados en torno a las revistas *Orígenes*, *Ciclón* o *Lunes de Revolución*. Asimismo, los estudios culturales han ido ganando paso entre la joven crítica cubana y puede ya documentarse un valioso despertar que indexa temas de género, clase o raza con sus respectivos cruzamientos.

Poscolonialidad y discursos trasatlánticos parecerían entonces tópicos fundamentales que garanticen la puesta al día de autores literarios y académicos activos a todo lo largo y ancho de las dinamitadas costas de la producción escritural cubana. Pero tampoco se trata de que estemos transitando un desierto desolador/desolado. Hace ya más de una década, las ensayistas Nara Araújo y Margarita Mateo comentaban sobre las dinámicas de centro-periferia en las que también quedaba inscrita la producción cubana y Araújo en particular, singularizaba la situación político-social de la isla frente a otras regiones y países, describiendo a Cuba como 'un lugar periférico de la periferia'. Un reino de la diferencia. Todo ello sucedía en el contexto de clases de pregrado y posgrado de la Universidad de La Habana. Cuando la

orfandad que trajo consigo el abandono de la metrópoli soviética se
entronizaba en las mesas isleñas y también cuando los petro-dólares
venezolanos no eran más que posibilidad latente de futuro. Sucedía en
fin, en el único momento histórico en el que la isla de Cuba (pongamos
por fecha inicial su "descubrimiento" y cerremos con el día de hoy)
tuvo la ilusión de no estar supeditada a intereses extranjeros. El único
momento de aparente autonomía socio-política y económica: 1991-
1998, aproximadamente.

Regresando a los informales discursos de Araújo y al fundamental texto de Mateo *Ella escribía post-crítica* (1995), sería posible
entonces sintonizarlos con los de Alfonso de Toro, quien arguye que:

> [...] los términos 'periferia'/'centro' no son estáticos ni unilaterales, sino que
> tienen al menos dos implicaciones: la periferia se autocalifica como periferia,
> se periferiza a sí misma. Lo mismo ocurre con el centro que se define como
> tal; es decir, la periferia no se produce siempre como resultado del centro, sino
> como resultado de su imposición deliberada de periferia y al revés sucede con
> el centro. Por otra parte, la periferia se desprende naturalmente de la actitud
> del centro y el centro de la actitud de la periferia. (uni-leipzig.de)

Más allá del sentido común del que hacen gala Araújo, Mateo
y de Toro en sus respectivos análisis en torno a posibles dinámicas
de autorreflexión y autoposicionalidad de las regiones de centro y
periferia, en el caso concretamente cubano sería importante añadir
una singularidad –la diferencia no derridiana comentada por Araújo–
que también entra a participar de aquel juego interpretativo en donde
representaciones ficticias acusan recibo a posicionamientos contesta-
tarios frente a la aparición en escena de la vieja metrópoli.

Lo anterior será centro de mi propuesta en adelante y tendrá
como sujeto un par de textos narrativos de la autora Mylene Fernández Pintado en donde dos personajes de mujeres cubanas interactúan
respectivamente con un amante madrileño y con la propia ciudad de
Madrid. Pero antes de pasar a concentrarnos en este argumento central
y el modo en que mutuamente se interpelan discursos poscoloniales
y trasatlánticos en ambas narraciones, regresemos por un momento a
discutir el porqué de la "diferencia" y también de lo inesperado de esas
alocuciones al interior de un segmento del cuerpo literario cubano.

La Revolución (1959) –bien es sabido– se autoimaginó como un proceso restaurador y reivindicativo de subjetividades bien entrenadas en las prácticas colonizadas que una vez perpetraran tanto los obsoletos "descubridores" españoles como los "mediadores" norteamericanos que controlaron parcialmente la naciente República de 1902. La abolición casi absoluta de la propiedad privada nacional y extranjera mediante los procesos de nacionalización acontecidos entre 1959 y 1962, condicionó la instalación de unos nuevos parámetros psicosociales en donde la propiedad y el trabajo no serían más que bienes comunes administrados por un pueblo soberano a favor y en beneficio de sí mismo.

Otras, sin embargo, son las señas que emiten el uso del territorio nacional para la instalación de misiles soviéticos –detectados en octubre de 1962– el apoyo incondicional ofrecido a la propia URSS en la guerra de Angola entre 1976 y 1992 o el posicionamiento común e incuestionable con los países de la Europa del Este ante los debates y votaciones de la ONU y otras organizaciones internacionales.

A pesar de todo ello, lo que aquí interesa destacar es la rápida acogida que se les dio en el campo de los negocios a los inversionistas españoles, así como a otros países de tradicional economía capitalista, una vez que los subsidios del Este, específicamente del Consejo de Ayuda Mutua Económica (CAME) desaparecieron. Si bien es cierto que, como recién mencionaba, el período que comprende la desaparición del campo socialista y el establecimiento de las nuevas alianzas con el actual gobierno venezolano, pueden establecerse como una mediana temporada de auténtica emancipación colonial para Cuba, asimismo no puede perderse de vista la agenda de demandas que acarrearon consigo estos nuevos semi-propietarios de la isla con sus respectivas inversiones económicas. Y en este mismo sentido, tampoco ha de ignorarse el impacto que tuvo en la sociedad civil el incremento acelerado de la afluencia de turismo europeo, canadiense y latinoamericano, lo cual estableció interacciones desfavorables para un número representativo de ciudadanos. Me refiero, concretamente, a quienes en un breve período de tiempo pasaron a abandonar sus puestos profesionales para acogerse a las esferas de los servicios –turísticos, principalmente. Si se consulta la página del Instituto Español de Comercio Exterior, aparece allí un extenso documento en donde se nominan todas aquellas empresas relacionadas con sectores como Hotelería, Energía, Climatización, Comunicaciones, Alimentación, Transporte, Calzado, Minerales, Materiales de construcción, Metalurgia y una infinita lista que resulta sin dudas elocuente en cuanto desmonta de una vez los clásicos discursos de autonomía política que los dirigentes de la Revolución aún hoy parecieran detentar[1].

El modo en que lo anterior se relaciona con la nueva escuela de estudios trasatlánticos ha sido ya observado y discutido por investigadores de la talla de Abril Trigo:

> Como corolario de estos realineamientos globales y del relieve internacional adquirido por España en estas últimas décadas, la rama hispánica de los estudios transatlánticos adopta este doble desplazamiento y lo adapta a un pujante y remozado Hispanismo. Esto indudablemente complica las cosas, en la medida en que involucra los intereses superpuestos de las corporaciones españolas y el capitalismo transnacional, de modo tal que las primeras se montan en la cresta de la ola producida por el segundo, asumiendo la representación de una cultura hispánica universal que en los hechos disfraza una impronunciable nostalgia imperial. (19)

De ahí que la emergencia de nuevas subjetividades frente a las presencias de jefes y turistas extranjeros en general y españoles en

---

[1] Se hace pertinente matizar lo que se arguye en este párrafo en dos zonas especialmente susceptibles a debate. En primer lugar no son solo españolas las inversiones extranjeras que aparecen aceleradamente en Cuba en la primera mitad de la década del noventa. Solo destaco estas por cuanto aportan a lo que se tratará en lo adelante. En segundo lugar, cuando se habla del desmontaje de un discurso encaminado hacia la autonomía política, no se trata de sostener que los líderes de la Revolución hayan dado espacio alguno a estos empresarios extranjeros para cambiar el rumbo o intervenir en sus decisiones gubernamentales; sin embargo sí se hace posible discutir el modo en que la sola presencia de esas inversiones capitalistas fracturan lo monolítico del discurso socialista que hasta entonces dominara la escena política cubana y por decantación dejan espacio para nuevas formas de poder, tal y como se ha visto con las reestructuraciones que Raúl Castro ha implementado a partir de su mandato en 2006. Las mencionadas reformas *raulistas* encuentran raíz y gestación temprana en la privatización de algunos sectores de la economía cubana, aun cuando se tratara siempre de empresas mixtas en las que solo el gobierno cubano apareciera como contraparte de los extranjeros.

particular no se hace esperar para ser representada en la literatura y las artes todas en la era post-soviética cubana. La tan visitada figura de la prostituta, familiarmente llamada jinetera, quien cambia favores sexuales por dinero, ropas, comida, acceso a hoteles, centros de recreación prohibidos para nacionales y finalmente viajes al extranjero, pasa a instalarse rápidamente en el imaginario popular y naturalmente en la producción artística de cubanos residentes tanto en la isla como en la diáspora. Pero más allá de su incuestionable emergencia arquetípica y su relevancia en tanto síntoma visible, quejicoso, de una nación enferma, también aparecen sujetos femeninos 'otros' que vienen a desestabilizarla. Figuras de mujeres viajeras que mueven su mirada y establecen su voz en una muy tensa zona de enunciación. Son aquellos personajes que denuncian los abusos de la otrora metrópoli y acusan recibo de una subjetividad inédita en la medida en que no se posicionan ni física ni ideológicamente, a uno u otro lado de la barrera política que la Revolución estableció para la sociedad civil post-1959. Mujeres-viajeras que representan y reinauguran una tradición de escritoras trasatlánticas –tal sería el caso de Karla Suárez, Wendy Guerra, Sonia Rivera-Valdés o Mylene Fernández Pintado. Tradición que a su vez encuentra ecos en el siglo XIX: Gertrudis Gómez de Avellaneda o la Condesa de Merlín, para referir solo los más socorridos ejemplos.

La obra de Mylene Fernández Pintado se establece entonces como uno de esos claros elementos desestabilizadores del arquetipo "prostituta de período especial" en la medida en que desafía un sinfín de lugares comunes que se colocan, también con prisa, entre quienes sostienen relaciones amatorias con sujetos españoles. Los textos en lo adelante comentados son en realidad pretextos discursivos que denuncian esa colonización de nuevo tipo que parecerían practicar tanto los empresarios y turistas españoles de paso por la isla, como quienes conviven con mujeres cubanas allá en el propio 'centro'. Y son también generadores de espacios para el debate trasatlántico en la medida en que denotan la nostalgia imperial ya comentada por Abril Trigo.

2. Un perpetuo viaje sobre el *Mare Atlanticum* o
"siempre ha sido tiempo de conquista"

Quedaría entonces presentar a la autora y aquellos datos de su biografía que garantizan la pertinencia de su elección de cara a mi argumento: Mylene Fernández Pintado (1963) es una de las reconocidas como "novísimas autoras" que aparecen en el panorama literario cubano de finales de la década del noventa y principios de la próxima. Asimismo sus relatos serán recogidos con alta frecuencia en la avalancha de antologías que en esos años comienza a circular dentro y fuera de la isla. La entrada de su obra a dicho panorama se realiza por la puerta de los premios cuando su libro de cuentos *Anhedonia* (1999) ganó el premio *David* que otorga anualmente la Unión de Escritores y Artistas de Cuba (UNEAC), en 1998.

Comentario especial merece sin duda el dato de que en la actualidad Fernández Pintado posee residencia en Suiza y pasa allí al menos seis meses de cada año, tal y como sucedió años atrás con España. Aunque su casa matriz siga siendo La Habana, esa movilidad de Fernández Pintado deviene material muy provechoso a nivel temático y simbólico en sus historias todas, pero especialmente en las aquí comentadas, ya que fueron escritas a propósito de experiencias personales vividas en Madrid cuando el país ibérico era su segundo espacio de asentamiento temporal.

Al acercarse a toda la producción narrativa de Fernández Pintado, se hace obvio al crítico que hay en ella un incesante interés por representar a sujetos cubanos de la era post-soviética como posibles voces alternativas a aquellas que tanto el discurso oficial del gobierno cubano como el de la capital del exilio en Estados Unidos (Miami), proponen de manera monolítica. Se evidencia además que la autora advirtió hace mucho que la frontera física insular ha quedado pospuesta. Su trabajo destaca en tanto modela un sujeto que corrobora que "Cuba is a good case of study because it reveals that despite physical insularity and political barriers (domestic and international), globalization and transnationalism are part and parcel of the contemporary physical landscape" (Fernández 16).

De los relatos a comentar de Fernández Pintado, propongo comenzar por el titulado "Mare Atlanticum" ya que antecede en su escritura al segundo que discutiré y también porque se rastrean en él algunas contribuciones a este mapa de nuevos diálogos, temáticas, cuestionamientos e imaginarios desplazados que aquí trazo de cara a la poscolonialidad cubana y a la gestación de un nuevo pensamiento y discurso trasatlánticos. Destacan entre ellas la mirada sobre los remanentes de las posturas colonialistas emitidas desde España hacia Cuba, aquellas que como recién comenté se complejizan en este momento exacto de la historia con las grandes inversiones de capital español en los sectores industriales nacionales.

Una digresión pertinente puede hallarse al comentar una canción del trovador Frank Delgado en la cual queda muy bien resumida la inquietud y el sentimiento de contradicción que reinó entre los ciudadanos al ver levantarse en breves lapsos de tiempo (entre 1992 y 1995 aproximadamente) las moles hoteleras de las cadenas Sol Meliá, NH o Iberostar en las principales avenidas habaneras o en el balneario de Varadero. El texto de la mencionada canción titulada "Quinto centenario o Gallegos", reza:

> Gallego, la historia es espiral que nunca acaba:
> uno la lleva alante, otro la caga.
> Si Maceo resucita y va a entrar al Sol Meliá,
> yo creo que se arma otro Baraguá[2].

Advertimos aquí ese sentido de revancha histórica y también de fracaso, mezclados los dos con un resentimiento que en el cuento de Fernández Pintado tratará de encontrar cierta resolución a través de emplazamientos muy certeros que son lanzados desde la voz del personaje de la chica cubana con la intención de confrontar a su amante madrileño.

La protagonista cuenta, rememora, describe en primera persona y en su voz nos llega la de su compañero. De modo que la elección de esta perspectiva para la narración y el adjudicar la voz solamente a

---

[2] El Maceo aquí aludido es un general mambí, de la raza negra y protagonista en las luchas contra el colonialismo español en Cuba durante las dos guerras de emancipación: 1868-1878 y 1895-1898. Famoso, entre otros episodios, por su enfrentamiento al general español Martínez Campos el 15 de marzo de 1878 en la zona de Baraguá.

la muchacha son de entrada indicios que nos adelantan que estaremos lidiando con un sujeto rebelde, resistente a doblegarse aun cuando las condiciones externas le sean desventajosas. La anécdota gira alrededor de cuanto provoca en ella un concierto de Silvio Rodríguez en la Plaza de las Ventas en Madrid, al que se niega a asistir con su marido quien es, además, un amante de la cultura cubana.

Pensando en el modo en que el texto se presta a articular ciertas estrategias que desenmascaren las todavía vigentes inscripciones colonialistas emitidas desde la antigua metrópoli, invito a comentar algunos elementos interesantes. El primero de ellos sería justamente la elección de las nacionalidades para los personajes, entrecruzando esto con la variable genérico-sexual de cada uno de ellos.

A la chica cubana (sin nombre) y de paso por Madrid se le exige asombro, deslumbramiento, "Estoy cansada de seguir diálogos que no son míos y tú de traducirme nombres, hechos y referencias. Cansada de sentirme tribal, permanente y primitivamente asombrada" (53). Se le perdona, además, su falta de mundo: "–No. Nunca antes había usado palitos para comer. También es primera vez que como comida japonesa. –Y te miré. Estaba aprobada y con muy buenas notas" (52).

La doble marca de marginalidad que supone el ser mujer y además provenir de un país excolonizado y en donde se coloca al sujeto hombre como dictador de modales y consumidor de los "bienes" –la chica y su música– es un llamado de atención que la autora subvertirá a favor de la protagonista[3].

De la misma manera que para el investigador Emilio Ichikawa:

> Es muy significativo que el diálogo sobre la poscolonialidad haya encontrado gran estímulo en la zona de la literatura comparada; la comparación externalista de la cultura, con más interés ideológico que textual, conduce inevitablemente al cuestionamiento del imperialismo cultural. (25)

Para la escritora resulta vital el poder remodelar desde la ficción justamente ese cuestionamiento al imperialismo cultural que Ichikawa

---

[3] Valga nuevamente aclarar que la protagonista de este relato no es una prostituta ni ha salido del país de manera desesperada. Aunque en el relato no se aclaran las condiciones en que los protagonistas se conocen ni cómo ella ha llegado a Madrid, aquí se sugiere una relación de amor auténtica, lo cual hace aún más tensas las insinuaciones sobre el comportamiento restrictivo y semidictatorial del sujeto hombre.

denuncia. Con este texto, ya que no literaturas, compara experiencias puntuales dando voz y estableciendo diálogos entre las visiones: la del sujeto colonizador que provee nuevos recursos para la pervivencia del pensamiento colonial y la de la mujer que en este caso específico revisa y entrecruza –desde su voz y acciones– una postura de hálito poscolonial y feminista. Se trata en suma de una puesta en escena de "[…] la hibridez, la multiplicidad, la ambigüedad y la contingencia de las formas de vida concretas" (Castro-Gómez 145).

Para Fernández Pintado, es harto conveniente tener la posibilidad de traer a debate público el modo en que un sujeto determinado es casi ajusticiado en los espacios públicos en los que su pareja lo exhibe, "Yo exótica, hablando con otro tempo y proveniente de ese lugar del que todos ellos sabían lo suficiente como para sentirse sedientos de saber más. Todo para ser una chica *maja* y *guapa* que gustándole a tus amigos te guste a ti […]" (52). Conveniencia que le permite explorar y de nuevo delatar a qué se expone esa mujer que aún sufre los estragos del colonialismo imperial en sus dos formas: la histórico-diacrónica –entendiendo esta como la que permanece en el inconsciente colectivo de ambos sujetos: el colonizador y el colonizado– y la inmediata-sincrónica –la que se relaciona más con las nuevas formas de colonización o poscolonización que en el caso cubano se manifiestan en el sobreentendido de la isla como un espacio para el turismo sexual (incluyendo el homosexual) y la reapropiación de tierras, negocios y bienes raíces.

Todo lo anterior es aprovechado por la voz narrativa al comentar el fenómeno de las jineteras, de quienes delicada mas certeramente se distancia: "[…] ellas caen en la burda trampa repetida hasta el infinito desde los tiempos de la Conquista. Siempre ha sido tiempo de conquista […] Y a fin de cuentas, España es primer y viejo mundo y ahora es estado comunitario y dan visa *schengen* con caracteres tornasolados" (54).

Más adelante, cuando la protagonista al hablar de su pareja declara que "[…] nos parapetamos en las diferencias" (53), la autora comienza a proponernos un juego doble. Por una parte exalta aquellos elementos de diferenciación que devienen bastión de combate y señas de identidad y por otra asume la inevitabilidad de su derrota, la cual

resulta imposible de desasociar de su desventaja económica y de la
pervivencia de ese discurso colonial del que el amante no puede des-
ligarse, "Hemos intentado construir una isla equidistante en medio del
Atlántico [...] Construimos la isla pero no podemos habitarla"(55). Y
continúa:

> Tus regalos que me harán ser una abuela con gavetas llenas de tesoros
> que serán las delicias de mis nietos. Hechos en algún lugar de Praga, Sapporo
> o Estambul para que un día pasen de tus manos a las mías como mensajeros
> parlanchines y silenciosos. Como fino recordatorio de que algunas cosas no
> encajan. ¿Aún?
> Una cajita de madera. En la tapa un mapa de 1492. España, América y
> las rutas del Mare Atlanticum. No es tan lejos, dices mientras yo me ahogo
> en cada gota de agua surcada por esa carabela pintada, en esa agua que me
> inunda por dentro como si la bebiera en lenta agonía. (55-56)

Como resultará obvio al leer estas citas, la explicitación del conflicto que supone la imposibilidad de una identidad trasatlántica bila-
teral que una a los amantes, se encadena a un nivel que contesta a los
amagos coloniales del personaje masculino, reafirmando lo que María
Lugones sintetiza al decir que "[...] todo control del sexo, la subjetividad, la autoridad, y el trabajo, están expresados en conexión con la
colonialidad" (scielo.org.co).

Finalmente y regresando a lo que el relato ofrece, encontramos
que el gesto de la protagonista al negarse a asistir al concierto de Silvio
Rodríguez sería el más subversivo de cuantos aquí se proponen, una
acentuada dosis de rebelión para dar relevancia a ese discurso periférico y desventajado que su voz encarna. Que haya un Silvio odiado
"[...] por zoquete y grosero"(57) y que esto forme parte de un saber al
que solo ella tiene acceso y más aún, que solo ella pueda dialogar con
él, es el efecto revanchista con el que el personaje resuelve la angustia
a la que parece estar expuesta de manera permanente. El concierto
de Silvio en Las Ventas deviene un producto de consumo más que el
hombre del relato podrá comprar, pero que de ninguna manera será
capaz de aprehender, decodificar.

Si por otra parte, asentimos con Jameson en que:

> All third-world texts are necessarily, I want to argue, allegorical, and in
> a very specific way: they are to be read as what I will call national allegories,
> even when, or perhaps I should say, particularly when their forms develop out
> of predominantly western machineries of representation, such as the novel
> [...] Third-world texts, even those which are seemingly private and invested
> with a properly libidinal dynamic –necessarily project a political dimension
> in the form of national allegory: the story of the private individual destiny is
> always an allegory of the embattled situation of the public third-world culture
> and society (69)

entonces las dinámicas de representación a la que se nos expone en
esta historia específica se antojan polisémicamente utilitarias ya que
devienen claros síntomas de un despertar de las consciencias ante las
nuevas modalidades de control colonial a las que asisten; destacan un
juego dialógico en donde, irónicamente, las partes permanecen sordas
a las demandas de su contrario y ratifican, en fin, la impertinencia de
una subjetividad trasatlántica en la medida en que no se reajusten los
sistemas de poder.

La desventaja económica de la que son víctimas los personajes-
mujer de Fernández Pintado, las convierten de antemano –tanto a ellas
como a las redes o sistemas culturales que cargan consigo– en productos de consumo. Pero, asimismo, esa posición desfavorecida no deviene refugio a la victimización o la queja, sino que más bien potencian
el emplazamiento verbal y la insubordinación. Se trata, tanto en este
relato como en el próximo, de voces que se alzan y revierten sus posicionamientos desventajados con estrategias en las que son capaces de
reutilizar sus cuerpos y saberes en función de pequeñas conquistas, no
por íntimas menos relevantes.

Son personajes que, en suma, gestionan una nueva condición
descolonizada en la medida en que articulan, pujantes, una nueva subjetividad desde la cual proyectan identidades rebeldes e insumisas.
La consciencia de la desventaja histórico-ecónomico-social, lejos de
amedrentarlas, las impulsa a repensar sus esencialidades como mujeres al servicio de una nueva comprensión y posicionamiento al interior
del crítico mundo en donde se desenvuelven.

Para la generación a la que Fernández Pintado pertenece, tal y
como señala Odette Casamayor:

La anulación de los modelos orientados hacia el Progreso moderno y el
caos dominan sus vidas, insertadas en un proceso de destrucción permanente.
El descreimiento es un sufrimiento para ellos porque saben que existe otro
estado, dominado por la fe, en el que alguna vez habitaron y del que han caído,
al perder la capacidad de creer. (650)

Estos personajes femeninos, sin embargo, viven impulsados –
aún desde su incredulidad y la indiscutible sensación de fracaso que
proyectan– por la reinstauración de un nuevo mundo medido también
por unas nuevas claves de enunciación y prácticas de la cotidianidad.
Personajes y prácticas reales que se insertan sin más en la reconfigu-
ración de un mapa insular y transinsular 'otro' con el que esperan ser
identificadas.

No se trata, sin embargo, de una mirada optimista, ni al margen
de la crisis. Por el contrario, se trata de un estado de pérdida total, de
abismo, que a la par genera unas libertades expresivas nunca antes
observadas en nuestra literatura, especialmente en aquella producida
por mujeres que elijan a otras como sujeto de ficción.

Este segmento de la obra de Fernández Pintado contiene también
un gesto que invita a dinamitar los espacios de producción históricamente concebidos como antagónicos: interior vs exterior. Desde el
momento en que podemos encontrarla en La Habana escribiendo relatos madrileños o en Lugano reconstruyendo La Habana de los noventa, queda fracturado todo estado monolítico anterior sobre la pertinencia o legitimidad que los autores (y críticos) cubanos divididos entre
quienes se fueron y quienes se quedaron, suelen auto-adjudicarse.

3. ALLÁ DONDE SE CRUZAN LOS CAMINOS,
    DONDE EL MAR NO SE PUEDE CONCEBIR...[4]

El segundo de los textos a comentar sería una suerte de crónica
de ficción "Pongamos que hablo de" en donde otra vez una cubana
pasea por Madrid y mientras lo hace, da rienda suelta a una voz que en

---

[4] Fragmento de la canción "Pongamos que hablo de Madrid" de Joaquín Sabi-
na. El título de la crónica de Fernández Pintado juega con el de dicha canción, así
como pretende hacer el de este epígrafe con ambos.

ejercicio de extrema consciencia ataca más que a un sujeto específico a la ciudad toda como síntesis y proyección de su propio malestar, su inadaptabilidad, su imposible relación con los espacios o climas que esta le ofrece. La personificación de la urbe se potencia en tanto tropo utilitario que le ayuda a establecer pautas de ajenidad:

> Ya había hecho un inventario exhaustivo de las desventajas de un invierno demasiado frío en el que nunca nevó. Llegué a pensar, casi a desear, recibir fotos de amigos patinando en un malecón helado que se parapetaba detrás de un carámbano gigante en forma de muro, mientras yo debía conformarme con el triste sucedáneo de una helada raquítica y grisácea, como la de aquella única mañana en la que…(48)

Como resulta fácil de observar, se trata de un sujeto que desmiente toda idealización en torno a lo que la ciudad receptora le ofrece. Una vez más no se aclara si se trata de una inmigrante o una simple viajera. No sabemos cómo ha llegado allí. No responsabiliza a otros por su suerte. Podríamos incluso sugerir que el desafío consiste en vérselas en igualdad de condiciones y sin intermediarios con ese espacio que –si solo atendiéramos a la historia, la lengua e incluso a los vivos lazos sanguíneos entre quienes lo habitan y los naturales de la isla– habría de resultarle culturalmente acogedor y nunca hierático u hostil. Pero una vez más, la escritora elige un camino repleto de obstáculos, de dificultades que denuncien la imposibilidad de su cruzada real del mar Atlántico. Ese mar que de continuo parece separarla de todo cuanto ama; quizá de cuánto reconoce.

Acá queda claramente desmantelada aquella idea que sostendría que la identificación cultural y racial funciona como natural puente conector entre los ciudadanos de ambas zonas geográficas. Dicho puente aparece más bien abocado al fracaso. Introduce la inquietud de pensar que la similitud de la lengua y las conexiones históricas no tienen ya desde el imaginario descolonizado, fuerza suficiente como para pasar por alto interrogantes y cuestionamientos críticos de todo orden.

Frente a una presunta calma –negociación lógica de la conciencia al constatar los beneficios de los que goza al encontrarse lejos de las carencias básicas que sufren los cubanos– esta nueva mujer de Fernández Pintado recoloca su voz no solo para acusar malestar y escaso sentido de pertenencia, sino también para auto-establecerse como ojo que se jerarquiza y desprecia cuanto ve, cuanto le es ofrecido a cambio de su 'natural gratitud':

> El verano era tan caliente, tan sin brisa, tan sin acontecimientos. Todo cerrado, la ciudad vacía y llena de extranjeros ridículamente bajo el sol, buscando toros y cante jondo como rebaño de vacas con cámara y tarjetas de crédito. Y yo a pensar en el mar y a tener siempre mucho calor. A decir que me faltaba el aire y el verano húmedo y los buenos aguaceros puntuales de las tardes de agosto. (48)

Las marcas más relevantes de este nuevo texto serían sin duda el distanciamiento y el cinismo. Un juego circular 'dentro-fuera-dentro' que acusa recibo de una memoria colonial, pero que asimismo no pacta con la nueva puesta en escena de ese *status* y sus prácticas, especialmente si se trata de mujeres que han de establecerse en la antaño zona metropolitana. La que aquí se presenta es una voz resistente que asume todo gesto –hasta aquellos relacionados con el estado del tiempo– como una suerte de cruzada personal:

> El cielo sereno y el aire limpio. Menos el día de mi cumpleaños [...] La noche antes lloré cosas lejanas y personas perdidas, escribí párrafos maldicientes y despiadados y me dormí descontenta y rencorosa porque Madrid no me merecía cumpleañera, como si mi envejecimiento fuera un episodio nacional. (48-49)

Luego de incidentes que enfatizan una y otra vez esa no pertenencia de la sujeto a los sitios en principio diseñados para cautivarla, Fernández Pintado apuesta por el emplazamiento global, dando paso una vez más a su incesante voluntad de hacer inestables los estancos históricos. Fragmentos como los que citaré en lo adelante, apuntan a esa voluntad de incesante búsqueda en donde solo la fragmentación yuxtapuesta de referentes culturales y el no compromiso con una urbe específica, parecen moldearse como lo más auténtico de su voz nómada. Al rememorar qué le ofrece Madrid durante su cumpleaños y qué decide finalmente tomar de la ciudad, estas serían *grosso modo* las fichas para mover su impenitente juego:

> Bajo la lluvia comí en un Chesterfield Café, por no hacerle el juego a la comida típica. (49)
> Bajo la lluvia, perseverante escolta, al cine Angelopoulus y *La eternidad y un día*, ese que ya se acababa sin que el tiempo mejorara. (49)
> La noche terminó con calefacción y sopa china y unos maridos y mujeres que de la mano de Woody Allen se peleaban y reconciliaban como nosotros. (49)

Si por una parte es cierto que en la narración apela a Madrid como si se tratara de una persona amada y establece constantes paralelos al respecto, por otra no es posible desaprovechar cuántas alusiones –como si de estocadas mortales se tratase– hace a referencias que explicitan una clara ruptura con el círculo colonial. Rupturas que podrían ser establecidas desde el sedimento factual decimonónico hasta esa latente revitalización de ejercicios de poder colonial que deambulan por el presente bajo nuevas coreografías. La estocada recién referida se goza entonces en salirse del Madrid español, ayer imperial, para reencontrar una propuesta de un Madrid alternativo en donde prevalezcan los cafés ambientados a la usanza norteamericana, una película griega –o salida del neurótico imaginario universal de Allen– y una sopa china.

Más que una comparación entre el caos citadino del viejo mundo con la modernidad de los pueblos jóvenes (Manhattan como síntesis arrolladora) esta voz que se presenta cansada, derrotada, elige todavía un escenario en donde las subjetividades del nuevo 'ser' globalizado maticen o mejor recodifiquen las viejas estancias de poder. Una subjetividad en donde la experiencia trasatlántica no la haga votar ferviente por uno de los componentes del circuito respiratorio exmetrópoli-excolonia, reproduciendo así las viejas formas representacionales con sus discursos y actuaciones clásicas.

La zona de la obra de Mylene Fernández Pintado que recrea escenarios en donde alternan personajes nacionales de países como España y Cuba –alentadores *per se* de una sospecha ante la dinámica que propone el sustrato colonial– parecería estar en consonancia con aclaraciones como la de Alfonso de Toro cuando nos recuerda sobre los desafíos del poscolonialismo, aquellos que habrían de estar enfocados en:

El diálogo, el debate que se inicia no es uno de mera reproducción, sino de refundación y de relativización de los discursos dominantes del centro. Así, se trata de una reescritura del discurso del centro, de un "contra-discurso" como discurso subversivo, de su descentramiento, en un sentido semiótico-epistemológico (y no ideológico-militante comprometido) y no de la reconstrucción de una identidad sustancial (esencia), sino de una apropiación de los discursos del centro y de su implantación recodificada a través de su inclusión en un nuevo contexto y paradigma histórico. (uni-leipzig.de)

La autora apuesta sin dudas por esas recodificaciones que parecerían tener como objetivo común la inestabilidad y la ausencia de centro. La ciudad como laberinto infinito potencia gráficamente esta idea y así la representa y desafía. Presenciamos pues, una estrategia lúdica que no admite esencialismos:

Y se me antojó que estabas llena de recovecos, sinuosidades y laberintos, porque encontrar el íter al teatro Apolo me parecía lo mismo que buscar el Santo Grial. Porque no eres lineal y cada vez que algún signo es claro lo complica una placita, un lugar de cruce del que se desparraman caminos nuevos que me hacían perder el ovillo, como si las calles arribaran cansadas a cada plaza y allí dejaran, abandonadas a su suerte, su nombre y las ganas de conservar su sentido. Y entonces las plazas bautizaban nuevas calles que unos metros más tarde hacían lo mismo. Vencida y malvada, coloqué junto al plano de la ciudad un mapa de Manhattan, con quien me gusta tanto darte celos y te demostré que era esbelta y geométrica y Mondrian. (49)

4. LA IMPOSIBLE RECONCILIACIÓN, SU ESPERANZA

Una vez llegados aquí podría entonces semiconcluirse que la obra narrativa de Mylene Fernández Pintado se manifiesta, desde esta zona específica, como una declaración incómoda ante la imposible reconciliación que la subjetividad trasatlántica parece ofrecerle. Ello sucede mientras a la par denuncia los sustratos de imaginería colonizadora que perviven tanto en los habitantes del centro como los de la periferia, siendo estos últimos doblemente inquietantes. Inquietantes en la medida en que son representados desde el triple cruce de marginalidades 'género-clase-posicionalidad' e inquietantes también porque si bien es cierto que han adquirido consciencia de las nuevas reglas del juegos –sus disfraces– son mujeres que ya no están dispuestas a pactar con el silencio y la subordinación. Muy por el contrario, parecen contestar a la antológica pregunta de Spivack e incluso superarla. No solo puede el subalterno hablar sino que más allá de ese uso subversivo de la lengua del colonizador, puede llegar la subalterna a proponer, a reinaugurar espacios físicos y de enunciación, reinventando acaso las ciudades en donde una vez se redactaran las leyes opresoras al mostrarles un deber ser 'otro', de comuna global, de pastiches infinitos.

Las mujeres de la periférica periferia que pueblan estos relatos parecen también poner en escena el *odie et amo* con que pervivieron desde siempre colonizadores y colonizados. No importa cuántas veces hayan intentado cruzar el vastísimo *Mare Atlanticum*, ni cuántas veces hayan, en ese proyecto, fracasado. Navegar, navegar, parecería decir la voz secreta que desde sus íntimas proas les convida.

Alguna vez, quién sabe cuándo, será descubierta la isla equidistante.

Bibliografía

ÁLVAREZ BORLAND, ISABEL."Fertile Multiplicities" *Cuba. Idea of a Nation Displaced*. Andrea O'Reilly Herrera (Ed.) Albany: State University of New York Press, 2007.

ANDERSON, BENEDICT. *Imagined Communities: Reflections on the Origin and Spread of Nationalism* (Revised and extended. ed.) London: Verso, 1991.

ARAÚJO, NARA. "El espacio otro en la escritura de las (novísimas) narradoras cubanas". *Temas* 16-17 (1998-1999): 212-217.

BHABHA, HOMI K. *El lugar de la cultura*. Traducción César Aira. Buenos Aires: Manantial, 2011.

CAMPUZANO LUISA. "Narradoras cubanas de fines de los 90. Un mapa temático/bibliográfico". *Temas* 32 (2003):12-20.

CASAMAYOR, ODETTE. "Soñando, cayendo y flotando: Itinerarios ontológicos a través de la narrativa cubana post-soviética." *Revista Iberoamericana*, XXVI, 232-233 (2010): 643-670.

CASTRO-GÓMEZ, SANTIAGO. "Ciencias sociales, violencia epistémica y el problema de la invención del otro". Edgardo Lander (comp.). *La Colonialidad del saber: eurocéntrismo y ciencias sociales. Perspectivas latinoamericanas*. Buenos Aires: CLACSO, 2000. (145-161).

DE TORO, ALFONSO. "Postcolonialidad y postmodernidad. Jorge Luis Borges o la periferia en el centro/la periferia como centro de la periferia". Ibero-Amerikanisches Forschungsseminar. Universität Leipzig. Web. 18 Ene. 2013.

"Empresas españolas establecidas en Cuba". *Trabajarporelmundo.org*. Web. 12 Feb. 2013.

FERNÁNDEZ, DAMIÁN (Ed., Intro.). *Cuba Transnational*. Gainesville: University Press of Florida, 2005.

FERNÁNDEZ PINTADO, MYLENE. *Anhedonia*. La Habana: Unión, 1999.

—————. "Pongamos que hablo de". *La Revista del Vigía*. Estación de las lluvias. (2002): 48-50.

HERNÁNDEZ HORMILLA, HELEN. "Paradigmas en conflicto. Lo femenino en las narradoras cubanas de los noventa". *Perfiles de la cultura cubana* 5 (2010). Web. 4 Mar. 2011.

HUTCHEON, LINDA. "La política de la parodia postmoderna". *Criterios*, edición especial homenaje a Bajtín. (1993): 187-203.

ICHIKAWA, EMILIO. "Estudios poscoloniales y pensamiento poscolonizado" *El Caimán Barbudo*. 293 (1998): 25.

JAMESON, FREDRIC. "Third-World Literature in the Era of Multinational Capitalism." *Social Texts* 15 (1986): 65-88.

LUGONES, MARÍA. "Colonialidad y género". *Tabula Rasa* 9. (2008): 73-102. Web. 8 Ene. 2013.

MATEO PALMER, MARGARITA. *Ella escribía poscrítica*. La Habana: Abril, 1995.

TIMMER, NANNE. "De la ciudad letrada hacia la ciudad virtual; Cuba y su vida literaria después de los noventa". *Sentidos dos lugares. Anais do Encontro Regional da Associação Brasileira de Literatura Comparada*. Publicação em CD. Rio de Janeiro. Web. 6 Feb. 2011.

TRIGO, ABRIL. "Los estudios transatlánticos y la Geopolítica del neo-hispanismo" *Cuadernos de Literatura*. 31 (2012): 17-47.

YÁÑEZ, MIRTA. "Feminismo y compromiso. Ambigüedades y desafíos en las narradoras cubanas" *Temas* 59 (2009): 158-164.

Rogelio Saunders:
Incomprensibilidad económica

Cristián Gómez Olivares

Un estudio, un análisis, una aproximación –llámesele como se quiera, aunque este nombre no sea en ningún caso prescindible– a la obra de Rogelio Saunders (La Habana, 1963) y su situación "geopoética" (perdón por el neologismo, pero la naturaleza esquiva de esta obra me obliga a improvisar nuevos caminos de relacionarme con ella), tendrá por fuerza mayor que alejarnos del estudio de la poesía cubana, aislado y finito en sí mismo, para intentar cubrir los múltiples terrenos de circulación donde el exilio y la censura han llevado al autor y a su obra.

Un latinoamericanismo, por tanto, que no dé cuenta de los mutabilidad de sus sujetos, y de la agenda propia que ellos manejan, poco o nada nos podrá ayudar a entender el hecho de una poesía como la de Saunders y, por extensión, la de ese grupo del que formara renuentemente parte, Diáspora(s). Por sobre todo, me interesa remarcar aquí su incomprensibilidad económica, esto es, la nula o dificultosa circulación de una obra que en su peculiaridad se plantea como un desafío a la recepción, dentro y fuera de la isla, tal como veremos. Lo que en adelante detallaremos de la escritura de este autor es, precisamente, su autarquía y su incomunicabilidad, lo cual la distanciará tanto del contexto dominante de la poesía cubana a principios de los noventa, como también de la poesía escrita en España en la misma y la siguiente década (Saunders parte a España en 1998). Este doble aislamiento, del cual el autor es el primero en estar consciente, es uno de los temas principales de nuestro tanteo:

> Lo que en *Diáspora(s)* se hizo patente es que en un estado totalitario el compromiso mismo con el arte es *político* y, más aún, *revolucionario*.
> (Pero: ¿sólo en un "estado totalitario", ese emblema tranquilizador, usado ya para enmascarar el asesinato silencioso de los ideales y de los afectos?

¿O más bien el totalitarismo se articula siempre, ayer y hoy, allá y aquí, a través de una infinidad de mecanismos de seducción y control, de perversión y compra, de vigilancia y castigo? ¿O acaso el dinero no resulta tan efectivo como la ideología a la hora de expropiar, de silenciar, de marginar o de suprimir? Ser un artista verdadero es lo que no tenía lugar allí en el "paraíso" socialista, y es lo que no tiene lugar tampoco aquí en el "paraíso" capitalista). (Saunders, *Revista Diásporas(s). Edición facsímil (1997-2002)* 129-130)

La incomprensibilidad económica, sin embargo, necesita de un mayor desarrollo. Y, para ello, quisiéramos empezar tomando con pinzas la posibilidad de utilizar metáforas economicistas en torno al ámbito cultural. Como bien advierten Koritz y Koritz (1999), el uso indiscriminado de este lenguaje en el medio ambiente literario y/o artístico, puede conducir a que dejemos afuera fenómenos de este último campo que no calcen con la plantilla mercantil.

Por lo pronto, metáforas como las del "éxito" literario (y/o de ventas), son de las más perniciosas a la hora de abordar hechos estéticos que simplemente son intraducibles a este formato. En el caso específico de la literatura cubana, la realidad política y económica posterior a la caída de la Unión Soviética, es inseparable de las nuevas formas de apreciar la producción literaria de la isla. Si lo anterior pudiera parecer una obviedad, no lo es el hecho de que en el nuevo contexto que se genera debido al Período Especial, consideraciones relativas a la acumulación de capital y la centralidad de las divisas extranjeras (subsumiendo la economía cubana, en mayor o menor medida, de manera más o menos explícita, a los vaivenes de las finanzas internacionales), moverán el foco de la creación literaria, anteriormente centrado en alcanzar un valor literario, hacia una imperiosa necesidad de transar ese valor estético al interior de un mercado de capitales que no por vigilado dejaría de producir efectos indesmentibles en la vida de la nación cubana.

Así lo señalan, entre otros, ensayistas como Esther Withfield y Damaris Puñales-Alpízar, cuando comentan en torno a la introducción del dólar americano como una moneda válida[1], a partir de 1993, en

---

[1] O, más bien, la despenalización de este, ya que la moneda norteamericana circulaba clandestinamente en Cuba con anterioridad, aunque su uso era fuertemente penalizado.

la economía isleña. Si la segunda de ellas recalca la instauración en la Cuba de los noventa de un sistema que en lo esencial abdicaba de los postulados socialistas, Whitfield por su parte detalla las tres leyes introducidas en aquella época que cambiarían el rumbo de la Revolución cubana:

> the most significant for literary production are a November 1993 law decree allowing writers to negotiate contracts with foreign publishers independently of state organizations; the consolidation in April 1994 of a ministry of tourism, under whose aegis Cuba's physical landscape and social hierarchies would be dramatically altered; and a 1995 law to promote foreign investment in Cuban enterprise that would in practice extend beyond the government's joint ventures with outside corporations and deep into the informal sector. (4)

Todo lo anterior no hace sino establecer un escenario que –en la Cuba de aquella época– resultaba sumamente novedoso, y amenazante. Forzados a establecer su valor de cambio, los escritores cubanos pronto descubrirían que la isla (o en realidad, el proceso que estaba viviendo la isla) se había puesto de moda en tanto último reducto del socialismo en Occidente.

En la medida, señala Puñales-Alpízar, en que Cuba pasó a ser un souvenir ideológico, "el parque jurásico del socialismo" (33), los escritores cubanos, castigados ya con las primeras medidas draconianas que empezaron a afectar la vida cotidiana, entre las que se contaban severas restricciones energéticas y de transporte, también tuvieron que ponerle cara a la drástica disminución en todos los medios editoriales[2], lo que los empujó a dejar de lado paradigmas hasta ese entonces incuestionables (por lo menos en la esfera pública), como la conducta que preconizara el Che (Ernesto Guevara, 1928-1967) para el "hombre nuevo" que se pretendía construir en la isla, donde el dinero

---

[2] Según Puñales-Alpízar, "Una de las primeras medidas que tomó el gobierno estuvo relacionada directamente con el mercado editorial: dejaron de publicarse numerosas revistas, los periódicos redujeron considerablemente el número de páginas así como la frecuencia de su salida: casi todos se convirtieron en semanarios. La cantidad de libros publicados cayó drásticamente" (133).

jugaba un papel más bien simbólico y su valor se mantenía de manera, por decirlo de algún modo, ficticia[3].

No era muy difícil, entonces, tal vez incluso era esperable, que algunos escritores encontraran en el nuevo estado de cosas un "filón por explotar", si se me permite la doble metáfora, ya que estamos en ello, pese a las precauciones que, con Koritz y Koritz, señalásemos más arriba. Los cambios que comenzaría a experimentar la literatura de la isla (aunque por ahora nos refiramos en particular a la narrativa), se traducirían en cambios que también se expresan al interior del texto, siendo una de las primeras "víctimas" de este proceso el héroe positivo que caracterizara novelas de la década de los setenta, como por ejemplo *La última mujer y el próximo combate*, de Manuel Cofiño, o la novela de espionaje que escribiera Luis Rogelio "el Wichy" Nogueras, *Y si muero mañana*, donde el héroe, muchas veces colectivo, o donde se ilustraba la participación de distintos estamentos de la sociedad socialista, tenía como norte el mejoramiento o la consolidación del universo revolucionario.

En su lugar, comienzan a ocupar el panorama, sobre todo el panorama de aquella narrativa que mejor se lleva con la distribución masiva y la publicidad, relatos como los de Pedro Juan Gutiérrez, quien de acuerdo a Francisco Leal,

> está consciente de que la estética pasa a ser un lugar de intercambio o compraventa y lo vuelve motivo. [...] En *Trilogía* se percibe el intercambio como parte donde la estética se constituye en valor y que ese valor puede ser reducido a mercancía, a dólares y finalmente que ese dinero viene desde el lector (extranjero). (62)

En este proceso de reconversiones, lo único transable para la poesía provino de la posibilidad que los autores tuvieran de posicionarse –políticamente– al interior del aparato estatal y/o, en su defecto, alejarse de lo anterior e intentar salir al exterior, teniendo nosotros en cuenta que dada la situación imperante durante el Período Especial, a muchos autores les fue concedida la posibilidad no solo de negociar

---

[3] Usamos este adjetivo no sin hacer la salvedad de que, también en el capitalismo, se puede hablar de este valor ficticio, o al menos convencional, del dinero. Cfr. Shell 54 (1999).

contratos editoriales de manera independiente, sino también la de salir al extranjero (excepción hecha de EE.UU.) si conseguían alguna fórmula "atendible", i.e., contratos de trabajo, becas de estudios o residencias de escritores.

Es en ese estado de cosas que se produce la publicación de los primeros textos de Saunders, en medio de una Cuba sumergida en la más profunda de las crisis que ha visto la nación caribeña en las últimas décadas (que no ha visto pocas). El primero de sus libros, *Polyhimnia*, es de 1996, cuando el país recién se empezaba a recuperar de los coletazos de los años más crudos del Período Especial.

Visitante de las conocidas, aun cuando semiclandestinas, reuniones en la Azotea de Reina, la sociabilidad de Saunders se limita a círculos como este, el de *Naranja dulce* y el del ya mentado grupo Diáspora(s), resistido o tolerado por el poder a regañadientes, si no derechamente puesto al margen de todo tipo de institucionalidad y condenados sus miembros al silencio o al ostracismo, cuando no a ambos.

Valga una nota sobre *Naranja dulce*. Esta revista comenzó como un suplemento de *El Caimán Barbudo* (cfr. Cabezas Miranda, *La Habana Elegante* en la bibliografía), pero pronto tomó vuelo propio para abordar temas, según Alberto Garrandés, propios de una posmodernidad que se asomaba con timidez en la Cuba de principios de los noventa. Según este último,

> Significaba, en principio, que habíamos encontrado un modo de interconectar distintas redes culturales y específicamente literarias. Pero, en segundo lugar, significaba que nuestras búsquedas, encauzadas por caminos creativos diferentes, se asentaban —con bastante tardanza: siempre tuve la fuerte impresión de que estábamos descubriendo el agua tibia— fuera del sistema autofágico y parroquial de la cultura cubana entendida como monolito identitario. Un monolito con sus saludables negaciones [...], pero a la larga sumergido en el magma de una actitud política que reinterpretaba interesadamente los grandes iconos literarios, como sucedió con el Grupo Orígenes y la revista homónima, por ejemplo. (*Cubista Magazine*)

Sin embargo, este insularidad dentro de la ínsula, este aislamiento también tiene su correlato en la opción estética que representa Saunders en particular y Diáspora(s) en general, una rareza en el pano-

rama de las letras cubanas en la medida que hay un afán declarado por
romper con un modelo de producción poética que se había (¿que se
ha?) entronizado en la lírica cubana. No descubro nada al hacer este
distingo entre Rogelio Saunders y la normativa poética que imperara
en Cuba, casi sin discusión, hasta no hace mucho. Quisiera repasar
los argumentos de aquellos que han dicho antes lo que yo ahora estoy
repitiendo, ya que nos ayudará a situar la postura de Saunders. En el
prólogo de *La casa se mueve*, Sigfredo Ariel, uno de los antologados,
plantea que para los autores incluidos en el volumen (sintomáticamente, solo dos de ellos pertenecientes a o relacionados con Diáspora(s),
como es el caso de Juan Carlos Flores y Omar Pérez), el predominio
del modelo conversacional de escritura se había tornado insostenible,
en la medida en que era un estilo asumido hacía ya un par de décadas, pero por sobre todo porque se había consolidado como la traducción poética del *establishment* político, como la forma de instaurar el
"nosotros" impulsado/impuesto desde el poder central, el cual si era
un nosotros épico y joven y lleno de anhelos, tantísimo mejor. Según
Sigfredo Ariel

> la poesía actual cubana se ampara y crece bajo un signo inverso en el sentido
> formal. Desde el inicio de los ochenta los poetas jóvenes rechazaron las cotas
> impuestas por el coloquialismo, que alcanzó su mayor auge entre los poetas
> de la llamada Generación del 50, y una tendencia exteriorista y de servicio
> político explícito al que aspiraban algunos de los escritores que se dieron
> a conocer en los primeros años de la Revolución, enfrentados a algunos de
> sus contemporáneos (Lina de Feria, Delfín Prats, entre otros), tildados en su
> momento de intimistas, librescos, evadidos o escapistas y otras cosas mucho
> peores. (Luque y Aguado 13)

Este distanciamiento de un modelo que aparecía como incapaz de
dar cuenta literariamente de las inquietudes de estos autores[4], también
es visto por el ensayista Walfrido Dorta como uno de los puntales de
la diferencia que significaría Diáspora(s) en la escena literaria cubana.

"Los anquilosados patrones representacionales" (Dorta 44) del
sistema literario cubano, se sostenían en dos ejes que Diáspora(s) pre-

---

[4] Otros autores que también intentan alejarse del predominio conversacional
son, por ejemplo, Ángel Escobar y Raúl Hernández Novás. Para mayores referencias
sobre este último: http://www.isliada.org/ensayo/2011/06/salvar-al-poeta-novas/.

tende tachar. Uno es el del grupo Orígenes, el otro el mentado tono conversacional en tanto norma sancionada. A Orígenes por la instrumentalización que se hizo de este grupo a partir de los noventa, en tanto representantes de una teleología insular y una búsqueda redentora, si bien en la tensión dinámica entre ambos grupos, el de los jóvenes de los noventa rescataban entre otras cosas de Orígenes, la posibilidad de "una sociabilidad literaria más allá de los envites históricos" (Dorta 47). Pero donde sí marcaban diferencias profundas era con ese conversacionalismo en tanto sinónimo de ese nosotros capturado por la ideología oficial, en la medida en que Diáspora(s) se entiende a sí mismo como un grupo posnacional, es decir, siempre según Dorta, un conglomerado que no entiende a la nación como entidad legitimante.

Este rechazo del conversacionalismo (en el cual nos gustaría detenernos, aunque no podamos hacerlo por ahora por cuestiones de tiempo) tiene que ver con la problematización del lenguaje y la función de este, con la comunicabilidad que cabría suponerle, *id est*, con la posibilidad del lenguaje poético de transmitir un mensaje, suponiendo, aunque nunca dando por sentado, que haya un emisor del mismo en tanto sujeto independiente y "dueño" de su discurso (subrayadas las comillas), además de una audiencia, y asociado con lo anterior, que tal audiencia esté disponible para escuchar semejante discurso. Y el lenguaje como problema, para los poetas de Diáspora(s), viene del hecho de escribir dentro de un estado totalitario, tal y como ellos lo denominan.

El mismo Saunders se ha referido al tema de la palabra poética al interior de un sistema de estas características, expresando su desconfianza de ese tono coloquial que se instaurara cuasi oficialmente, aunque ya venía desde hace mucho antes, en ese negro 1971, año del juicio a Heberto Padilla y su autoinculpación pública y la consiguiente delación de algunos de sus cercanos. Para Saunders

lo que vino después de 1971 fue la petrificación de un estilo (el *conversacionalismo* o *coloquialismo*) como estilo oficial de la poesía, expresión de la "transformación revolucionaria" y su esencia "popular", "antiburguesa" y "antielitista" (la palabra del "hombre nuevo"). Algo que no cesó sino que continuó en los años ochentas y noventas, y que condujo a un matrimonio impropio entre trovadores y poetas (se extendió la idea de que un trovador era o podía ser un poeta eminente, como en una versión perversa del trovador provenzal), y en consecuencia a una vulgarización sistemática de la poesía y de la tarea del poeta, reducido a contabilizar zapatos, ventanas y descamisados amores que siempre tenían lugar en muros, parques, ómnibus o aulas de escuelas. Cantos y más cantos a la fragilidad del hombre y la "importancia de la lucha", estimulándose e institucionalizándose el uso de una palabra "común" como materia *necesaria* de la poesía. De modo que parecía no solamente que un trovador podía ser un gran poeta, sino que cualquiera –o casi– podía ser poeta (en particular, si era joven y estaba lleno de esperanzas y oscuros anhelos). Todo lo cual sigue a la perfección la lógica del totalitarismo, que afirma que todos tienen derecho a la palabra y, dentro de este derecho y como resultado de este derecho, la condición de poetas. (Para que, en revancha –"*noblesse oblige*"–, ningún poeta pueda firmar su obra como poeta. La firma, sí, pero como "representante del pueblo", no como individuo, no como "élite". Es lo que hace el escritor –lo sepa o no– cuando sigue el señuelo totalitario). ("Acerca del lenguaje y el poder")

Aun a riesgo de equivocarnos, me permito la libertad de hacer una afirmación que tal vez algún crítico o lector ya haya hecho, lo cual no haría más que reafirmar nuestra idea de que el conversacionalismo fue a la poesía cubana lo que el realismo socialista (tampoco nunca oficial aunque sí promovido desde arriba) fue a la narrativa cubana de la época. Con una diferencia: creo que el tono coloquial y su carga ideológica ha demostrado mayor longevidad que el realismo socialista, caído en desuso fundamentalmente por una demanda de mercado y la necesidad de cubrir el deseo de exotismo, otredad y caribeñidad tan en boga a partir de los noventa. Estas demandas, fomentadas en su mayoría por la industria editorial (y sobre todo por la industria editorial europea), en especial en el ámbito de la narrativa, terminaron por poner la lápida de la épica heroica de un Manuel Cofiño y otros autores que se dedicaran a ensalzar al héroe positivo.

Pero el discurso lírico, carente de este tipo de circulación económica y por tanto ajeno a las demandas impuestas por el mercado editorial[5], por una parte, pero además con un rol incontestable en la

---

[5] No queremos con esto señalar que la lírica se desentienda por completo de sus influencias económicas, que las tiene. Simplemente nos interesa subrayar aquí que narrativa y poesía responden diferenciadamente a su relación con el mercado, que también exige funcionamientos distintos de ambos géneros.

formación de la nación cubana[6], mantiene para sí un estatuto que le
ha hecho cobrar una extraña perdurabilidad incluso en tiempos de una
crisis continua, como han sido los últimos veinte años de la vida cubana, tal vez menos ahogada que a principios de los noventa, pero no
por eso menos angustiada. Solo quisiera citar un caso, que no por su
elocuencia deja de ser paradójico.

Me refiero al tipo de recepción que han tenido las obras de dos
poetas, ambas matanceras, más o menos contemporáneas. Una es
Digdora Alonso (1921-2007), la otra es Carilda Oliver Labra (1922).
La primera de ellas vio su obra publicada solo muy tardíamente, a
pesar de la versatilidad de su escritura y su adopción de una norma
estilística marcada por un tono "incisivo y antirretórico" (Zaldívar,
Alonso 10). El poeta Alfredo Zaldívar, que ha hecho una invaluable
labor de rescate de su obra, señala que después de un largo silencio,
la crítica no ha podido sino subrayar que en sus libros "lo prosaísta,
lo narrativo, la austeridad de los recursos, la síntesis, el conceptua-
lismo, el humor, ostentaron una novedad infrecuente en la poesía
cubana de la época" (*Alonso* 11); pero si la poesía cuestionadora de
Alonso ha sido casi una rareza en las letras cubanas de la segunda
mitad del siglo XX, el caso de Carilda Oliver Labra es precisamente
lo contrario. Una figura pública y conocida, su poesía es frecuentemente citada en actos públicos y vastamente editada, no obstante
que, desde nuestro punto de vista, su escritura se asemeja a una especie de anacronismo que sobrevive en la medida que su resonancia
lírica (toda o casi toda su obra es una expresión de un amor de pareja
sublimado y erotizado al mismo tiempo) ha podido formar parte de
esa comunicabilidad del conversacionalismo, sin ser necesariamente
parte de esta tendencia.

Lo que quisiera subrayar con lo anterior es que una autora como
Oliver Labra, completamente divorciada de cualquier contemporaneidad (salvo por cuestiones de género, las que también habría que discutir) cuenta sin embargo con el apoyo del aparato estatal de manera
incuestionable, lo cual podemos leerlo como una prueba fehaciente

---

[6] Como referencia, el lector puede consultar, entre muchos otros títulos, el libro
de Jorge Castellanos detallado en la bibliografía.

del tipo de ideología poética que prevalece hoy en Cuba[7]. En el libro
que sobre ella escribió Urbano Martínez Carmenate, más cercano a
la hagiografía que al género biográfico, podemos ver cómo la figura
de esta poeta se canoniza en cuanto miembro central, pero no crítico,
de una comunidad. Esto es, en tanto su escritura es capaz de producir
una plusvalía simbólica para el sistema político. En el primer capítulo
de su biografía, titulado sintomáticamente "El mito"[8], Martínez Carmenate da argumentos para la concreción de tal mitología en torno a
Oliver Labra, cuando escribe lo siguiente:

> ¿Quién es esa mujer, envuelta en el fuego de la leyenda, alborotado-
> ramente cantada por poetas, músicos, pintores, dramaturgos y cineastas?
> ¿Quién? Es la dama de las cartas sin respuesta. Le escribe gente de cualquier
> sexo y edad para pedirle autógrafos, manuscritos o consejos. La correspon-
> dencia versa siempre sobre dos asuntos: la poesía y el amor. Se amontonan
> encima de sillas y mesas los sobres abiertos, sin contestación, desparramados
> al azar, como la geografía de los remitentes. No rompe ningún pliego, no los
> tira ni se deshace de ellos: los guarda, los colecciona con celo y orgullo, pero
> no responde. Antes se excusaba por el poco tiempo; ahora culpa a sus dedos
> maltratados por la artritis... (17)

Si consideramos, entonces, estas formas de consagración anacró-
nica, donde interesa más el peso de una figura pública en tanto interlocutor validado (pero no necesariamente), tal vez podamos entender
palabras como las de Rolando Sánchez Mejía, cuando plantea con
acritud que "Lo cubano es fascismo, lo cubano es el timo del siglo"
(Dorta 43). El autor de Diáspora(s) cuestiona con esto lo unívoco de
un proyecto que en su invitación al "todos" y al "nosotros", no deja
espacio alguno para la disidencia, sea esta literaria o política, al con-
culcar el derecho al habla de aquel o de aquellos que cuestionen el
canal en que se produce y los códigos que ocupa tal comunicación.

---

[7] O puesto en otras palabras: la ideología poética que algunos sectores oficiales
promueven en Cuba.

[8] "El mito es la única interpretación posible de ciertos fenómenos ordinarios",
es la cita de Alfonso Reyes que encabeza el primer capítulo de esta biografía. Lamen-
table, como intentamos demostrar brevemente aquí, otras explicaciones pueden fácilmente ser vertidas para entender el fenómeno que representa Carilda Oliver Labra.

En la misma línea, con su rechazo de la norma literaria estableci-da, y por tanto de las formas de sociabilidad asociadas a ellas (en una palabra, en su rechazo de la poética y de la política del conversaciona-lismo), Rogelio Saunders se sitúa en consecuencia en los bordes de lo que un estado totalitario puede permitirle a sus interlocutores, estrate-gia que consiste básicamente (por parte de ese Estado) en negar a esos *outsiders* como interlocutores válidos, esto es, "el rechazo a conside-rar a determinadas categorías de personas como individuos políticos ha tenido que ver siempre con la negativa de escuchar los sonidos que salían de sus bocas como algo inteligible. Si la política es, para Ran-ciere, el 'escuchar como a seres dotados de la palabra a aquellos que no eran considerados más que como animales ruidosos'" (Dorta 47), quiere decir que Diáspora(s) en general, y Saunders en particular, no eran para el *establishment* sino una especie de zoológico sin celdas.

Sin embargo, ya vimos desde un principio que Saunders no solo entró en disonancia con el *mainstream* cubano (ideológica y literaria-mente hablando), sino que pronto su forma de escribir lo pondrá en las antípodas de las corrientes en boga en la España que lo recibe.

Recapitulemos: es 1998 y Saunders arriba a Barcelona con una beca para escritores. La experiencia de Diáspora(s) prevendrá rápida-mente a Saunders ante los cantos de sirena.

> En cuanto a mi viaje a Europa, si hubo una cesura (esa suspensión del juicio causada por el centelleo de lo nuevo), duró exactamente lo que tardó el diafragma de la lucidez en recuperarse. [...] Pues no hay que pen-sar ingenuamente que existe una libertad "incondicional" en alguna parte. [...] Vivimos, aquí y allí, en libertad *condicional* o *condicionada*, y si somos verdaderamente libres interiormente, lo somos tanto aquí como allí, en esa fuga perpetua en medio de la cual sobrevive lo humano, como una apuesta siempre dudosa, un frágil pacto que oscila entre la aniquilación y el júbilo. Las fronteras eran otras y no estaban dibujadas en los mapas. ("Acerca del lenguaje y del poder")

El tema es que tampoco habría mucho eco para una literatura autorreflexiva como la de este poeta, en medio del fervor generalizado por la poesía de la nueva sentimentalidad o de la experiencia, como se conoce en España a la estética comercialmente dominante en la poesía de ese país durante más o menos toda la última década.

Esta tendencia o escuela, que se ha entronizado en la península, propone a grandes rasgos la comunicación entre autor y lector, como uno de los núcleos en torno a los cuales el poema debe girar. Este afán supone entender el lenguaje (y el lenguaje poético en particular), como un ente transparente, como un fenómeno de mera transición, un umbral que se atraviesa sin que se gane o se pierda nada al cruzar ese punto que separa/une el adentro –del poema– del afuera –de la realidad.

La idea subyacente es la de reflejar (ahí, de nuevo, el mito de la transparencia) una experiencia colectiva a través del cedazo del yo, el cual se centrará en un lenguaje realista y figurativo, alejado de toda complejidad y hermetismo, para darle paso a un lenguaje que se quiere conversacional y natural, intentando desde un principio invisibilizar su condición de artificio, de lenguaje literario. Este último, para finalizar el retruécano, es concebido sin diferencia alguna del lenguaje cotidiano. Pero comentar los rasgos formales de esta escuela, implica dejar de lado un aspecto que es central al fenómeno que ella arrastra, como es el de su institucionalización y, por consiguiente, la de la profesionalización de la actividad del escritor.

El fuerte apoyo editorial (traducido, por sobre todo, en los catálogos de editoriales como Visor, Hiperión y, en menor medida, Pre-Textos y DVD), la obtención de una larga de lista de premios literarios (de los cuales, muchos son publicados en las editoriales arriba mencionadas), la participación en estos últimos como jurados de los mismos por parte de los nombres más visibles de esta tendencia (Luis García Montero, Benjamín Prado, Felipe Benítez Reyes) y el patrocinio universitario desde el mundo académico español, con la consecuente elaboración de tesis doctorales y listas de lecturas que contribuyen a la conformación temprana de un canon, todo ello explicable por la naturaleza endogámica de los Departamentos de Filología en España[9], en suma, la creación de una red de apoyo económico e institucional para una corriente estética que a su vez justifica(ba) la labor de esa misma red, en tanto servía para engrasar los engranajes económicos de las ventas editoriales, las que a su vez se retroalimentaban con los resulta-

---

[9] Cfr. http://www.elcoloquiodelosperros.net/numero18/olfateando18vic.htm

dos de los premios literarios, que esas mismas editoriales publicaban, etc., esa red sería poco propicia para el aterrizaje de un autor como Saunders, uno de cuyos principios poéticos pasa necesariamente por la rarificación del "mensaje" del poema, suponiendo que tal cosa exista.

Así como muchos estudios y trabajos trasatlánticos desarrollan la tesis de una mutua fecundación, en nuestro caso nos enfrentamos a una dinámica opuesta y de signo negativo. De hecho, el que nos parece que es hasta ahora el único libro de poesía publicado en el exterior por Saunders, *Sils María*, fue editado en México y no en España.

Hay una frase de J.F. Lyotard ("A wrong result from the facts that the rules of the genre of discourse by which one judges are not those of the judged genre or genres of discourse", Woodmansee 413), que es ilustrativa del tipo de recepción que experimenta la obra de Saunders. Las expectativas que un lector no cubano se podría crear, al menos en un principio, podrían relacionarse con ese corpus amplio y heterogéneo como es la poesía cubana en el exilio, sobre la cual se podrían escribir y se han escrito innúmeras páginas. Pero desde ya, casi por definición, serían esperables temas como el de la nostalgia por el país natal y, junto con ello, una forma de posicionamiento político, relacionado directa o indirectamente con los motivos mismos del exilio.

Paradójicamente, si ninguno de estos temas es prevalente en antologías como la de Odette Alonso, aun cuando no dejan de estar presentes, en el caso de Saunders marcan una forma última de aislamiento. Si la construcción del texto/poema/artefacto literario, en la Cuba de los noventa, estaba marcada por la norma coloquial o la porfía de reproducir el habla origenista[10], para el poeta de *Sils María* lo que cuenta, en cambio, son los fragmentos no de una subjetividad, sino los escombros textuales que, en su (des)organización, pueden tangencialmente dar cuenta de un estado de cosas y/o de un momento del lenguaje. Podríamos decir, con Lorenzo García Vega[11], que si para

---

[10] Véase, para mayor información sobre este último tema, el artículo de Javier L. Mora, "La poética del grupo Diáspora(s). Apuntes exploratorios". *Revista Diáspora(s). Edición facsímil (1997-2002)*, 31-41.

[11] En "Prólogo sin credenciales", García Vega señala que "antes de empezar a buscar símbolos, o antes que insertar un discurso dentro de un contexto, creo que es

algunos poetas del noventa la función de la poesía era la identidad o el canon cubano[12], ese momento nostálgico por la insularidad de la isla que deviene Isla, para un poeta como Rogelio Saunders el poema se torna simplemente en una disyuntiva:

> Porque, o bien hay palabra
> o bien hay historia. [...]
> Mis pasos dentro de mis pasos como espejos dentro de zapatos vacíos.
> Insoslayables incendios en catedrales de papel. (*Sils María* 27)

Estos versos pertenecen a un poema que no por nada se titula "Sueño del sastre", aquel que hace trajes a la medida, pero que también en épocas de extrema necesidad remienda, cose, arregla, parcha con lo que tenga a mano. Crea a partir del fragmento. Las opciones son pocas y el hablante de este texto opta con sobriedad solo por presentárnoslas. Pero en otro poema de este mismo volumen, "Los otros nosotros", nos acercamos a lo que podríamos llamar una poética, teniendo siempre presente que estamos ante un conjunto sobre todo no referencial. Allí escribe Saunders:

> Eso debía recordarme la formidable libertad
> que ha hecho todos los cielos azules y las albas despiadadas.
>   [...] en el papel
> un agujero es todo agujero y una estrella todas las estrellas.
> Los sentimientos pasan como una onda rápida sobre una superficie.
>   [...] Que lo trascendente
> *es sólo la hinchazón del lenguaje en pos de la imposibilidad*
> de una muerte y una vida, de un final y un comienzo.
> Si todo pudiera comenzar, ya hubiera comenzado.
> Si todo pudiese terminar, ya hubiera terminado. (*Sils María*, 50-51. Las
> cursivas son nuestras)

Podría decirse con Víctor Fowler que no hay aquí tanto una poética metarreferencial como un despliegue del pensamiento en su

---

más recomendable, al enfrentarse a estos poetas, hacerlo con una lectura que pudiera calificarse como lectura de astillas" (Aguilera 14).

[12] El rechazo de la Historia como eje de lectura o llave maestra para explicar el conjunto de la poesía cubana, en la que abunda García Vega en su prólogo, es por extensión un distanciamiento de cualquier afán de alcanzar identidades nacionales y/o de consolidar un canon ídem.

propio hacerse, un teatro del pensamiento que se observa y nos deja observarlo al construirse.

Pero estas operaciones poéticas resultan intraducibles en un panorama español férreamente dominado/domeñado por estéticas más conservadoras. Evidentemente, en España hay escrituras semejantes a la de Saunders. El mismo Rolando Sánchez Mejías vive también en ese país. No se trata de mayor o menor recepción, de una mayor o menor sociabilidad de esta estética. O no se trata *solo* de eso. El punto, si se me permite ponerlo así, es la intraducibilidad de la poética de Saunders en valor. La frase tópica de que su poesía no es "suficientemente valorada" (lo cual puede leerse a diario en blogs, diarios y revistas, aplicado a ciertos autores, cuál de todos más distinto del otro), cobra aquí el sentido que evocáramos en el principio de este ensayo. Al no aludir a los valores de "lo cubano" (o al menos a aquellos sancionadamente como cubanos), Saunders ha optado por un camino en solitario que ha probado ser reacio a su adopción, incluso en los más diferentes de los contextos.

Bibliografía

AGUILERA, CARLOS ALBERTO (Ed.) *Memorias de la clase muerta. Poesía cubana 1988-2001*. México D.F: Aldus, 2002.

ALONSO, ODETTE. *Antología de la poesía cubana en el exilio*. Valencia: Aduana Vieja Editorial, 2011.

CABEZAS MIRANDA, JORGE. "La poesía cubana a la vuelta del siglo: conversando con Emilio García Montiel y Norge Espinosa Mendoza" (entrevista). *La Habana Elegante*. Spring–Summer 2011. Web 13 Febrero 2014.

————. (Ed.) *Revista Diásporas(s). Edición facsímil (1997-2002)*. Barcelona: Red Ediciones/Linkgua Digital, 2013.

CASTELLANOS, JORGE. *Invención poética de la nación cubana*. Miami: Ediciones Universal, 2002.

DORTA, WALFRIDO. "Discursos postnacionales, política de (des)autorización y terrorismo literario: la poesía no lírica de los escritores del grupo Diáspora(s)". *Revista Diásporas(s). Edición facsímil (1997-2002)*. Jorge Cabezas Miranda (Ed.) Barcelona: Red Ediciones/Linkgua Digital, 2013.

GARCÍA VEGA, LORENZO. "Prólogo sin credenciales". *Memorias de la clase muerta. Poesía cubana 1988-2001*. Carlos Alberto Aguilera (Ed.) México D.F: Aldus, 2002.

GARRANDÉS, ALBERTO. "Naranja dulce y la utopía de los saberes creativos". *Cubista Magazine*. Verano 2006. Web 13 Febrero 2014.

GRILLO, RAFAEL. *Isliada*. 19 junio 2011. Web. 10 Diciembre 2013.

KORITZ, AMY AND KORITZ, DOUGLAS. "Symbolic economics". *The New Economic Criticism. Studies at the intersection of literature and economics*. Martha Woodmansee and Mark Osteen (Eds.) New York, London: Routledge, 1999.

LEAL, FRANCISCO. "*Trilogía sucia de La Habana*, de Pedro Juan Gutiérrez: mercado, crimen y abyección". *Taller de Letras* No. 37. (2005): 51-66.

LUQUE, AURORA y JESÚS AGUADO. *La casa de mueve. Antología de la nueva poesía cubana*. Málaga: Centro de Ediciones de la Diputación de Málaga, 2000.

MARTÍNEZ CARMENATE, URBANO. *Carilda Oliver Labra. La poesía como destino*. La Habana: Letras Cubanas, 2004.

PUÑALES-ALPÍZAR, DAMARIS. *Escrito en cirílico: el ideal soviético en la cultura cubana posnoventa*. Santiago de Chile: Editorial Cuarto Propio, 2012.

SAUNDERS, ROGELIO. *Polyhimnia (1988-1990)*. La Habana: Casa Editora Abril, 1996.

——————. *Sils María*. México D.F: Aldus, 2009.

——————. "Entrevista a Rogelio Saunders". *Revista Diásporas(s). Edición facsímil (1997-2002)*. Jorge Cabezas Miranda (Ed.) Barcelona: Red Ediciones/Linkgua Digital, 2013.

——————. "Acerca del lenguaje y el poder". *La Habana Elegante*. Spring-Summer 2006. Web. 28 Diciembre 2013.

SHELL, MARK. "The issue of representation". *The New Economic Criticism. Studies at the intersection of literature amd economics*. Martha Woodmansee and Mark Osteen (Eds.) New York, London: Routledge, 1999. (53-74).

WHITFIELD, ESTHER. *Cuban Currency*. Minneapolis: University of Minnesota Press, 2007.

ZALDÍVAR, ALFREDO. "Soñando un árbol". *Retorno. Poesía casi completa. Digdora Alonso*. Alfredo Zaldívar (Selección, prólogo y notas). Matanzas: Ediciones Matanzas, 2011.

SECCIÓN ESPECIAL:
JOSÉ MARÍA FONOLLOSA

El "Romancero de Martí" de José María Fonollosa

Antonio Candau

A su muerte en 1991 en la Barcelona donde había nacido, José María Fonollosa era un poeta escasamente conocido como tal. Autor de dos poemarios de juventud (*La sombra de tu luz* (1945) y los cinco poemas de *Umbral del silencio* (1947) en *Entregas de poesía*, además de una edición de cantos espirituales traducidos y publicado en 1951 en colaboración con Alfredo Papo (*Breve antología de los cantos spirituals negros*), Fonollosa había vivido en Cuba en los años cincuenta y, tras una breve estancia en Nueva York, había regresado a Barcelona. Allí llevaría una existencia que puede calificarse de bohemia, compaginando su trabajo en una inmobiliaria con la participación activa en la vida nocturna y artística de la capital catalana. Fonollosa colabora en publicaciones literarias, musicales y en actividades culturales de la ciudad y adquiere una brumosa reputación local como coleccionista, aficionado al jazz, y experto en aspectos y objetos poco habituales de la sexualidad. Ese año de su muerte marca el inicio de la fama literaria de Fonollosa acontecida, como en el prototipo de poeta lírico descrito por Pierre Bourdieu en su *Las reglas del arte*, en sentido inverso al del campo económico. A mayor privación material y reconocimiento en vida, mayor prestigio simbólico que, en el caso de Fonollosa y muchos otros poetas, acontece solo de modo póstumo. Parte de esa fama se debió a las canciones creadas a partir de sus poemas por Joan Manuel Serrat y Albert Pla[1]. En 2009, Juan Bonilla opinaba que la poesía de

---

[1] Se trata de los títulos *Supone Fonollosa*, de 1995, de Albert Pla. Este disco fue grabado por BMG e incluye doce canciones: "Puedo empezar"; "Mi esqueleto"; "Walk On The Wild Side (El lado más bestia de la vida)"; "Pobre muchacha"; "Año-ro"; "Devoro"; "Mujer mala"; "Sufre como yo"; "No quise hacerle daño"; "Maldita ciudad"; "Como una nube" y "No". Excepto "Añoro", del propio Pla, y "Walk On The Wild Side (El lado más bestia de la vida)", de Lou Reed, el resto de las canciones

Fonollosa está "entre los hitos fundamentales de la poesía del fin del milenio" (38).

Lo proverbial de esa peripecia de biografía literaria de ignoto poeta lírico llevó a algunos a pensar que Fonollosa era precisamente una invención de Pere Gimferrer y otros editores y que nunca había existido realmente un José María Fonollosa. Así reaccionó el propio Juan Bonilla:

> Vallcorba me sorprende al rescatar –o sacarse de la manga– a este poeta que por sus versos parece de mi misma generación. Imposible no pensar que se trata de un invento muy bien tramado [...] he dado por hecho que el tal Fonollosa es un invento. Lo que no sé es aún de quién. Lo que sí sé es que es un gran invento. (30)

Apoyado en parte por esta versión de Bonilla, más otras evidencias que comenta, el poeta y crítico español Julio César Galán, en su artículo "Artificios y deslindes (sobre heteronimia y otras alteridades)"[2], asume la misma postura y dice:

> ¿quién fue realmente José María Fonollosa, ¿alguien real o ficticio? ¿un heterónimo de Gimferrer? Podemos pensar también que, conociendo el percal literario español, ¿resulta casi imposible descubrir a un poeta de esta clase en ámbito tan tradicionalista? Si uno lee con atención su biografía y si uno intenta contactar con su albacea, Maribel Parcerisas, es imposible hacerlo; si se intenta contactar con la Asociación de Amigos de José María Fonollosa, la comunicación es nula; la llamada de Juan Bonilla a Vallcorba, editor del Acantilado, para intentar hablar con el poeta, con la excusa de hacerle una entrevista, tampoco dio resultado. Si uno atiende a la historia, bastante novelesca, vemos algunas discordancias: el poeta escolapio Ramón Castelltort que fue el descubridor a Gimferrer de esta poesía dura, seca e intensa. Hay que señalar que el padre Ramón murió el 10 de enero de 1966, justo el año que le dan el Nacional de poesía a Gimferrer, quien dice de él que apreciaba su poesía, alguien que titula sus libros *Mi soledad sonora* y hace poemas en catalán a su familia, nada menos. También tenemos la posterior relevancia de su

---

son versiones musicalizadas de poemas de Fonollosa. En 1994 Joan Manuel Serrat incluyó el poema adaptado y musicalizado "Por dignidad", de Fonollosa, en su disco *Nadie es perfecto*, editado por Ariola.

[2] Agradecemos a Julio César Galán por haber compartido con nosotros el citado artículo.

> identidad varios años después, también a Gimferrer, a través de una carta de
> Fonollosa al director de "la prensa barcelonesa", sin especificar qué periódico;
> tenemos, por otra parte, la publicación de 4.000 versos titulados el Romancero
> de Martí en Cuba, en su edición de *El País*, búsquenla... (41)

Para ser precisos hay que anotar que el inicio de la fama literaria de Fonollosa se remonta a un año antes, 1990, cuando, con Pere
Gimferrer como valedor, publica *Ciudad del hombre: New York*. Tras
su muerte, aparecerían otros tres volúmenes de poemas: *Ciudad del
hombre: Barcelona* (1996), *Poetas en la noche* (1997) y *Destrucción
de la mañana* (2001). La publicación y presentación del libro por parte de Gimferrer posibilitó el redescubrimiento de Fonollosa, poeta
inédito desde hacía varias décadas, y produjo una reelaboración de
materiales en los que el autor llevaba trabajando esporádica pero cuidadosamente durante esas décadas de silencio público.

La historia de esa escritura inédita es bastante compleja y la
reconstruyo basándome principalmente, como hago para los datos
biográficos de Fonollosa, en los prólogos de Gimferrer a ese primer
volumen y en los de José Ángel Cilleruelo a *Ciudad del hombre: Barcelona* y *Destrucción de la mañana*, así como en las tres cartas del
poeta reproducidas en ese último volumen.

Ya en 1948, Fonollosa tiene en marcha un proyecto titulado *Los
pies sobre la tierra*, para el que solicita permiso de publicación a la
censura franquista. Recibe ese permiso pero, aunque trabaja en el texto e intenta divulgarlo en los círculos literarios habituales en la época,
pasarán muchos años antes de que el proyecto vea la luz pública. En
palabras de Cilleruelo:

> Unos cuantos poemas –exactamente 13– del libro publicado en 1990
> pueden ser datados con precisión antes de noviembre de 1948, fecha en la
> que obtuvo "la autorización exigida por la legislación vigente para imprimir
> la obra", en documento firmado por el Director General de Propaganda. El
> manuscrito que presentó a este trámite administrativo, obligatorio en la época,
> luce el significativo título de *Los pies sobre la tierra*, y consta de 28 poemas.
> Esta es la fecha inicial de composición de *Ciudad del hombre*, su gran libro,
> cuya escritura le ocupó [...] el curso de una vida". (8-9)

En una carta a Pere Gimferrer fechada el 20 de mayo de 1988,
Fonollosa anota sus guías estilísticas durante esos largos años de

escritura: "la maldita difícil sencillez", "la "búsqueda de la frontera verso-prosa" y el "que cada poema pudiera ir por sí solo con su propio sentido y además tuviera continuidad" (2001, 87-88). Los cuatro volúmenes publicados a partir de 1991 comparten efectivamente esas características. En la mayoría de los casos se trata de poemas en endecasílabos blancos con un tono prosaico, y con voces poéticas de personajes separados del autor. Incluso en *Poetas en la noche*, "novela en verso" donde hay cierto argumento, solo se nos dan las voces de los personajes que describen sus pensamientos y sus acciones, y muchos de sus poemas pueden leerse de manera independiente.

Desde esas fechas iniciales, y durante los años inmediatos a su regreso a España, en la década del sesenta, Fonollosa intenta publicar, sin suerte, parte de sus proyectos poéticos presentándolos a editores y certámenes poéticos. Como elemento que aporta una tenue continuidad cronológica a la leyenda de ese largo período de silencio editorial hasta la publicación en 1990 del primer volumen de *Ciudad del hombre*, Gimferrer cuenta cómo él mismo leyó algunos de los poemas de Fonollosa rechazados en la década de los sesenta por editoriales y concursos. Uno de sus maestros, jurado de concursos literarios, solía mostrarle al joven Gimferrer los poemas más destacados, a su juicio, de los presentados a los certámenes. Tras leer los versos rechazados de Fonollosa, Gimferrer le escribiría, expresando su admiración por la estética novedosa de su poesía, y confirmándole sus sospechas de que en el ambiente cultural de la España de esa época sus versos no tenían muchas posibilidades de ver la luz.

Muchos años después, cuando Fonollosa y Gimferrer se encuentran casualmente en Barcelona e inician el proceso de publicación, el número de versos inéditos ha crecido de manera considerable. Deciden publicar una selección de poemas cambiando los títulos de calles de Barcelona a calles de Nueva York. Según Gimferrer, los encabezamientos neoyorquinos eran los originales, antes de ser cambiados por Fonollosa a la ubicación barcelonesa durante el largo proceso de escritura y reescritura. El volumen editado por Gimferrer incluye 97 poemas.

En su edición de *Ciudad del hombre: Barcelona*, de 1996, Cilleruelo explica que esos 97 poemas constituyen una pequeña parte del corpus de los escritos por Fonollosa entre 1948 y 1985. Ese volumen incluye 82 poemas, lo que significa que 57 poemas permanecen inéditos. En 2001, Cilleruelo publica el –hasta ahora– último volumen del poeta, *Destrucción de la mañana*, con 42 poemas. El editor explica que se trata de la primera parte de una trilogía iniciada a finales de los años cuarenta, titulada "Soledad del hombre" y posteriormente abandonada, aunque en su carta a Gimferrer antes mencionada, el propio poeta habla de que fue en 1955, en La Habana, cuando inició "la primera versión de *Destruccción de la mañana* [...] que integraron en 1956 otra obra, *Los rezagados*, posteriormente desechada y de la que aproveché algunos poemas para *Ciudad del hombre*" (Fonollosa 2001, 87). Fonollosa, de vuelta a Barcelona, intenta retomar el libro, pero termina abandonándolo. Ya en 1987, tras el encuentro con Gimferrer, decide volver a ese proyecto y lo termina en 1988, con dos versiones. Fonollosa insta a Gimferrer a que sea él quien elija la versión más conseguida. El volumen quedaría inédito hasta la edición de Cilleruelo de 2001. El editor explica:

> En el archivo del poeta se han conservado las dos versiones de *Destrucción de la mañana*, una denominada 'corta', con 35 poemas, donde se suprimen textos de la versión 'larga', que es la que se ha preferido para esta edición". (88)

Cilleruelo añade que ha eliminado siete poemas de esa versión 'larga'.

De toda esta complicada historia, puede concluirse que los dos volúmenes de *Ciudad del hombre* (*Barcelona* y *Nueva York*) forman parte de ese proyecto titulado en sus inicios *Los pies sobre la tierra*. No está clara la relación de los poemas de *Destrucción de la mañana* con el proyecto de poemas de ciudad, ni se sabe nada de los 57 poemas inéditos no incluidos por Cilleruelo ni Gimferrer en sus ediciones. Pasados más de diez años desde la última publicación de obra original del poeta, y tras su rehabilitación y fama póstuma ligada a esas ediciones, parece que una suerte de niebla va borrando su figura y sus versos. A la complicada historia editorial de su obra, que dificultó durante mucho tiempo su catalogación dentro de los marbetes estilísticos y generacionales preferidos en esos años por la crítica, se une lo oscuro de su biografía, con escasos detalles conocidos por quienes no compartieron con él sus años de poesía secreta.

Idéntica es la situación para lo relativo a su estancia en Cuba, que Cilleruelo (2001) dice duró diez años, de 1951 a 1961: "El viaje lo realizó con su madre, sus dos hermanas y la familia de éstas [...] y revestía, en principio, un carácter definitivo. Todos se instalaron en Marianao" (10). El plan de la familia era vender por la isla productos muy variados cuya representación llevarían desde Barcelona. No se nos dicen las razones o circunstancias del regreso del poeta a Barcelona. En cuanto a la producción literaria, Cilleruelo dice que durante esos diez años en Cuba Fonollosa "escribió y publicó los cuatro mil octosílabos del Romancero que dedicó a José Martí, inició en 1955 *Destrucción de la mañana*, y posiblemente ideó muchos poemas de *Ciudad del hombre*" (10). Esos "cuatro mil octosílabos", citados en todas las bibliografías del poeta y no comentados por nadie –sin duda al no haber estado disponibles para ser leídos– constituían hasta hoy otro de los secretos o misterios de José María Fonollosa. No dispongo de ninguna información acerca de las circunstancias de composición y edición de estos versos prácticamente inéditos hasta hoy, fuera de las notas que preceden el *Romancero* en las páginas de *El País Gráfico* y de lo que el propio Fonollosa cuenta a José Luis Cano en una de las cartas incluidas en la edición de Cilleruelo de *Destrucción de la mañana*:

> En el 53 hay un paréntesis. La Habana. Centenario de Martí. El pueblo arde en fervor hacia ese Apóstol. Juan Ramón [Jiménez], en un artículo, declara que habría que escribir el *Romancero de Martí*. Y para que sea un español quien realice este homenaje a un cubano que quiso a su patria independiente sin dejar, por ello, de amar a España, en dos meses me documento sobre su vida y escribo el *Romancero de Martí* (unos cuatro mil octosílabos asonantados con algunas décimas intercaladas). Del esfuerzo se resiente mi salud y tengo que guardar cama una temporada. Presentado tardíamente a la Comisión del Centenario, me dijeron que lo editarían, pero la falta de fondos se lo impidió. Y Pizzi de Porras, al que entusiasmó la idea, pues era la única obra grande que faltaba en la extensa bibliografía martiana, lo publicó en *El País*, en 1955. (*Destrucción* 79)

Enrique Pizzi de Porras, editor de la publicación que acogió el *Romancero de Martí* en el número del 15 mayo de 1955, ofrece en su texto introductorio un retrato del poeta en Cuba, con fecha de nacimiento equivocada, que podemos añadir a lo apuntado hasta ahora:

> Si vais por Reina y llegáis a Campanario, os encontraréis en una de sus cuatro esquinas un café; en el café una típica vidrierita de cigarrillos; en la vidrierita, tras unos espejuelos en que las pupilas parecen mirar desde muy atrás, un hombre que parece corriente, pero que no lo es, y que sabe reír como sólo ríen los niños sanos y felices. Ese hombre es José María Fonollosa, que se siente bien en su despacho de tabacos y fósforos, porque la ocupación le permite independencia para los reclamos de la materia. Y feliz, porque mientras las manos le sirven para esa labor como automática, el pensamiento se le eleva por y para gracia del espíritu. Es joven. Nació en Barcelona, en 1920, y vive desde no hace mucho entre nosotros. (3)

Añade Pizzi de Porras algún dato interesante referido al *Romancero*, como el hecho de que fue Juan Ramón Jiménez quien sugirió a Fonollosa la composición, lo que parecería indicar una comunicación más directa que la sugerida por Fonollosa en su carta, y que los versos reproducidos son "una amplia selección" de la obra cubana del poeta. Ello podría interpretarse como afirmación de que el *Romancero* contenía en realidad más de los cuatro mil versos que indicaba Cilleruelo, aunque sea más probable, atendiendo a lo declarado por Fonollosa a José Luis Cano, que haya que interpretar esa declaración como referida a otros poemas independientes del *Romancero*. Mi recuento de los versos que aparecen en *El País Gráfico* produce unos 400 versos menos de los cuatro mil apuntados por Fonollosa aunque sigue tratándose de una composición de gran envergadura.

No me consta que el propio Fonollosa aportara ninguna información acerca de esta composición tras su redescubrimiento por Gimferrer a principios de la década de los noventa en Barcelona. Tampoco he podido hallar comentarios ni referencias al *Romancero* en otros autores. Tal ausencia de datos parece consustancial al poeta catalán, pero sin duda en el silencio también influye la rareza de la composición dedicada a Martí dentro de la obra de Fonollosa, en especial comparándolo con los volúmenes publicados a partir de 1990. Nada, en efecto, más alejado en fondo y forma de los endecasílabos de los delincuentes peripatéticos de esas obras que el fervor, la falta de ironía y la uniforme composición del *Romancero*. Nada hay en el *Roman-*

cero de la obscenidad, el sarcasmo, la brutalidad y el nihilismo que
Bonilla identifica como rasgos más característicos de los volúmenes
de *Ciudad del hombre* y *Destrucción de la mañana.*

Dividido en cuatro "libros" de algo más de novecientos versos
cada uno, el *Romancero* comienza con momentos destacados de la
lucha por la independencia que forman la personalidad política del
Martí adolescente: el Grito de Yara y la toma de Bayamo. Se incorpo-
ran datos sobre los padres del héroe y sus primeros escarceos políticos, que conducen a su arresto, prisión y destierro. El Libro Segundo
narra las peripecias de Martí por México y América Central, su ena-
moramiento y boda y sus posteriores actividades de recabo de apoyos
políticos y económicos. El Libro Tercero prosigue narrando la actividad política en los Estados Unidos y la decisión inminente de pasar
a la acción armada en la isla. En el cuarto, tras secciones dedicadas
a "Montecristi" y "El Grito de Baire" y a otras escaramuzas e incidentes políticos y bélicos, se narra la muerte de Martí, su entierro y el
"Final" que canta el éxito póstumo del héroe. Fonollosa aprovecha los
escritos del propio Martí para su narración, y abre cada Libro con una
cita del escritor. En la presentación de Pizzi de Porras, se cita el deseo
inicial de Fonollosa de eludir la autoría del *Romancero*, de dejarlo en
obra "anónima", como composición salida de la creatividad y elaboración del pueblo, tal como sucedió con el grueso del romancero viejo
español. Cabe también suponer, basándonos en las características del
resto de su obra, que el *Romancero de Martí* era para Fonollosa una
composición de encargo, limitada a unas circunstancias de deuda literaria, o deseo de ganarse el favor de Juan Ramón Jiménez por parte
de un poeta que empezaba su carrera. También de ganarse el favor
de un país y campo cultural que acaba de acogerle. Sea como sea, la
voz que resuena en los versos es una voz directa y auténtica, que rara-
mente abandona su función de comedido, si hagiográfico, narrador, y
que rara vez revela la presencia autorial de un poeta del siglo XX que
trabaja en versos como los de *Destrucción de la mañana.*

El *Romancero de Martí*, en efecto, se remonta al Romancero
Viejo y a los primeros romances anónimos y, en menor medida, a los
romances de autor del siglo XVII que imitan y modifican ese corpus
anónimo. Desde luego el tema nacionalista está presente en los ver-

sos de Fonollosa, como lo estaba en esos romances del Siglo de Oro español, pero la economía estilística –anáforas, paralelismos– y el tema central del conflicto entre el individuo y el orden establecido, especialmente entre un joven y una situación política contra la que se rebela, son rasgos del Romancero Viejo muy presentes en estos versos dedicados a Martí y su conflicto con la situación colonial de Cuba.

Deseamos que esta publicación del *Romancero de Martí* sirva para propiciar un debate crítico que permita profundizar en las circunstancias de su composición y difusión, así como de aspectos más concretos de su contenido, estructura y rasgos estilísticos.

Bibliografía

BONILLA, JUAN. "El caso Fonollosa". *Cuadernos Hispanoamericanos* 713. Noviembre: 29-38.

BOURDIEU, PIERRE. *Las reglas del arte*. Barcelona: Anagrama, 1995.

CILLERUELO, ÁNGEL. "Prólogo". Fonollosa, José María, *Destrucción de la mañana*. Barcelona: DVD, 2001. (7-18).

FONOLLOSA, JOSÉ MARÍA. *La sombra de tu luz*. Barcelona: Imprenta de Luis Torns, 1945.

—————. *Breve antología de los cantos espirituales negros*. Barcelona: Cobalto, 1951.

—————. "Romancero de Martí". *El País Gráfico*, 15 de mayo, 1955: 3-34.

—————. *Ciudad del hombre: New York*: El Acantilado, 1990.

—————. *Ciudad del hombre: Barcelona*. Barcelona: DVD, 1996.

—————. *Poetas en la noche*. Barcelona: Quaderns Crema, 1997.

—————. *Destrucción de la mañana*. Barcelona: DVD, 2001.

GALÁN, JULIO CÉSAR. "Artificios y deslindes (sobre heteronimia y otras alteridades)". *Cuadernos hispanoamericanos*. N° 756, 2013: 31-42.

Romancero de Martí[1]

Por JOSÉ MARÍA FONOLLOSA

Dedicatoria: a Juan Ramón Jiménez, de quien partió la idea.

LIBRO PRIMERO

> *Nosotros tenemos héroes*
> *que eternizar.*
> JOSÉ MARTÍ

EL GRITO DE YARA - 1868
Día diez del mes de octubre
del año sesenta y ocho.
Las palmeras vigilaban
el campo con cien, mil, ojos;
el cañaveral prudente
avanzaba poco a poco.
Hacia el ingenio de Céspedes
se dirigían patronos,
ricos prohombres, obreros,
artesanos y colonos
unidos en su afán
que lo igualaba a todos.
En La Demajagua había
hombres valientes tan sólo.
La gloria y muerte colgaban
de sus machetes al hombro.

Ay, de los que a las voces
de queja, se hicieron sordos.
Ay, de los que mancillaron
amor fraterno, con odio.
Ay, la España de Lersundi
de la intransigencia trono,
de la corrupción asilo
y de la crueldad emporio.
En La Demajagua gritan
treinta y seis voces a coro:
—"Viva Cuba independiente".
En la mañana del gozo
el sol entra de puntillas
en el corazón patriótico.
Don Carlos Manuel de Céspedes
caballero heterodoxo,
por un machete de acero
cambia su pluma de oro;
sus ricos muebles de roble
por una silla en un potro;
sus suntuosas residencias
por la sombra de un caobo
y sus vestidos planchados
por los manchados de lodo.
Don Carlos Manuel de Céspedes,
por cubano, generoso,
libertad da a sus esclavos
que por Cuba luchan todos.

---

[1] "Los versos de José María Fonollosa que reproducimos son copia fidedigna de la publicación aparecida el 15 de mayo de 1955 en La Habana, en *El País Gráfico*. Año XXV, No. 20 (páginas 3–11 y 24–34).

En el poblado de Yara
se mezclan acero y plomo.
Las manchas y los fusiles
se encuentran codo con codo.
En Yara, el primer combate
contra el español oprobio,
sangre cubana se vierte;
sangre de viejo y de mozo
apretada allí en la tierra,
sintiendo a Cuba muy hondo.
En Yara resuena el grito
de la libertad del criollo.

TOMA DE BAYAMO
Todos los caminos llevan
hacia el pueblo más heroico.
En la llanura, Bayamo
es como un grano de polvo.
Las sendas van a Bayamo;
a Bayamo los arroyos;
las lomas se lo señalan;
su nombre dicen los troncos.
Los insurrectos avanzan
bajo el cielo caluroso.
Los setos ofrecen paso
al hondo fervor patriótico.

En la llanura, Bayamo
tiembla de miedo y de gozo.
Cubana gente la cerca
con osadía y arrojo,
mientras se lucha en sus calles
palmo a palmo, hombro con
                        [hombro.
En la rama de la muerte
aprisa nacen retoños.

Paco Vicente Aguilera,
el bayamés generoso,
abraza en Carlos de Céspedes
al cubano victorioso.
De San Antonio a Maisí,
desde Maisí a San Antonio,
el sol de la libertad
se insinúa esplendoroso.

EL ADOLESCENTE
Las noticias de Bayamo
están en todas las bocas.
Se fruncen hispanas cejas
y hablan de hispanas victorias.
Sin decir una palabra,
sonríen los patriotas.
Los habaneros sonríen
y miran sus limpias botas.
Pero sobre los pianos,
sobre el piso, allí en las fondas,
en las trastiendas, salones,
el mapa de Cuba aflora
y siguen sobre él la marcha
de fuerzas libertadoras.

José Julián Martí Pérez
es de ascendencia española;
pero haber nacido en Cuba
tiene por la mayor honra.
Cuba es la isla dulce y bella
hogar del sol y la alondra.
Cuba es la larga sonrisa
que alzan sobre el mar las olas.
Cuba es tierra agradecida,
con aquel que la ama pródiga.

José Julián Martí Pérez
de ser cubano se gloria
y en la escuela, el Instituto
le llaman el patriota.
Patriota es desprecio en unos;
patriota es en otros honra.
Martí trabaja y estudia
y los desprecios ignora.
Su voz clara, adolescente,
de redención portadora,
susurra, grita, se extiende
hasta en las prohibidas zonas
o se oculta en los bolsillos
impresa en secretas hojas.

Su mentor, Rafael Mendive,
las dotes de Martí nota,
ve en el discípulo, el maestro
de generaciones otras.
En su talento ve el soplo
que de la noche hace aurora;
en la pasión de su verbo
ve la llama redentora
y la sal en miel cambiarse
por su bondad generosa.
En Mendive halla Martí
el primer aliento a su obra.

Los quince años de Martí
el grito de Yara glosan
y un canto a la libertad
a un periódico se asoma.
Es imposible reunirse
con las insurrectas tropas
que en Oriente y Camagüey
por la manigua maniobran.
Es imposible salir

de La Habana. Hispana tropa
todas las sendas vigila,
vigila todas las lomas.
José Martí, con Fermín
Valdés, su amigo, dialoga.
Hablan de conspiraciones
cuando otros hablan de novias.
Y sobre los mapas siguen
las rutas libertadoras.

LOS PADRES
La madre de Martí sabe
de los manejos de su hijo.
No le preocupa la idea,
sí le preocupa el peligro;
su tardo llegar a casa,
el fuego de sus escritos…
El padre de Martí ignora
que Cuba en Martí ha crecido.
Engendrar almas criollas
de españoles es destino.
El padre de Martí es hombre
recio, honrado, tosco, digno
y un día en su casa encuentra
de su hijo patrios escritos.

Como militar conoce
y desprecia a los políticos.
Él desea vida llana,
vulgar vida para el hijo,
que dichas sin inquietudes
pueblan hogares sencillos.
Duramente a Martí increpa
el padre irritado. El niño,
pálido, delgado el cuerpo
ante él se mantiene erguido.
Ama a su padre, mas ama

también al pueblo oprimido.
El deber es lo primero:
el deber hay que cumplirlo
a pesar de la razón,
amor, familia o amigos.

El padre de Martí expone
razones a grandes gritos
y excitándose colérico
golpea el rostro del hijo.
Martí se muerde los labios,
pero no exhala un gemido.
Su palidez se acentúa
y en su cuarto busca asilo.
le duele el gesto paterno,
mas sabe que él ha dolido
a su padre, que otro anhelo
en él quisiera haber visto.

CONSEJO
Leonor Pérez, su madre,
le lleva cena y cariño.
Leonor Pérez, su madre,
con dulzura le habla al hijo:
–"Ya veo que se te lleva
un amor que no es el mío.
Que está expuesta a derramarse
tu sangre joven me han dicho.
Yo no quiero ser la piedra
que encuentres en tu camino,
ni quiero amarrarte al suelo
si es muy alto tu destino;
mas medita bien lo que haces
si ya eres hombre, no niño.

No esperes que te agradezcan
si a alguien causas beneficio.

No te ofendas si te llenan
de defectos, viles vicios,
que aquel que tiene miseria
la vierte en todos los sitios.
No te asombres si malfían
de tu honradez, ten por fijo
desconfiar del desconfiado.
Sé prudente, comedido.
No te envanezcas si es cierto
que tienes talento, mi hijo,
que el que de veras lo tiene
de él sólo hace caso omiso.
No te molestes si niegan
valor a lo que haces o has dicho,
que únicamente el que vale
es negado y discutido.
Sé constante en tus empresas
–no crece en un día el trigo–
y defiende tu postura
hasta el último latido.
Pero debes recordar,
recuerda siempre, hijo mío,
que todos los redentores
muertos en la cruz han sido".
Martí, respetuoso escucha.
Martí no la ha interrumpido.
–"Madre –dice–, madre ¿es justo
si en la tierra donde vivo
hay injusticia y rencor,
que yo desee abolirlos?"

A la madre de Martí
su voz dulce ha conmovido.
Y aun temiendo que para ir
a la muerte da permiso
a Martí responde: –"Es justo,
sigue, hijo, por tu camino".

PÉRDIDA DE BAYAMO

Como una mancha de sangre
la revolución se extiende.
Vicente García, Osorio,
—en la provincia de Oriente.
Figueredo, Estrada Palma,
todos mandados por Céspedes.
Camagüey responde al grito
e inmortaliza a sus héroes:
Ignacio Agramonte, el Grande;
Cisneros Betancourt, jefe,
con los hermanos Arango
entre otros muchos valientes.
Al grito de independencia
van surgiendo los rebeldes.

Desde Santiago de Cuba,
el veintidós de diciembre,
el general Valmaseda
la ruta a Bayamo emprende.
Dos mil soldados él manda,
la más escogida gente
que el ejército español
entre sus filas contiene.
Dos mil hombres bien armados,
con una consigna: muerte.

Los insurrectos cubanos
los hostigan muchas veces.
Valmaseda cierra el cuadro
y a luchar no se detiene.
Sus órdenes son: Bayamo
y hay que mantenerse fuerte.
En las márgenes del Cauto
le favorece la suerte.
Todo el camino del sol

ha recorrido el machete,
mas vencedor Valmaseda
cosecha sangrientas mieses.

En la ciudad de Bayamo
la noticia se ensombrece.
Diez mil cubanos esperan
las órdenes de sus jefes.
A las tres de la mañana
diez mil cubanos son héroes.
La orden de los patriotas
la cumplen serenamente.
En los hogares humildes,
donde poseen más bienes,
en el palacio y bohío
mil resplandores se encienden.
Las manos que los compraron
fuego aplican a los muebles
y ven quemarse recuerdos,
útiles, ropas, enseres
y ven derrumbarse, ardiendo,
las hogareñas paredes.
Sin un temblor en el brazo
con firmeza el fuego prenden.
Sin lágrimas en los ojos
miran cómo el fuego acrece.

En silencio se retiran
de su ciudad. Son los seres
que cual Numancia y Sagunto,
Cuba al español ofrece,
que también Cuba y su pueblo
colectivos héroes tiene.
Bayamo, prendida en llamas,
ante el español se yergue.
Bayamo, no: fuego y ruinas
Valmaseda sólo obtiene.

LA REPRESIÓN
El puesto del cruel Lersundi
el General Dulce toma.
Su más liberal política
no gana a los patriotas
y al Cuerpo de Voluntarios
complacer tampoco logra.

El Cuerpo de Voluntarios
hispana gente lo forma
y también muchos cubanos
bajo su enseña se enrolan.
El Cuerpo de Voluntarios
prerrogativas se toma.
Hay que abatir de una vez
las insolencias criollas.
Ven Cuba como una esclava,
no como aquella hija hermosa
ensalzada por Colón
en las tierras españolas.
La Perla de las Antillas
cual tesoro propio toman
algunos aventureros
que el nombre de España no
[honran.

En el teatro Villanueva
tristes disturbios provocan.
Suenan tiros en el Prado.
Por el Louvre anda la tropa
del Cuerpo de Voluntarios
que imponerse a Dulce logra.
Preso llevan a Mendive.
Martí, de impotencia, llora.
Tanta injusticia le muerde
el alma una vez y otra.

Mendive tras de las rejas
al joven libre conforta
y paternal le aconseja
que espere que llegue la hora.

LA PRISIÓN
El Cuerpo de Voluntarios
registra toda la casa
de Fermín Valdés Domínguez.
Los cuadros, jarrones, camas,
armarios y escaparates,
ropa, vajilla de plata,
nada escapa a su registro.
Las cerraduras forzadas
gimen al vencerse al golpe
que sus secretos arranca.
En la mesita de estudios
que Martí y Fermín usaban,
los Voluntarios descubren
una carta a un camarada,
que va por Fermín Valdés
y José Martí, firmada,
y desprecio de aquel Cuerpo
hace con hábil palabra.
La letra de ambos muchachos
tal parecido guardaba,
que de decidir quién es
el que la ha escrito, no acaban.

Preso llevan a Fermín.
Preso a José Martí guardan.
Los muros que los encierran
de su juventud se apiadan.
Los carceleros se ríen
de la osadía cubana.
Fermín dice haber escrito

aquella ofensiva carta.
Martí asegura que él es
quien la carta redactara.
Ante el tribunal al fin
los dos acusados se hallan.

El juez, adusto y severo,
observa serio sus caras.
A Fermín Valdés pregunta:
—"¿Escribió Vd. esta carta?"
Fermín asiente y el juez
Con José Martí se encara:
—"Deben creer que gloriosa
es tan reprobable hazaña.
El honor de haberla escrito
ambos para sí reclaman".
—"Lo exijo yo para mí"
—Martí decidido exclama—
y para disipar dudas,
para que quede constancia
le pongo otra vez mi firma
para ser bien comprobada".
Coge la pluma y sereno
su nombre al pie de ella estampa.

Cólera prende en el juez.
Fermín un paso adelanta.
Mas Martí rápidamente
detiene a su camarada
y al airado juez de nuevo
se dirige con voz clara:
—"No es un delito pensar
y decir lo que no agrada,
ni falta tan criminal
que aquí haya de ser juzgada.
Mirando vuestras acciones

en ellas hallaréis causa
de que se duelan las gentes
de los desmanes que aguantan.
Si oír las quejas del pueblo
al Gobierno desagrada,
que se porte noblemente
y recibirá alabanzas".

El juez escucha asombrado;
asombrada está la Sala.
La osadía del muchacho
les maravilla y espanta.
El defensor quiere en vano
detener la perorata.
José Martí continua
con firme y audaz palabra,
pues sabe que así a Fermín
de la dura prisión salva.
—"Si queréis en la nación
no hallar contraria palabra,
haced que corten la lengua
a toda boca cubana;
las manos no, que aunque
                              [escriben
rinden el fruto si trabajan.
Cegad los ojos que ven
cotidianamente infamias.
No es necesario que hagáis
de la Justicia esta farsa.
Nada más justo es que el hombre
debe defender su patria;
quien es aquí el reo o juez
es apreciación del que habla".

El juez ordena silencio.
Martí satisfecho calla.

Sabe que sobre él la condena
va a ser más dura y más larga;
mas sabe que de este modo
se salvó su camarada.
Seis años en las canteras
la sentencia le señala.
Al mandarlo allí seis años
creen que a morir le mandan.
Dieciséis años, seis años
en las canteras, no aguantan.

LAS CANTERAS
A las cuatro y media salen
vestidos con ropa extraña;
con los cabellos cortados
y con cadenas pesadas.
Con picos sobre los hombros
cincuenta penados pasan.

Los guardianes apalean
al que no sigue la marcha.
Allí, por la misma calle
por donde antes caminaban.
Los guardianes pisotean
al que sin querer se aparta.
Allí, delante de la reja,
delante de la ventana,
donde la madre querida
de cariño los colmara.
Con picos sobre los hombros,
cincuenta penados pasan.
Jóvenes, ancianos, niños,
madres de cabeza cana,
despertad de vuestro sueño
y llorad la madrugada,
que, con picos en los hombros,
cincuenta penados pasan.

En la fila de los presos
Martí cubre la distancia
–una legua– que la cárcel
de las canteras separa.
Él allí no es más que un grillo
que a su pie y cintura se ata.
Un solo grillo entre muchos
que está sufriendo la patria.
En un pedazo de hierro
se puede secar el alma
y matar la inteligencia
y arrastrar todas las lágrimas.

Toca su pecho Martí
y lleno y valiente lo halla;
abre los ojos y ve
que su altivez se derrama;
toca su cerebro y siente
que firme cual nunca estaba.
Con la fila de los presos
Martí en las canteras se halla.

Sol y lluvia. Sangre y polvo.
Cincuenta presos trabajan.
Cincuenta cadenas gimen,
cincuenta bocas se callan.
Harapientos los vestidos,
con las cabezas dobladas,
cajones llenos ya suben,
cajones vacíos bajan.
Allí su primera sangre,
allí, Martí la derrama,
que la vida para luego,
para Dos Ríos, guardaba.
Grilletes en sus tobillos

su carne muerden y arrancan;
pero a Martí aún más le duele
ver sufrir sus camaradas.
Don Nicolás del Castillo,
Lino Figueredo –España
¿cómo puedes tolerar
ser partícipe de infamias?–
Ramón Rodríguez, Tomás…
¿por qué hacer la lista larga?
Mariano Gil de Palacios,
el comandante, la guarda.

Martí sufre sin protesta:
la libertad cuesta cara.
El precio es alto, muy alto,
hay quien no puede comprarla.
Se compra con el dolor
del cuerpo y dolor del alma
y hay que pagarla con vidas
niñas, maduras y ancianas.
Cuba está pagando el precio
y sin embargo es esclava.
Más que otra en el mundo cuesta
esta libertad cubana;
por eso el día en que llegue
será la mejor amada.

LA SÚPLICA
Allí en la antesala esperan.
Allí en la antesala están.
Una hora tras otra aguardan,
un día tras otro van.
"Lo siento", dice el conserje.
"Lo siento", dice el guardián,
"hoy no podrá recibirlas".
El secretario se va.

"Lo siento, será otro día".
Ha pasado un día más.
Cuatro mujeres suspiran,
mas mañana volverán.
El Gobernador no quiere
sus súplicas escuchar.
La madre de Martí espera
constante, fiel y tenaz.
Perdón para Martí pide;
perdón que es la libertad.
A una madre, no, no importan
los pasos que deba dar.
Si el hijo no imploraría,
ella sí debe implorar.
La dignidad y el orgullo
otro hijo no le darán.
Ella lo nació a la vida;
su vida debe guardar.
Hoy el conserje sonríe
cuando la nueva les da:
"Por fin ha llegado el día.
Visitarle ahora podrán".
Tiemblan las nobles mujeres,
tiemblan de miedo al pasar
hacia el lujoso despacho
Donde aguarda el capitán.
Las mujeres se arrodillan
y la madre empieza a hablar:
–"Sólo diecisiete años,
diecisiete, general,
tiene mi hijito y el pobre
en las canteras está.
En las canteras, con grillos,
cual si fuera un criminal.

Mi hijo es muy joven, tan joven,
que no han podido encontrar

uniforme ni grilletes
que vayan bien a su edad.
Mi hijo es muy joven tan joven,
que pronto se agotará.
Perdonan su juventud
su proceder perdonad
o permitid que yo vaya
para ocupar su lugar.
Mi brazo robusto y fuerte
más piedra que el de él sacará.
Mi cuerpo más duro y viejo
más el sol aguantará.
Su castigo sea mío;
mía su falta será.
Yo pediré casa en casa
si algo se debe pagar.
Ordenad que vaya a Santiago
a pie bordeando la mar,
que tejan mis pobres manos
cardo, hortigas, ordenad
o vaya besando el suelo
donde acabáis de pisar;
Pero ordenad que a mi hijo
lo dejen en libertad".

El Gobernador le dice
que el caso ya estudiará.
Llenas todas de esperanza
risa y llanto mezclan ya.
El sol entra por su casa
con tímida claridad.

ISLA DE PINOS
Isla de Pinos, Martí
tu hermosa arena ha pisado.
Con el indulto firmado

Sardá lo recibe allí.
Isla de pinos, en ti
Martí el afecto recibe
de la familia que vive
consciente de su destino,
que en el joven Martí el sino
del héroe se percibe.

En lugar de rejas, pinos;
en lugar de piedra, arena;
en vez de hedor, hierbabuena
y en vez de blasfemias, trinos.
Isla de Pinos, salinos
cantos le trae la mar.
Sus palmas vierte el palmar
queriendo alcanzar la mano
del joven mártir cubano
que la patria ha de salvar.

Como si a la muerte fuera,
ya le dan la despedida.
Cuba es en Martí la vida:
la deportación le espera.
La familia Sardá entera,
llora cuando Martí parte,
porque Martí es estandarte
de bondad y comprensión.
Martí está en su corazón
y el corazón se comparte.

EL DESTIERRO
La quilla va arando el mar,
el mástil va arando estrellas.
El timonel, desde el puente,
olas y vientos ordena.

La quilla va rumbo a España.
Martí la hélice contempla.
Mira el camino de espuma
que el paso del buque deja,
el camino que conduce,
el camino que lo aleja
de la patria, más querida
cuando a abandonarla fuerzan.

Martí parte hacia el destierro
cargado con las cadenas
de su inmenso amor por Cuba;
de saber que Cuba queda
malherida y maltratada
y él no podrá defenderla.
Su juventud le es un peso;
su debilidad, afrenta.
Quisiera ser viejo y fuerte
para usar armas parejas:
usar la fuerza y la astucia
contra la astucia y la fuerza.
La quilla va rumbo a España
Martí la hélice contempla.

¿Dónde habéis puesto a mi Cuba
y La Habana, dónde queda?
¿Dónde aquella luna clara?
¿Dónde las altas palmeras?
¿Dónde aquel cielo tan bello
en el que falta una estrella?
¿Dónde mi casa, mi cuarto,
amigos, mi madre buena?
¿De qué me sirven los ojos
si nada amado me muestran?
La quilla va rumbo a España.
Martí la hélice contempla.

Mira el camino de espuma
que de su Cuba lo aleja.

MADRID
Madrid tiene cierto encanto.
Madrid tiene un no sé qué,
que aunque nos duela su gente
lo tenemos que querer.

EL DESTERRADO
En Madrid, como a un igual,
como a un español, lo tratan.
A pesar de ello en Madrid,
Martí es cual la isla cubana.
Batallador en polémicas
políticas, literarias;
generoso en la pobreza
pródigo si en la abundancia;
afanoso de adquirir
cultura universitaria
y gustador de lo bello
en cuadros, teatros o danzas.
La época de Campoamor,
de Echegaray y sus dramas,
de Lagartijo y Frascuelo,
de Cánovas y Sagasta,
de Teodora Lamadrid
y Amadeo, el rey sin ganas,
Martí vive intensamente
sin que falte Cuba en su alma.
Su palidez, su figura
que el paleto hace delgada.

EL INDULTO
En los españoles diarios
la noticia traza un surco.

Ocho hombres, asesinados,
niños aún, para ser justos,
han entregado a las balas
la savia de sus arbustos.

Martí está en Madrid, enfermo,
su cuerpo débil y enjuto.
Martí está en Madrid y llora
por la muerte de los suyos.
Sus compatriotas, amigos,
muertos abrazados, juntos.
Veintisiete de noviembre
qué amargo día de luto.
Ocho estudiantes han muerto.
Ocho, escogidos de un grupo,
han encontrado en la Habana,
la muerte a los pies de un muro.
El militar español
que los defendió y no pudo
hallar gracia –Capdevila–,
ha roto su espada en público.

Martí con fiebre en las sienes
se alza del lecho, inseguro.
"El Jurado Federal"
le abre su página al punto.
El director se lamenta
de aquel vano gesto duro;
los redactores se indignan
de aquel inhumano insulto.
Martí incansable y tenaz
va asediando a todo el mundo.
En la intelectual tertulia
y en los oídos del vulgo,
agita las opiniones,
de todos busca concurso.

Se pide una información
del Parlamento. El abuso
la opinión ha conocido
y es ya un "desgraciado asunto".
Ante las Cortes reunidas
Benot pronuncia un discurso
y al fin la obra de Martí
cosecha el posible fruto.

"La Gaceta" el diez de marzo
publica el ansiado indulto
de los otros estudiantes
que presos Cuba retuvo.
Sólo es posible a los muertos
rendirles sincero culto
y Martí juró en silencio
redimir el hecho injusto.

Fermín Valdés que en La Habana
con los otros, preso estuvo,
llega desterrado a España
y con Martí se une al punto.
Fermín encuentra en Martí
el más cubano refugio
su mirar brillante y firme,
su voz clara, apasionada,
son presencia en la política,
arte y culturales aulas.

No pierde Martí contacto
con los que aman a su patria;
particulares cubanos,
autonomistas o se hallan
desterrados en la tierra
de mente igual, mas contraria.

Martí observa que el ultraje
que Cuba sufre y aguanta
el pueblo español ignora:
sus problemas más los ganan.
También por mejor gobierno
los españoles se afanan.
La sonrisa de Madrid
a Martí también encanta;
mas su amor constante sigue
siendo Cuba la palabra.
Que la tierra que dió el Cid,
las mil glorias que dió España,
también Dio a los generales
que a su amada Cuba dañan.

Martí, fiel siempre a si mismo,
la verdad cubana lanza
a la calle, en un folleto
del que en todas partes se habla.
Francisco Díaz Quintero,
de ideas republicanas,
ante su recia tertulia
muestra indignación hidalga.
Los cubanos de Madrid
al joven patriota abrazan.
Pero el folleto acogido
no ha sido con igual ansia
por Cánovas del Castillo,
ni Labra y López de Ayala.
Ceños políticos fruncen
el nombre que acusa y clama.
Carlos Sauvalle, el amigo
conocido allí en La Habana,
ríe a gusto con Martí
que a ellos él se lo mandara.

LA BANDERA

El rey de España ha partido
en sus carrozas de plata.
Doscientos caballos llevan
sus riquezas en la espalda.
Ya la primera República
sonríe libre en España.
El pueblo, alegre, en las calles
al nuevo gobierno aclama.
Cien disparos de cañón
despiertan la madrugada.
Bandas de música suenan.
Se sueltan palomas blancas.
Hay canciones en el aire
y emoción en las gargantas.
En los mástiles ondean
banderas propias y extrañas.
La gente las reconoce:
"Ésta es la de Guatemala.
Ésta la argentina, aquella
tan grande, la mexicana".
Están todas las enseñas
de tierras americanas.

Pero allí, en aquella calle,
allí en la tercera casa.
¿A qué nación pertenece
la bandera allí colgada?
Se abre la puerta y Martí
ha aparecido a la entrada.
Al preguntarle la gente
responde con grave calma:
"A la nación más hermosa
que el sol contempla en el mapa.
La ola gozosa de tierra
que del continente escapa,

para surgir bella y sola
con su gente americana.
Símbolo de independencia
es su forma geográfica.
Símbolo de libertad
su feracidad proclama.
Y, sin embargo, no es libre
ni es su propia soberana.

Esta bandera al cubano
unifica, iguala, hermana,
por verla ondear la vida
hoy da y la dará mañana,
porque en su bandera ascienden
franjas azules y blancas
y húmeda aún de su sangre
una estrella el cielo escala
estrella de libertad
mi Cuba Republicana.

LA REPÚBLICA HISPANA.
1873
A poco de cosechar
republicanos laureles,
los cubanos desterrados
visitan al Presidente.
Martí va al frente del grupo
y es su voz la que al frente.
Un extenso escrito lleva
con la petición de siempre;
"La libertad para Cuba;
Cuba libre, independiente".

El Presidente Figueres
los acoge sonriente.
Se pone los espejuelos

y los pliegos, condesciende
a ojear con grave gesto
muy breve y rápidamente.
Pronuncia frases amables
que a nada le comprometen
y despide a la embajada
tan deprisa como puede.

Cuando salen los cubanos
en una gaveta mete
aquel largo manuscrito
del que enterarse no quiere.
No se entera el Ministerio
tampoco, mas sí la gente,
porque Fermín y Sauvalle
en la imprenta ya lo tienen
y cuidan de difundirlo
entre todos, diligentes.
Las razones de Martí
son poderosas y fuertes:
"Y si es deseo de Cuba
ser libre e independiente,
a este derecho negarse
la República no puede.
¿Cómo negar libertad
quien libertad ser pretende?
No es posible que a sí misma
la república se niegue.
Ni puede ir contra de un pueblo
disponiendo de su suerte
e imponiéndole una vida
que a su voluntad difiere
de completa libertad
mostrada en forma evidente".

Mas es vano que Martí
aún su esperanza conserve.

Por un camino de paz
la libertad nunca viene.

EL ENAMORADO
La ciudad cesaraugusta,
la muy noble Zaragoza,
desde cuyo río, el Ebro,
Aragón al mar se asoma,
es ciudad vetusta, ilustre,
que posee dos matronas.
Una celeste, la Virgen
del Pilar; terrenal otra:
Agustina de Aragón
la independiente patriota.

En Zaragoza Martí
con Fermín Valdés se aloja
para en su Universidad
adquirir la ciencia docta.
Allí cursa sus estudios
lejos de la Corte sorda
y este remanso de paz
su espíritu asienta y forja.
El bello puente de piedra
que el ancho río deshoja;
el recio templo La Seo
donde Dios y el arte moran;
el bochorno del verano
que hornea vivas, personas
y los vientos del Moncayo
contra las piedras históricas.
Martí vive en la ciudad
muchas de sus gratas horas.
Allí su cultura adquiere
la solidez de la roca
y halla allí el primer amor.

Martí, el hombre, se enamora,
amor no tiene barreras.
Amor, política ignora.
Amor no sabe de razas,
clases, religión, historia.
Amor sí sabe que un hombre
y una mujer se enamoran.

Blanca de Montalvo. Blanca.
Blanca y rubia, blanca novia.
Blanca de Montalvo, idilio
del clavel y de la rosa.
El romántico primer
amor en su alma se glosa.
Él, elegante doncel.
Ella, recatada moza.
La calle de Platerías
halla familiar la sombra
del doliente enamorado
que ardiente la casa ronda.

Césped al margen del río,
huella en el aire, de alondra.
Irretenible, inasible
sueño que en sueño se colma.
Amor ideal, imposible,
que ambos comprenden y lloran.
Amor que escribió en sus vidas
una dulce y grácil hoja.
Amor que para el recuerdo
los dos amantes inmolan.
Ya Martí debe partir,
debe dejar Zaragoza.

LA DESPEDIDA
Ya terminó su carrera
en Zaragoza, Martí.
Su familia llama a sí
al que desterrado fuera.
En México se le espera
con cariñosa afección.
Se despide de Aragón,
emocionado, el cubano
y de nueva antigua mano
va en busca su corazón.

LIBRO SEGUNDO

Le sedujo lo bello;
se consagró a lo útil.

José Martí

MÉXICO
México es tierra que vive
de futuro y tradición.
Bajo sus piedras antiguas
late, nuevo, el corazón.

HOGAR
Padres y hermanos son nombres
que en la sangre hay que buscar.
Sea en dicha o en pesar
al hogar vuelven los hombres.
Los personales pronombres
son familiar poesía
que uno añora cada día
si está lejos del hogar.
La palabra regresar
acerca la lejanía.

LA AMADA
Carmen Zayas Bazán
es dulce y bella cubana.
Su gracia camagüeyana
admira José Julián.
en ella cita se dan
el azahar y la rosa.
Martí descubre en la hermosa
que el que se acerca a la flor
por ella es vencido. Amor
le muestra en Carmen, la esposa.

LA TIERRA VEDADA
Porfirio Díaz ha entrado
en la capital de México.
Con el brillo de las armas
ha conquistado a su pueblo.
Martí que con sus amigos
apoyó al que era gobierno
ante instancias de los suyos
debe ocultarse en secreto.

Porfirio Díaz emprende
la conciliación; enérgico.
Mas ya el proscripto Martí
decide dejar su suelo.
Hacia Guatemala ahora
voces dirigen su anhelo.
La tierra antigua y tan nueva,
está pidiendo hombres nuevos.
Si Guatemala es el fin,
sea La habana el sendero.
Un móvil oculto lleva:
pasar al campo insurrecto.
A su familia les dice
que va en busca de provecho,

cartas de presentación
para hombres guatemaltecos.

Ya en Veracruz ha embarcado.
El nombre del buque es: Ebro.
Julián Pérez, es el suyo
que en pasaporte ha puesto.
El corazón fuertemente
se agita dentro del pecho
cuando la tierra vedada
surge entre la mar y el viento.
Lucecitas de La Habana,
como estrellitas de enero,
también de emoción henchidas
brillan temblando allá lejos.
En la cubierta del buque
hay un solo pasajero
que está mirando hacia tierra
como si allí viera el cielo.
El buque ya ha echado el ancla.
Vienen los carabineros.
De uniformes españoles
está bien colmado el puerto.
Muestra Martí el pasaporte
y le dan el vistobueno.

Martí recorre las calles
de La Habana en paso lento.
Aquel sí es su cierto hogar,
la patria de sus ensueños.
No lo miran los soldados
que encuentra de trecho en
                                    [trecho,
ni sus compatriotas miran
sus ojos de amor tan llenos.
Martí recorre las calles
recogiendo sus recuerdos.

LA VOZ SECRETA

Los periódicos lo dicen,
sus amigos lo hacen cierto.
Ya sólo hay cansancio en Cuba
en el ambiente guerrero.
Por epidemias, por fiebres,
los españoles, maltrechos.
Los mambises, en el campo
faltos de armas y alimentos.
Larga es la guerra, muy larga
y su fin está tan lejos
que puede llegar la paz
en el próximo momento.
Grandes son los contingentes
de los hispanos ejércitos;
mas los mambises no cejan
en su valeroso empeño.
No falta valor, mas falta
un más coordinado esfuerzo.
Falta la voz que los una
todos a un mando supremo.

Heroísmo sin cohesión
es cual casa sin cimientos,
y en el ánimo de todos
tiene sitio el desaliento.
Martí comprende que, en vano,
busca en la revuelta puesto.
Cuba no quiere más vidas.
Cuba no quiere más muertos.
Cuba necesita de hombres
de saber y pasión llenos,
que limen las asperezas
que crecen sobre su suelo:
desconfianza entre español,
nativo, mulato y negro.

Y siente allí en lo profundo
de su ser, un sutil eco:
la voz del mentor Mendive
que dice: "Espera el momento".

GUATEMALA
Guatemala, tierra
pequeña, tímida.
De dos grandes mares
es la cautiva.

LA NIÑA DE GUATEMALA
Oculta tras los visillos,
tras la ventana entornada,
la niña espera el amor;
pero el amor mucho tarda.
"Será apasionado, bello,
tendrá una ardiente mirada,
tendrá arrogancia, tendrá
inteligencia y audacia".
La niña suela en azahares,
en linos y rosas blancas.
Oculta tras los visillos
la niña el amor aguarda.
La niña está triste, triste,
porque el amor mucho tarda.

La madre dice a la niña:
"¿Por qué estás tan apenada?
No pienses en cosas tristes
y alegra esa linda cara.
Creerá el nuevo profesor
que es muy triste Guatemala".

Las lecciones comenzaron.
La niña sonríe y canta.

Las paredes se han llenado
de risas rojas y blancas.
"Madre, qué lindo es el sol
y qué linda es nuestra casa.
Madre, qué bella es la vida".
"No te comprendo, muchacha".

Sí que es lindo, lindo, el sol.
Sí es bella la vida clara,
cuando amor está en la sangre
y está apretujando el alma.
Canciones, risas, suspiros,
han invadido la casa.
"Por libertar a su pueblo
los hombres mueren y matan".
–Dígame, doctor Martí,
¿qué tiene más importancia:
fundar un hogar cristiano
o libertar a la patria?
Martí no contesta. Mira
a la niña algo turbada
y de pronto se da cuenta
que es mujer enamorada.

"Martí se ha marchado a
              [México".
"¿No volverá a Guatemala?"
"Sí que volverá. Y muy pronto
con novedades de gala".

Oculta tras los visillos,
la niña anhelante aguarda
le da un brinco el corazón
si alguien a la puerta llama.
Corre a asomarse. Un amigo,
un viejo amigo de casa.

Retorna tras los visillos.
quizás él venga mañana.

Con Carmen Zayas, en México,
José Martí ya se casa.

LA BODA
Las palomas del sonido
los bronces hacen volar.
Alegres campanas cantan
en el alto palomar.
Siete coches se detienen
de la iglesia en el umbral.

La novia, toda de blanco,
avanza llevando azahar.
Martí a su novia querida
aguarda al pie del altar.
Su novia, amante, le mira,
Martí acoge su mirar.
El señorío fragante,
el porte tradicional
de Camagüey, Martí en ella
otra vez vuelve a admirar.
En Carmen late su tierra
con su cántico feraz.
La patria bella y lejana
que sola buscando va
la estrella que falta al cielo
entre su cañaveral.

"Ay, palomas del sonido,
volad sobre tierra y mar.
Llegad a Cuba y decidle
cuánto gozo en mi pecho hay.
Decidle que estoy contento,

que no puedo pedir más;
pero… decidle, muy quedo,
que la añoro en dicha más
que Cuba es mi alma y sin Cuba
no hay plena felicidad".

Las palomas del sonido
camino de Cuba van.

LA NIÑA DE GUATEMALA
(continuación)

Oculta tras los visillos
la niña su sueño guarda.
Llegan nuevas de Martí.
Qué alegría hay en la casa.
"¿Cuándo llega, cuándo viene?"
"Llegó en un buque esta mañana.
Vaya sorpresa tuvimos,
su esposa es muy bella dama".
La niña ha palidecido
y sólo oye una palabra
que resuena en sus oídos,
en su carne y en su alma.
"Casado", Martí, "casado".

Si era ella la que lo amaba.
"Casado". En su sangre corre
la voz que hiere y desgarra.
No hay nadie tras los visillos.
La ventana está cerrada.
Cuatro vírgenes de cera
le dan silenciosa guardia.
Envuelta en lino y azahares,
la niña de Guatemala.
Todo está ahora en silencio;

todo es ya luto en la casa.
En la puerta de la calle,
seis negros caballos piafan.

EL PACTO DEL ZANJÓN
Don Tomás Estrada Palma
ha caído prisionero.
Dos columnas enemigas
a su escolta huir han hecho.
Cerca de Holguín, en Oriente,
ha venido a caer preso.
Como a un malhechor lo trata
el coronel de aquel puesto.
En la Cabaña, en la Habana,
se portan cual caballeros.
Las atenciones hispanas
ha rechazado altanero
Estrada Palma, que espera
recibirlas de su pueblo.
Mas nadie acude a traerle
ropa, tabaco o consuelo.
En las ciudades, cansancio
por lo estéril del esfuerzo.
Dispersos, por la manigua,
van los grupos de insurrectos.

El general español
Martínez Campos, acuerdo
busca con cubanos jefes
para ordenar alto el fuego.
La Cámara determina
ver de lograr un convenio,
El año setenta y ocho,
el día diez de febrero,
la Paz del Zanjón se firma
y acuerdan perdón completo

para todos los culpables
revolucionarios hechos.
Diez años duró la guerra.
Se suman vidas y pesos
y setecientos millones
suman doscientos mil muertos.
"Olvido de lo pasado"
es de la paz el cruel precio.

EL REGRESO
Martí retorna a La Habana,
retorna al hogar perdido.
Vuelve a Cuba con la esposa
que alumbrará en Cuba a su hijo.
Los mambises cortan caña
en vez de españoles gritos.
La miel blanquea machetes
antes de sangre teñidos.
Tal costumbre en la manigua
tras diez años se ha adquirido,
que muchos para dormir
han de usar el modo antiguo;
en vez de cama, en el suelo;
al raso, en vez del bohío.

A La Habana halla Martí
ensarzada en un litigio.
Se habla de la autonomía
como del mayor prodigio.
Otros sólo de reformas
parejas a Puerto Rico;
mas la vecina isla antilla
se halla en estado de sitio.

A la Corte de Madrid
la Corte de los políticos,

Martínez Campos, mejoras
una vez y otra ha pedido.
Martí sabe bien que en vano
las pide el General ibero
al que todo el mundo llama
Pacificador por título.

Martí, el Pacto del Zanjón
ve que no será cumplido
y se prepara a servir
en Cuba, al separatismo.
Tiene ya conciencia clara
del que ha de ser su destino.
Ante el ara de la patria
su íntegra vida ha ofrecido.

EL BRINDIS
Adolfo Márquez Sterling
es del periodismo antorcha.
Le han ofrecido en Louvre
un banquete de concordia
y han encargado a Martí
que el brindis de honor exponga.
Martí se levanta y dice
con la voz clara y sonora.
"No es para rendir tributo
ninguna voz débil, floja.
Para ensalzar a la patria
son buenas todas las horas.

Para honrar a los amigos
hay entusiasmo en las copas.
Adolfo Márquez Sterling
es símbolo en esta hora.
El hombre que clama vale
más que el que súplica apronta,

pues no se piden derechos
ni se mendigan; se toman.

Si la cubana política
más amplia quiere hacer su obra;
si la aspiración del país
en sus labios se acomoda;
si ha de ser, más que interés
de las mercantiles zonas,
la alta redención social
que el sentir del pueblo colma;
si al hablar, al reclamar,
pensamos en nuestras glorias
y de los héroes caídos
sentimos orgullo y honra:
por la cubana política
entonces alzo mi copa.

Pero si por sendas vagas
estrechas y tortuosas
nos perdemos, sin plantear
el problema en clara forma
y no llegamos por tanto
a la solución patriótica;
si olvidamos elementos
que potente fuego portan;
si el corazón apretamos
para fingirlo de roca
oculta en él la verdad
que quiere abrirnos la boca:
a la cubana política
entonces mi alma no abona.
Y antes que brindar por ella
con fuerza rompo mi copa".

LICEO DE GUANABACOA

Al capitán General,
Blanco, pasan el aviso
de aquella figura nueva
de popular atractivo
cuyos claros ideales
son los del separatismo.
El Capitán General
quiere verlo por sí mismo
y acude un día al Liceo
de Guanabacoa, a oírlo.

El salón está colmado,
están llenos los pasillos;
está en el patio la gente
que no alcanzó mejor sitio.
Hay suspenso en el ambiente,
expectación de peligro.
El Capitán General,
sonríe, mundano y cívico.
Hay inquietud en los rostros
cuando Martí sube, digno,
al púlpito para dar
a su parlamento inicio.

La Velada es homenaje
para un violinista amigo.
Martí comienza glosando
la labor del genio artístico
y, cual venidos a cuento,
lo enlaza con los principios
que al porvenir del cubano
han de dar gloria y prestigio.
Los anhelos por su patria
con un tal calor son dichos.
Tan hábilmente ha enlazado

la patria con el amigo,
que algunos muerden los labios
para que no escape el grito
"Viva Cuba independiente"
que en la cara ya está escrito.

El Capitán General
lo oye con ceño fruncido
mientras se llenan de aplausos
las manos de sus vecinos.
El Capitán General
cuando se retira, ha dicho,
con asombro aún en su rostro:
"Voy a olvidar lo que he oído
y que nunca concebí,
que ante mí así fuera dicho,
pues del Gobierno español
soy representante adicto.
Voy a pensar que Martí
es loco. Y es un peligro.

Los amigos de Martí
están pensando lo mismo.
Mas lo que en Blanco es temor
para Cuba es regocijo.
Su locura a Cuba hará
salva de todo peligro.

EL CONSPIRADOR

En el bufete de Viondi
Martí su trabajo presta.
Allí Juan Gualberto Gómez
con José Martí se encuentra
y pronto lazos profundos
de amistad los dos estrechan.
Más profundamente aún
los une la patria idea.

En el bufete de Viondi
largas horas los dos velan
y de sus conversaciones
Cuba es el eterno tema.
Aunque escasos son los clientes,
no por ello tienen pena,
porque su cliente mejor
es la cubana defensa.
Viondi los escucha a veces
con una mirada escéptica.
"Son ustedes dos, los únicos
conspiradores que quedan",
les dice y para que a gusto
conspirar tranquilos puedan,
les cede una habitación
allí en el fondo, discreta.

Mas Viondi no está en lo cierto,
que en las ciudades y aldeas
un subterráneo riachuelo
va murmurando acres quejas.
Los cubanos descontentos,
rencor antiguo despiertan.
Con cauteloso sigilo
se vuelve a hablar de guerra.
Se conspira en los placeres
y en las pobladas aceras.
José Martí, el abogado,
se consume de impaciencia.
Sus enemigos le creen
un soñador y un poeta
empeñado en lo imposible
de hacer una guerra nueva.
El joven Martí, no obstante,
con más que lirismos cuenta.

De la Junta de la Habana
la presidencia él ostenta.

LA DETENCIÓN
José Maceo, Guillermo
Moncada, Quintín Banderas,
desde Santiago de Cuba
alzan la enseña insurrecta.
Pequeños grupos, Las Villas,
también la manigua pueblan.
Ante el Gobernador Blanco
se alza el feroz Polavieja
que insiste en atajar duro
la facción ahora pequeña.
Maceo, Antonio, en Jamaica,
con García está a la espera
de traer dos expediciones
para proseguir la guerra.
Blanco cede y mano dura
usar rápido aconseja.

Actuando con rapidez,
a una vigilancia estrecha
Martí y otros sospechosos
inmediatamente quedan.
El conspirar en La Habana
no es saludable tarea.
Y al descubrir, tardíamente,
que el soñador y poeta
de la nueva insurrección
es una de las cabezas,
su casa queda marcada
como a España desafecta.
Un piquete de soldados
está llamando a la puerta.
La esposa de Martí acude

y asustada al verlo queda.
Corre a avisar a Martí
que está sentado a la mesa
y llorando le suplica
que escape por la azotea.

Martí sonriente replica
que esas no son sus maneras.
Ante el jefe del piquete
en seguida se presenta;
mas antes le dice a Gualberto
que allí en la casa se encuentra:
"Corre al bufete de Viondi
y dile que fuego prenda
a los papeles que encuentre
guardados en las gavetas,
porque si no a media Cuba,
tendrían que meter presa".

Viondi no acaba de creer
lo que sus ojos le muestran.
largas líneas de patriotas,
conspiraciones secretas,
cartas comprometedoras,
en un reverbero quema.

LA RAZA NO VENDIBLE
El General Blanco siente
por Martí, benevolencia.
Conoce bien su valer
y lo admira y lo respeta.
Queriendo ser generoso
le hace llevar la propuesta:
"Renunciará usted en público,
renunciará ante la prensa,
de su afán separatista

de manera que se vea
su fe y adhesión al régimen
colonial que él representa.
A cambio, su libertad".
Martí digno le contesta:
"Le ruego que al General
su bello gesto agradezca;
pero debo replicarle
que soy de una raza entera;
la raza que no se vende
aunque a ella otros la vendan".

Martí valiente rechaza
la inaceptable clemencia
y otra vez es deportado
bajo vigilancia estrecha.

CRISTINO MARTOS
Ciertos asuntos que Viondi
le confió al salir de Cuba,
ponen a Martí en contacto
con una noble figura,
Cristino Martos, el hábil
liberal de la República.
Cristino Martos, el pelo
liso y femenil grosura,
con quevedos de aro negro
y brillante dentadura,
al abogado cubano,
todavía en cama, escucha.

Después de hablar de los pleitos,
se habla del pleito de Cuba.
Matos quiere conocer
de fuente fresca y segura,
las noticias más recientes

que las Antillas abruman.
Atentamente a Martí
Cristino Martos escucha.
Martí desata su verbo
y expone la larga suma.
Hábil recorre la historia,
la naturaleza estudia,
el fundamento, accidente,
todas las razones busca.
Los altos muros alzados,
la opinión y la conjura,
el destierro, la prisión,
que rencor tan sólo incuban,
y son abismos tan hondos,
que muestran sólo una ruta:
la cubana independencia
surge cual solución única.

Cristino Martos se asombra
que el verbo pródigo fluya
con tal vehemencia y tal gala,
con tal sapiencia y cultura.

Cristino Martos asiente
a las razones que escucha
y él que ha visto en los cubanos
ramas de la raza suya,
al alegato martiano,
su propio argumento anuda:
"Tienes razón, hijo mío,
le debemos eso a Cuba.
Sé que existen españoles
que la honradez patria insultan
y tan sólo estos ejemplos
los extranjeros empuñan.
Mas la voraz Inglaterra

y el país norteño juntan
por sí solos más desmanes
que los que a españoles culpan.
España es adusta a veces
y ha sido otras veces dura,
mas también todas las madres
muchas veces son injustas.
Nacidos aquí o allá,
nuestra raza siempre es una.
La independencia, es verdad,
es nuestra deuda con Cuba.

Martí se alza vehemente,
con esperanza insegura.
Ya no hay cansancio en sus ojos,
es más alta su figura.
En añorado silencio
luchan el deseo y duda.
Independencia, Gobierno
propio, justo, paz, República.

LA INCOMPRENSIÓN
Cristino Martos termina
su hábil y elocuente arenga.
Reposada y dignamente
tras su discurso se sienta,
sudoroso y satisfecho
de su enérgica defensa:
el discurso que a Martí
el día anterior oyera,
en la Cámara ha vertido
con una cierta prudencia,
cual tributo a aquel cubano
y a su desgraciada tierra.

Hay gran barullo en la Cámara.
No logra la presidencia

poner orden. "Para Cuba
la autonomía". "Es ofensa
para esta Sala pedir
la cubana independencia".
Gritos, siseos. Silencio.
Un orador va a la mesa.
Sus palabras son miel ácida;
la voz pausada, serena
al principio, se convierte
en apasionada y fiera.
Cristino Martos, el prócer
le oye y baja la cabeza.
"Cuba hasta el último hombre
y hasta la última peseta.
Cuba es ya la última joya
que del Imperio nos queda.
Renunciarla, es renunciarnos.
Cuba es nuestro gozo y pena".

Largos aplausos coronan
la brillantísima arenga.
Si mala fue la República,
la Monarquía no es buena.
Cristino Martos pretende
limar la cruel aspereza.
La mirada de Martí
al gran prócer causa pena.
"Donde hay sangre española,
allí está la independencia.
Historia, razones, lógica,
nada le importan ni afectan.
La pasión le abre el camino
y la emoción le gobierna.
El corazón le domina,
pero a veces éste yerra".

Martí no quiere argumentos,
palabras, ni formas bellas,
piensa que la lucha es larga
que es cruel y dura la guerra.
Un tranquilo paseante
lo ve cabizbajo y piensa:
"Qué feliz la juventud
que de nada hace problemas".

LA HUIDA
Mientras las bodas del rey
la Corte con alborozo
celebra en Madrid, Martí
conserva abiertos los ojos.
La guardia que vigilaba
sus pasos y gestos todos,
tiene ahora que ocuparse
de vigilar a los otros.
Hay que impedir que suceda
algo que perturbe el gozo
de las reales majestades
que se unen en matrimonio.
Martí aprovecha el instante
y con tacto cuidadoso,
evade la vigilancia
y viajando de incógnito
atraviesa la frontera
y va hacia América pronto.

EL ORADOR
En una casa de huéspedes
que tiene Manuel Mantilla
en la Gran Ciudad del Norte
el cubano Martí habita.
La revolución en Cuba
prendido de nuevo había.

Sánchez, Núñez y Carrillo
están luchando en las Villas.
José Maceo en Oriente
se une a la Guerra Chiquita.

Al gran General cubano,
al gran Calixto García,
—el que en el setenta y ocho
se hizo un disparo suicida,
que antes que caer prisionero,
prefirió perder la vida —;
al que no rindió en Zanjón
la estéril paz, con su firma—,
los insurrectos cubanos
como a su jefe lo miran
y aguardando su regreso
luchan en la Gran Antilla.
Calixto García pide
—la guerra lo necesita-
que la emigración ayude
con armas a la conquista.
Martí se pone en contacto
con el hombre a quien admira,
porque no quiso rendirse
a las fuerzas enemigas.
El gran general cubano
a Martí, escéptico, mira.
Calixto García, no,
en la palabra no fía,
para recaudar aportes
con patrióticas miras.
Mas temprano su opinión
de cambiar por otra había.
Martí su primer discurso
en la Gran Ciudad lo inicia,
ante un grupo de cubanos
que en Steck Hall se dan cita:

"El deber debe cumplirse
—su arenga Martí principia-
sencilla y naturalmente,
como una ofrenda sencilla".
La gente escucha el lenguaje
que la piel del alma eriza.
Martí en la tribuna, acusa;
Martí en la tribuna, explica:

"Los cansados ya están fuertes;
la brasa es ya llama viva;
las armas ocultas vuelven
a las manos campesinas.
Ya se conoce el peligro
y se desdeña o se evita.
La orilla que vió el fracaso
con astucia ahora se esquiva.
Para los nuevos caballos
ya nueva hierba es crecida.
Para sus bravos jinetes
guardan impacientes bridas.
Las fuertes piedras del Morro
no pueden ser derretidas
con lágrimas, con lamentos;
pero bien flojas serían
si en vez de lamentos, balas
a ellas se les oponía.
¿Qué casa no llora un muerto?
¿Y para qué dió la vida?
La independencia de Cuba
es la deuda contraída.
El que traiciona a sus muertos,
a sí mismo se castiga".

Palabras de un corazón
que a otro hermano se encaminan.

Palabras duras que hieren,
que amenazan y suplican.
Palabras que a todos llevan
un mensaje, una doctrina
de libertad y respeto.
La voz de Martí domina
la atención de los oyentes
pendientes con unción mística,
del verbo donde doliente
la patria amada se agita.
Una estruendosa ovación
estalla. Martí termina.
Los hombres del Comité
y el Gran Calixto García
se hallan de pie aplaudiendo,
con el alma conmovida.
Descubren que idea y verbo,
no el arma, es lo que conquista.

LA GUERRA CHIQUITA
Calixto García vuelve
a la cubana manigua.
Ha exigido que Martí
el de delgada figura,
se quede en el Norte guiando
a la emigración de Cuba:
"Para un ejército de hombres
que combate, otro que ayuda".

Con diecinueve hombres vuelve
para proseguir la lucha.
Pero el pueblo está agotado,
cercana está la guerra última
y la nueva rebelión
en vano afianzarse busca.
Grave de Peralta y Guerra

y aun otros jefes de altura,
han depuesto ya las armas
y renunciado a la lucha.
El Gobernador hispano
Domingo García, triunfa.

Calixto García vuelve
y no halla ayuda ninguna.
Tropa española le hostiga
en las montañas de Cuba
y no puede hacer contacto
con insurrectas columnas.
La fiebre prende en sus filas,
donde unos pocos se agrupan.
Yerran por el monte enfermos;
el hambre y fatiga abruman.
Nada sabe de Maceo
ni otras mambisas figuras.
Seis descalzos compañeros
ya sólo sus fuerzas suman.

Comprendiendo que es llevar
a sus hombres a la tumba,
en estéril sacrificio,
el General capitula.
Lágrimas de humillación
sus nobles mejillas surcan.

LA RENDICIÓN
Solamente un general,
con un grupo de patriotas,
la Guerra Chiquita sigue
al margen de la derrota.
En Las Villas está Núñez,
lo cerca la hispana tropa
y le insta a la rendición,

pues ya la lucha es de sobra.
Núñez responde que él nunca,
depondrá la gesta heroica
a no ser que por escrito
reciba la expresa nota
desde ese país del Norte
de la Junta que allí mora.

Por caballo, hasta La Habana,
la noticia a Blanco portan.
Por buque, yendo hacia el Norte,
la resistencia se acorta.

El emisario español
a Martí del hecho informa
y hace entrega del mensaje
de aquel valiente patriota.
Martí con pena en el alma
sintiendo hiel en la boca,
doliéndole hasta la mano
con que la pluma enarbola,
al bravo Núñez ordena
que ya las armas deponga,
mas su honor de militar
cubano, Martí conforta:
"No es rendirse al enemigo,
sino a su suerte más honda.
El último que es vencido,
el primero es para la honra".

LA SOLEDAD
Solo ha quedado Martí
con sus libros, su escritorio.
Su esposa e hijo embarcaron
y él otra vez está solo.
Él, que tanto ama a los suyos,
no ha logrado su hogar propio.

Ni ha logrado todavía
que su fe tengan los otros.
Fe en el destino de Cuba,
fe en la libertad de todos.
Su voz recorre perdida
un bosque de viejos troncos.
Solo está espiritualmente
y en lo físico está solo.

Pero Martí no desmaya
y aunque habla para los sordos
y escribe para los ciegos,
sigue su senda, sin odios.
En la soledad, pobreza,
en la amargura, abandono.
Martí sigue su camino
con un titánico arrojo.
Él persevera constante,
sin desmayos, sin enojos,
por no ser bien comprendido
por los extraños y propios.
Sin abandonar la lucha
espera el momento de oro.

Él sabe que vendrá el día
de pleno ardor patriótico
y ve surgir la República
justa, sin venda en los ojos,
amparando al pueblo entero,
protegiéndolos a todos.

Hay que esperar, mas la espera
es dura si se está solo.

BOLÍVAR Y MARTÍ

Quiere otra vez Martí hallarse
en pueblos que hablen su lengua.
Más cercana a Cuba siente
en suelos de Hispanoamérica.
Decide, pues, dirigirse
a la hermana Venezuela.

A la cuna de Bolívar,
Martí, anochecido llega.

Aún antes de preguntar
por un lecho o una cena,
inquiere dónde la estatua
del gran Bolívar se encuentra.
Allí, en la desierta plaza,
los dos titanes se enfrentan.
Dos figuras de las más
grandes que ha tenido América.
El libertador Bolívar
es recuerdo en bronce y piedra
que su obra, ya realizada,
serenamente contempla.

El libertador Martí
es una viva presencia
que el peso de su gran obra
sobre la vida aún lleva.
El libertador Bolívar
es quien el ciclo comienza.
El libertador Martí
es aquel que el ciclo cierra.
Principio y fin, grano y espiga,
de una misma igual idea;
la independencia lograr
de la gran Hispanoamérica.

Lograr su unidad de espíritu
que patria común la hiciera.

El héroe de ayer y el héroe
de mañana se contemplan.
Sus idénticos ideales,
su genialidad idéntica,
el afán de libertad
su dedicación completa.
Por encima del amor
–quien tanto al amor quisiera.
Por sobre de la familia
–quien tan hogareño fuera.
Por encima de la vida
–si la vida el precio fuera.

No se emociona ante el héroe
quien tiene un alma pequeña.
Martí emocionado mira
la forma inmóvil de piedra.
Martí y Bolívar se miran.
Martí y Bolívar se encuentran.

LIBRO TERCERO

*No se ha anticipado a su
momento, sino que se ha
colocado en él.*
JOSÉ MARTÍ

EL HOGAR PRESTADO

En ese país del Norte
José Martí vuelve a hallarse.
En la Gran Ciudad extraña
él busca el hogar afable
de Mantilla, el hogar dulce
que mitiga sus pesares.

Que los hijos de Mantilla
su esposa Carmen Mijares,
comprenden la triste pena
de aquel hombre bueno, grande.

Su juventud es madura
fruta que en verano se abre
y su soledad semilla
que en el surco libre cae.
Con el arma de la pluma
contra la opresión combate
y a toda la Hispanoamérica
llega su voz, como un ángel
que anuncia la buena nueva
de común alma y lenguaje.

De la espera viene fuerza
—Martí muy bien se lo sabe—.
De la derrota el empuje.
Flor Crombet nuevas le trae
de la isla doliente y bella
y llega con su hijo, Carmen.
Carmen de Zayas Bazán,
la novia que es ahora madre,
a sus políticas luchas
no acaba de resignarse.
Ella quería una casa
y un marido en ella estable.
Él sueña en una nación
y en un pueblo dispersarse.

Rumores en la mañana.
Rumores llenan las tardes.
Rumores de guerra pueblan
las noches, cubanos lares.

Máximo Gómez y Antonio
Maceo, los generales
de mayor prestigio en Cuba,
tienen ambiciosos planes.
Los emigrados cubanos
alegres van a esperarles.
En la estación extranjera
les tributan homenaje
por la antigua gloria y nueva
esperanza que les traen.
Un cubano de aquel sitio,
Félix Govín, negociante,
ha ofrecido una gran suma
que otra insurrección levante.

EL PLAN GÓMEZ-MACEO
En la Gran Ciudad se reúne
un gran triunvirato de hombres.
Máximo Gómez, Maceo,
José Martí son los nombres.
Los dos militares vienen
para pulsar los resortes
que pueden dar la victoria
a las cubanas facciones.
Govín doscientos mil pesos
Para ayudar, prometióles.
Pero al pedirle el dinero
sólo les da explicaciones.

Gómez furioso se irrita
y a otros caminos se acoge.
Hay que reclamar la ayuda
que la emigración apronte.
Improvisa circulares,
ordena las peticiones...
Martí observa al General

y no se siente conforme
de aquel proceder, mas calla
pues estima mucho a Gómez.

La cubana emigración
al llamado no responde.
El firme mentón le tiembla
al Viejo, Maceo pone
su temperancia al servicio
de tranquilizar a Gómez.
Buscando nuevo camino
para encontrar donaciones
Martí esboza sus proyectos
por lograr bienes mayores.
Mas, por una vez, el Viejo
dice secamente al joven:
"Cuando a México usted llegue
allí le darán las órdenes".
Martí se resiente y habla
con la voz serena donde
la madura reflexión
hace su respuesta noble:
"General, hay que aclarar
la cuestión de los galones.
Cuba no es feudo de nadie,
ni los muertos, escalones
son, para que al poder suba
cualquiera de nuestros hombres.
Para hacer caer un trono
no son las revoluciones,
si otro proceder tirano
al depuesto se le opone.
Luchamos por libertarnos
de los yugos españoles;
el fin es la libertad,
no el poder sin más razones.

Luchamos para en que Cuba
no haya extrañas opresiones,
ni haya tampoco cubanos
que aspiren a emperadores.
En el campo militar
todos deben seguir órdenes,
mas que el militar limite
a la guerra sus funciones
o se olvide al gobernar
de los castrenses enfoques,
porque en la esfera civil
sí cuentan las opiniones,
el respeto a las ideas,
respeto a las religiones,
respeto al libre albedrío
y a la vida que uno escoge.
A pueblo se han de pedir
comunes orientaciones.
El despotismo político
no cuente usted que yo abone,
que es peligro una voz sola,
seguridad muchas voces.

EL HOMBRE SENCILLO
Martí a las filas anónimas
de la esperanza regresa.
Nunca él ha buscado honores
ni en primeras filas sueña.
Sólo aspira a que su Cuba
demócrata raíz sea.

No es el héroe de salón
que brillar quiere en la fiesta.
Es el que lucha y trabaja
con la pluma y con la idea;
el que sacrifica el goce

mundano al deber asceta;
el que por servir la patria
bienes y ambición posterga.
Nunca piensa en sí, Martí,
en la libertad él piensa.
Sus placeres, alegrías,
sacrifica en patria ofrenda.

Le duele la incomprensión
que seres queridos muestran
mas su amargura y dolor
no deben contar ni cuentan.
Estoicamente los sufre;
a la causa que ha de dar
a Cuba, la independencia,
cuando llegado el momento
la limpia verdad venga.

LA INCOMPRENSIÓN
Que Martí se haya apartado
del plan Gómez, es mal visto
por la emigración cubana
de aquel extranjero asilo.
Acres censuras le muerden;
desdén muestran sus amigos;
algunos, ni le saludan;
reproche otros han vertido.
Martí, silencioso y noble,
Martí, silencioso y digno,
aparenta no notar
el desdeñoso vacío.
Pero la prensa publica
un anuncio muy leído:
"Mis compatriotas, mis dueños.
Mi patria, mi único símbolo.
Toda mi vida empleada

ha sido en su beneficio.
La conducta de los hombres
en lo externo como en lo íntimo,
debe honrar siempre a la patria:
mi proceder así ha sido.
Después de las siete y media,
la noche del veinticinco,
responderé a cuantos cargos
me quieran ser dirigidos".

El Clarendon Hall, la noche
de aquel jueves veinticinco,
está lleno de cubanos
que han acudido atraídos
por la promesa de escándalo;
otros por su deber cívico.
Hay muchos rostros que nunca
vieron en actos políticos.

Martí se dirige a todos:
su acusación ha pedido.
Silencio breve. De pronto
se alza un tal nombrado Rico
y comienza con censuras,
mas se para de improviso
y se sienta nuevamente
ante el total regocijo.

Martí la palabra toma
y expone su sentir íntimo.
Sin lastimar las gestiones
que están aún en camino
por el plan Gómez-Maceo
Martí, sereno, ha ofrecido
un discurso que es modelo
de tacto y ha convencido.

Si él disiente en el detalle
apartarse era el camino.
La voluntad del país,
el grande, insurrecto grito,
siempre junto a la bandera
le encontraría a él unido.

Una grandiosa ovación
el afecto deja limpio.
Del que empezó censurando
el más fuerte abrazo ha sido.

LA ESPERA
El plan de Gómez-Maceo
quedó en archivadas letras.
Mas Martí, sereno, inmóvil,
no cejó nunca en su idea.
Había que esperar la hora
que Cuba guerra quisiera.
No podía adelantarse
por caprichosa impaciencia,
para adquirir fama, gloria,
sólo ofreciendo promesas.
era el momento de estudio,
de analizar los problemas
que encontraría el Gobierno
que el cubano en sí escogiera.
El autonomismo en Cuba
va cediendo sus barreras.
Los madrileños diarios
de vaticinar no cesan
que Cuba se perderá
si sordos a ella se muestran.

José Dolores en Cayo,
Núñez en su residencia.

Néstor Carbonell, Leonelo,
desde Tampa, se impacientan.
Martí trabaja en silencio
con una consigna: espera.
No hay que hacer revoluciones
sólo con ansia guerrera:
ha de llevar la República
a Cuba, la guerra nueva.
Martí sabe que el momento
está cada vez más cerca
y mira el mapa de Cuba
y, sobre él, medita y piensa.

EL CORAZÓN DE AMÉRICA
En ese país del Norte
se reúnen los desterrados.
En el cuarto de Martí
discuten acalorados.
Las voces son grises balas;
las palabras, machetazos;
los silencios, duras piedras;
las miradas, largos látigos.
Hay expresiones de furia,
de indignación, desencanto;
hay quien se siente ofendido;
hay quien se siente humillado;
hay quien habla de traición;
también quien se llama a engaño.
Pero no hay nadie en la casa
que se muestre resignado.

Periódicos en el suelo,
rotos, con rabia arrojados,
en un idioma extranjero
hablan del "caso cubano".
"Tomará Inglaterra Cuba

si no nos anticipamos;
la rapacidad inglesa
siempre a Cuba ha codiciado".

Aun dicen más los periódicos
que a José Martí han mostrado:
"Hagamos del mar Caribe
un grande norteño lago;
compremos Cuba a la España
por unos cuantos centavos".

Todos miran a Martí
y todos quedan callados.
Martí los mira, uno a uno,
y de esta manera ha hablado,
"Cuba es el centro de América,
su corazón alargado,
Cuba es el centro del mundo,
que el mundo la está mirando.

Nadie consulta a su pueblo,
pero su pueblo ya ha hablado.
Ya sus grilletes antiguos
están rompiendo sus manos;
aquel que nuevos trallese
no hallaría pies ni brazos.
El destino de la patria
cubana, está ya logrado.
La sangre de nuestros muertos
y de los que a morir vamos,
gritará siempre afluyendo;
"Cuba para los cubanos".

TAMPA - 1891
Eligio Carbonell,
Andrés Sánchez Iznaga,

Néstor, Leonelo, Brito,
en la estación aguardan.
La lluvia torrencial
hasta los huesos cala.
Cincuenta hombres esperan
en la estación de Tampa.
La luz de las farolas
resbala por el agua.
Caras blancas, oscuras,
caras curiosas, ávidas.
Martí llega en el tren
la noche bien cerrada.

Cuba ha saltado al sur
de los norteños mapas.
Desde la costa espía,
desde la costa guarda,
Su inquieto amor por la isla,
de América, la gala.
Cuba en el extranjero
carácter le da a Tampa.

Delante de su pueblo
José Martí ya se halla.
Delante de su pueblo
su voz doliente mana:
"Para Cuba que sufre
la primera palabra.
Cuba tiene que ser
para el cubano, el ara,
más que nadie pretenda
por pedestal tomarla.
Yo traigo la paloma,
traigo la estrella clara
prendida al corazón,
cantándome en el alma.

La muerte de los buenos
es levadura santa
que el pan del sacrificio
con más fuerza levanta.
Ante la tumba heroica,
la vida heroica llama.

No es odio nuestra guerra;
es guerra de los que aman.
La guerra que unirá
almas libres y esclavas,
al campesino pobre
y al industrial hermana.
Obreros y patronos
juntos tomarán armas;
el culto y el inculto
se abrazarán con ganas;
tendremos en las filas
también gentes hispanas
y el blanco con el negro
no mirarán sus razas.
Guerra de libertad
nuestras palomas cantan.
La guerra romperá
cadenas y altas vallas
y unidos hallaremos
nuestra unidad cubana.
Quien patria no posee
tiene que conquistarla.
Nosotros forjaremos
de un dominio, una patria.
Somos los pinos nuevos
que entre los viejos se alzan.
Formemos nuestras filas,
valientes, apretadas.
Con todos, para todos,
el bien común se gana".

Hay cuatro mil personas
en la estación de Tampa
que dan la despedida
al gran hombre que marcha.
"Viva José Martí"
se lee en las pancartas.
"Viva José Martí"
sale de las gargantas.
"Viva José Martí"
impreso está en sus almas.
De la cubana enseña
se ha enamorado Tampa.

CAYO HUESO
La misma escena de Tampa
se repite en Cayo Hueso.
Martí acude a su llamado
a pesar de hallarse enfermo.
José Lamadriz y Poyo
y Fernando Figueredo,
a todos José Martí
vence y gana con su verbo.
Una comisión le explica
la labor que se está haciendo;
en Martí entreven ya al jefe
que ha de ordenar los esfuerzos.
Su obra revolucionaria
Martí va escuchando atento.
Al terminar la oración
dice: "Aquí está todo hecho".
Pero, con tacto, en seguida
desgrana su pensamiento:
Trabajar por la República,
no por un móvil guerrero;
cuidar y orientar política

que lleve paz a su suelo;
que el republicano hogar
encuentre firmes cimientos.
Tan amplio es su vasto plan,
que ven los de Cayo Hueso
que está todo por hacer,
si hay que hacerlo con provecho.

LA ACUSACIÓN
Martí ha fundado el partido
de revolución, cubano.
En Tampa y en Cayo Hueso
su doctrina ha redactado.
Cuando a la Gran Ciudad vuelve
una dura carta ha hallado.
La carta impresa, firmada
va por Enrique Collazo.
La carta defiende a Roa
y su libro "A pie y descalzo".
La carta acusa a Martí
de explotar los emigrados
y de no haber, cuando joven,
su vida en la guerra dado.
Los conceptos contenidos
a Martí causan cruel daño.

"Si mi vida me defiende,
no hallaré mejor amparo
y si mi vida me acusa
no podrá mi voz borrarlo.
En mi vida me defiendo,
que útil a mi patria la hallo.
Y cuando llegue el momento
que llegará, sí, Collazo,
en la manigua cubana
hemos de darnos las manos".

Lo que pareció un peligro
sube a Martí aún más alto
y en Cuba su nombre suena
como el del hombre esperado.
Apóstol lo llaman ya
en los hogares cubanos.

EL ATENTADO
La libertad no se paga
con cientos, miles, de muertos.
Hay que comprarla además
con muchísimo dinero.
Los brazos solos no sirven
para hacer frente a un ejército;
deben vibrar en las manos,
deben crujir en los dedos
las culatas de madera
y los machetes de acero.
El hierro ha de liberar
la opresión que impone el hierro.
Los cubanos que hay en Tampa
Cuba en Martí han descubierto.
Martí es su gran esperanza,
Martí no es sólo el maestro,
Martí es el hermano, amigo,
como un padre a todos ellos.
Con qué efusión lo reciben,
con qué muestras de respeto.
En la arena de las calles
su nombre ha aprendido el viento.
Martí es el libertador,
honrado, valiente y bueno.
Todos le siguen y admiran,
todos le sirven con celo,
todos contemplan en él
su guía, norte y ejemplo.

Él, que pregona nobleza;
él, que pregona el afecto;
él, que incluso ni en la guerra
del odio bandera ha hecho;
él, cuya grandeza de alma
enraizada está en el pueblo,
ha de encontrar la traición,
ha de sufrir odio ajeno.
Dos hombres de alma pequeña
veneno en su vaso han puesto.

Tampa vibra de zozobra;
se deshabita el silencio;
en los altares se encienden
plegarias de aceite y fuego.
La gente espera que salga
de casa Martí, el médico.
Manos amantes le cuidan
voces lloran largos rezos,
que quien ha sembrado amigos,
amigos recoge luego.

De Cuba llega su madre
con aflicción sin consuelo.
"¿Dónde habéis puesto a mi hijo,
qué es lo que a mi hijo han hecho?
No quería mal a nadie
ni había el odio en su pecho".

Hace la negra Paulina
el manjar para el Maestro.
Su marido, el buen Pedroso,
guarda su cuarto con celo.
Martí lo agradece todo
pero les dice: "No quiero
se preocupen por mí tanto,
ni tengan tantos desvelos.

No merece acción tan grande
un hombre cual yo pequeño".
Pedroso, el negro, responde:
"Yo soy un cubano viejo,
no entiendo de sutilezas,
ni de palabras entiendo.
Pero sé doctor Martí,
y esto lo siento aquí dentro,
que Cuba lo necesita
y debemos protegerlo,
pues defendiéndolo a usted
nuestra Cuba defendemos".

EL HOMBRE GRIS
A casa de don Juan Pérez
Martí su paso encamina.
va a pedirle su oro viejo
que por armas cambiaría.
El jardín es muy suntuoso;
la mansión muy grande y rica.
La inmensa puerta de entrada
su figura más achica.
Un solemne mayordomo
con displicencia le mira.
Don Juan Pérez, el rico hombre
a recibirle se digna.

Entra Martí en el despacho
que es habitación amplísima.
Regios muebles de caoba;
de seda, enormes cortinas;
sillerías tapizadas,
las porcelanas más finas
rodean al hacendado
que tras la mesa lo mira.

Martí se acerca. Despacio
se acerca a la escribanía.
El corpulento Juan Pérez
ni aun le ofrece una silla.
Retrepado en su sillón
le echa una ojeada crítica.
Un hombrecillo pequeño
con la levita raída.
Don Juan Pérez, su grandeza
siente cada vez más viva
al compararse a Martí
y, satisfecho, medita:
"Yo soy un gran hombre y él
es un ser gris en la vida".

"Tan sólo cinco minutos
puedo dar a su visita".
Martí no parece oírle
ni se ofende, ni se irrita.
Habla de Madrid, de España,
de Cuba, la geografía
que siente viva en la sangre
y le duele en carne viva.
Habla de guerra y dolor;
habla de paz y alegría;
de riqueza y de ruina.
Habla de atraso y progreso;
de dos banderas distintas:
de ejércitos españoles
y de mambisas guerrillas.
Habla de lucha, machetes
contra fuerte artillería;
de cañaverales y hombres
perdidos en la manigua.

El hacendado Juan Pérez
estupefacto veía

cómo Martí, el hombrecillo,
ante su mesa crecía.
Martí proseguía hablando
mientras el reloj seguía
contando arena del tiempo
con sus negras manecillas.

De pronto Martí detiene
la elocuencia siempreviva:
"Cinco segundos, tan sólo,
le pide Cuba a su firma".
Don Juan Pérez hace un cheque.
Martí sonríe a la cifra,
y, saludando solemne,
pensativo se retira.

El hacendado Juan Pérez
mira triste sus sortijas
y hundido en su gran sillón
insatisfecho medita:
"Él es un gran hombre y yo
soy un ser gris en la vida".

EL ÁGUILA
El águila, desde el Norte
sagaz sus garras extiende.
Los pabellones de América,
los que imperio español fueren,
intenta irlos cobijando
bajo sus alas más fuertes.
El continente de América,
desde el Norte se pretende,
sea un todo americano,
uno –el Norte– dirigente.
Que el gran imperio español
un anglosajón herede

y si no lo hizo Inglaterra
que lo hagan sus descendientes.
Los hijos del enemigo
de su hijos se apoderen.
Pero hay que hacerlo mejor,
pues la hispana herencia germen,
germen lleva de la raza
española independiente.
El sistema colonial
modernizarse requiere.

Que jueguen a gobernarse;
sean naciones juguete
los países de la América,
mas no olviden que dependen
todos, Centro y Sudamérica,
del águila dirigente.
Adeptos ya les saldrán
entre las nativas gentes,
pues si España antes los tuvo
–amor, error, intereses–,
ellos verán de comprarlos
si la inversión lo merece.

Pero en el caso de Cuba
un nuevo aspecto se ofrece.
La prensa habla de anexión
ya preparando a la gente.
Martí al punto acusa el golpe
y a la opinión hace frente.
Él a ese pueblo del Norte
admira materialmente,
mas sabe que a costa de otros
(cual México) se engrandece.
Ser provincia de ese país
afrenta al independiente.

El hombre pequeño, grande,
Su pueblo otra vez defiende.

"Cuba se quiere apartar,
de España apartarse quiere,
mas no aceptará otro yugo;
quiere ser independiente.
Si nos explota el hermano,
es injusticia que duele;
si nos explota el amigo
el desengaño nos hiere;
si nos explota el extraño
la esclavitud nos da muerte.
El hispanoamericano
dignidad y orgullo tiene,
si se aparta de su madre
es que tutela no quiere;
si a los del propio lenguaje
rechaza con voz valiente,
no ha de aceptar nunca el yugo
de las extranjeras gentes".

NO ES CONTRA EL ESPAÑOL
No es contra del español;
no es el nacer en la tierra
de España, lo que abominan
las antillanas ideas.
Es contra la ocupación
y la agresiva insolencia
con que se amarga la vida
de quienes las islas pueblan.
No es en contra del buen padre:
contra el mal padre es la guerra.

No es contra del leal esposo:
contra el que pérfido fuera.

No contra el trabajador
que agradecido se muestra;
contra el transeúnte ingrato
y arrogante es nuestra guerra.
No es contra del español:
contra la codicia ciega
e incapacidad política
que la España nos demuestra.
El hijo de español padre,
habido en cubana tierra,
del padre español recibe
consejo de independencia.
No es contra del español
que amante del hijo fuera;
ése vivirá seguro
en la República nueva.
Sí contra del que aborrece
el suelo que hijos le diera.
No el fin de los hombres buenos
es móvil de nuestra guerra,
sino el triunfo sobre quienes
a su dicha se opusieran.

LOS PERTRECHOS
En Santo Domingo se halla
el viejo General Gómez,
a buscarle va Martí
limpio de odios y rencores.
Su competencia guerrera,
su valentía conoce,
su honradez y amor a Cuba...
Martí sabe que es el hombre
que necesita la causa,
pues ganado tiene el nombre
de estratego insuperable.
Martí sabe que es el hombre

a quien sólo acatarán
con fe todas las facciones
y, unidos bajo su mando,
no discutirán sus órdenes.

Los brazos del General
se abren a Martí. Su pobre
casa le hospeda contenta,
feliz su techo le acoge.
Martí le porta el mensaje
de cubanos corazones.
Cuba se enciende de nuevo
en patrióticos ardores.
Campesinos, los arados
dejan y se van al monte.
En la manigua cubana
los patriotas se esconden.
Cambian el traje civil
por militar uniforme
los hombres de las ciudades
por ser libres en los montes.

Con atención reflexiva
escucha el General Gómez.
Su enérgico rostro muestra
la ansiedad que lo corroe.
"¿Con qué elementos contamos
para la guerra?" Y responde
rápido y justo Martí:
"Con los desaciertos dobles
que está cometiendo España
con cubanos y españoles".

LAS FILAS CERRADAS
Gómez cede a hacerse cargo
del militar aparejo.

Martí va hacia Costa Rica
a visitar a Maceo
y también logra que acceda
a sumarse al patrio ejército.
Ya están las filas cerradas
de Cuba, en el extranjero.
La prédica y propaganda
las cierra en el propio suelo.
Hay que apresurar la compra
de eficaces armamentos
y ya elabora Martí
cómo será el alzamiento.
Irán tres expediciones
a lugares estratégicos,
llevando a bordo los jefes
y militares pertrechos.
En tres lugares distintos,
desembarcarán aquéllos.
Tres buques se están cargando;
tres buques están dispuestos.

LOS TRES BUQUES
Las armas ya están compradas;
los hombres listos están.
En los puertos hay tres buques
que a un mismo destino van.
Los marineros no saben;
—no sabe aún el capitán—,
que en las entrañas del buque
bulle inquieto un arsenal.
Es silencio, la consigna
hasta llegar a alta mar.

No esperéis más en el puerto;
hacéos pronto a la mar.
Grupos de cubanos prenden
fuego en la costa oriental,
para indicar a los buques
dónde han de desembarcar.
Desde el pico de los montes
vigías miran al mar,
para ver si ya se acercan
los buques que en puerto están.

No esperéis más en el puerto.
"Baracoa", hazte a la mar.
Y tú, "Amadís" y "Lagonda",
haced las anclas levar.
No esperéis más en el puerto.
La traición rondando está
las escotillas del alma.
Los buques no llegarán
donde ávidos ojos buscan
la esperanza sobre el mar.
No esperéis más en el puerto
que la traición llega ya.
Cuarenta soldados vienen;
el muelle pisando van.
Cuarenta soldados suben
al buque que en puerto está.
Cuarenta soldados hallan
en el buque un arsenal.
Sí, los puertos son iguales,
que es una la ley del mar.
La revolución termina
aun antes de comenzar.
En vano hombres allí en Cuba
mirando al mar seguirán,
confiando llegue la muerte
o el arma con que luchar.

LA DERROTA TORNADA
EN ÉXITO

¿En dónde está la paloma
que quiere portar la nueva?
¿Dónde el que a escribir se atreva
lo que el ánimo desploma?
Amarga y dura es la loma
cuando se asciende al fracaso.
Amanecer es ocaso
cuando surge la traición.
Murió la revolución
cuando daba el primer paso.

El duro golpe asestado
a la formidable empresa
hará a su Cuba más presa
y al pueblo más resignado.
Mas no es así, que, asombrado
de la formidable hazaña,
reacciona con brava saña
el cubano ante aquel hecho
y ya se siente en su pecho
independiente de España.

Emocionado, Martí
ve que el pueblo amor merece.
En lugar de hundirse, crece
el valeroso mambí.
Desde Cuba, Sanguily
dice que el viejo y mancebo
la revolución de nuevo
van a emprender con desorden
y grita: "O me dan ya la orden
o yo solo me sublevo".

EL DESPERTAR

Ya va despertando Cuba
su voz de fruto maduro.
Ya está levantando el muro
que el cielo en estrella suba.
Ya nueva sabia se incuba
y al firme tronco se aferra.
Y en la ciudad y en la sierra
—obreros y campesinos—,
están crecidos los pinos
nuevos de la nueva guerra.

LA DECISIÓN

José Martí, el gran caudillo,
en la reunión secreta
con Gonzalo de Quesada
y con Collazo se encuentra,
(el que lo acusara un día
ahora lo admira y respeta).
Representación de Gómez
Mayía Rodríguez lleva.

Se examina claramente
la situación verdadera
del entusiasmo del pueblo
para ir de nuevo a la guerra.
Enrique Collazo dice:
"Con ansia el machete espera.
Los hombres irán al campo
a recoger la cosecha;
unos morirán, los otros
nos traerán la independencia.
En los hogares cubanos
los niños cantan la gesta
de los héroes que se fueron
y padre heroico desean".

Mayía Rodríguez dice:
"Es grande la hispana fuerza.
Más de doscientos mil hombres,
el General Polavieja
tiene por la isla dispuestos.
Desconocemos la nuestra.
Mas si en mil partes prendemos
la patriótica hoguera,
los enemigos ejércitos
se vencerán con presteza".

Martí y Quesada se miran
Martí el alzamiento acuerda.

LA PARTIDA

Martí para unirse a Gómez
parte hacia el Cayo Haitiano.
Las últimas instrucciones
al joven Quesada ha dado.
Parte también hacia el sur
el predilecto martiano.
Para Tampa y Cayo Hueso
lleva un mensaje angustiado:
"Fondos para libertar
el suelo oprimido, amado".
Martí a sus amigos pide,
Martí pide a los cubanos,
que extremen su sacrificio,
que vendan, si es necesario,
hasta el techo que los cubre.
Y al generoso Barranco,
Recio, Pérez y al mecenas,
el más grande, Eduardo Gato,
pide aportes decisivos:
una patria será el pago.

LIBRO CUARTO

*De pie en su época, vivió
en ella, en las que le ante-
cedieron y en las que han
de sucederle. Abrió vías que
habrán de seguirse.*
JOSÉ MARTÍ

MONTECRISTI

Montecristi. Las palmeras
abrazan su amor afín.
Collazo y Manuel Mantilla,
Máximo Gómez, Martí,
allí, en Montecristi, esperan
el momento de partir.
Las estrellas tintinean
en la noche febreril.
Allí, en el batey de Gómez,
esperan oír el clarín;
las trompetas del principio
que anuncian claras el fin
y la libertad cubana
prenda en el cubano añil.

EL GRITO DE BAIRE - 1895

Veinticuatro de febrero
del año noventa y cinco.
Martí señaló la fecha,
Martí la fecha ha elegido,
en que las fuerzas cubanas
deben alzarse al unísono.
Fuertes, bravos en indomables
se yerguen los nuevos pinos.
Los viejos pinos señalan
con su experiencia el camino.

Veinticuatro de febrero
del año noventa y cinco.

Por el monte, en la llanura,
se alza el insurrecto grito.
La nueva revolución
estrena el primer latido.
Del arcón donde dormía
sube al asta, en los bohíos,
la bella enseña cubana
en guerrero desafío.

Saturnino Lora, en Baire,
por fuertes núcleos seguido,
va arrollando por las calles
las fuerzas del enemigo.
Caballos encabritados,
humo de pólvora e himnos.
Roncas órdenes de mando
se mezclan por todos sitios.
Semillas de plomo siembran
la muerte en los campos vivos.
De Baire y a Baire llega
el unánime chasquido
que hacen al romperse en Cuba
los viejos hispanos grillos.
El gran general Masó
va venciendo en Manzanillo;
Guillermo Moncada ataca
Oriente, con sus bravíos.
Baire y toda Cuba entera
saluda a los nuevos pinos
que a la voz del cubano héroe
se despliegan decididos.
Baire y toda Cuba entera
saben que esto es el principio
de la libertad ansiada
que Martí les ha traído.

LA DECISIÓN

Montecristi vela el gozo
que de Cuba ha de venir.
Mayía Rodríguez llega
con la noticia viril.
Cuba ya se ha alzado en armas;
suena la voz del fusil.
Martí solemne se yergue;
el gozo ha de reprimir.
Los militares reunidos
acuerdan que el paladín
regrese al país del Norte
para más fondos reunir.
Pero Martí muestra diarios
donde dicen que él, Martí,
con Collazo y Gómez pisa
la manigua del mambí.
"La emigración tal noticia
acaba de recibir
con gran entusiasmo y júbilo".
El suelto termina así.
Martí, firme y decidido
dice: "Mi puesto está allí".
y resuelto a la partida
a la reunión pone fin.

EL MANIFIESTO

En Montecristi, Martí
su escrito supremo crea.
Montecristi: Manifiesto.
Su declaración de guerra
es un esquema de paz;
un republicano esquema,
constitucional semilla
que en la abierta sangre crezca.
Martí escribe en Montecristi
el manifiesto de guerra.

LA PARTIDA

Ya están prestos a partir;
a morir están dispuestos.
En botes abandonados
salen hacia mar adentro.
Una goleta se esconde
de la tenue luz del puerto.
Seis hombres se embarcan:
Brigadier Paco Borrero,
Ángel Guerra, coronel
César Salas y el gran Viejo
General Máximo Gómez,
Marcos Rosario y el héroe
de la campaña, Martí.
Su odisea da comienzo.

INAGUA

Inagua, la salinera
ruinas, sol y silencio.
La goleta allí recala
por hallar contrarios vientos.
El capitán salta a tierra
con un baladí pretexto.
El capitán los denuncia
al personal aduanero.
Un minucioso registro
armas pone al descubierto.
A su generosidad
hace Martí llamamiento
y en hábil diplomacia
logra salvar el momento.

Inagua, la abandonada;
el sol salino está ciego.
Los marineros se niegan
a proseguir en sus puestos
y en vano en el muelle busca
Martí, nuevos marineros.
Nadie accede a proseguir
el viaje en aquel velero,
que el capitán ha ordenado
la negativa en secreto.
Los seis hombres desesperan
ante el porvenir incierto.

Inagua, inhóspita, duerme
sal y calor en su sueño.
Un nuevo buque aparece
con su paisaje de hierro.
Recala en Inagua el buque
y a él los hombres van corriendo.
Martí al capitán expone
lo arriesgado de su empeño.
Duda, vacila, mas noble,
el capitán del frutero,
cede con la condición
que a su nombre hagan silencio.
Cuando Inagua deja el buque
lleva en sí seis pasajeros
que van a hacer realidad
un ambicioso proyecto.

EL DESEMBARCO

Tierra cubana a la vista.
Tierra cubana a estribor.
Los que vuelven a la patria
a hacer la revolución,
desde la proa del buque
miran con gran emoción.
La tierra de sus ensueños
se insinúa bajo el sol.
La farola de Maisí
parece erguirse a su voz.

La impaciencia les domina
a la nocturna irrupción
y aunque el mar está encrespado,
piden detenga el vapor.
El capitán no se atreve;
es peligrosa labor
para un bote la travesía
sin diestra gobernación.
Pero los hombres requieren
haga a su promesa honor.

Los marinos descuelgan
el frágil bote a estribor
y bajan a él los seis hombres
apretados de emoción.
El mar ruge enfurecido,
abismos las olas son.
Martí en el remo de proa
mezcla la lluvia y sudor.
El timón de agua y madera
se rompe en un gran tirón;
queda la barca al garete
presa del mar vencedor,
pero utilizan un remo
cual provisional timón.
La lluvia sigue cayendo.
El mar redobla el furor.
El viejo Gómez dirige
la frágil embarcación.
La barca a tientas avanza,
en la oscuridad atroz.

Ya están cerca de la costa,
seis hombres un hombre son;
seis corazones son uno;
seis voces son una voz;
"Viva Cuba", único grito
de un patriótico ardor.
A la playa de Playitas
arriba la embarcación.
Saltan a tierra los hombres
besándola con fervor.
Tierra cubana, su tierra
querida del corazón.
Tierra cubana, la tierra
más hermosa bajo el sol
y bajo la oscura noche
también la tierra mejor.

Tras la lluvia, abren las nubes
a las estrellas balcón.
Martí silencioso mira
el nocturno girasol.
La estrella cubana busca
sitio en su constelación.

LA MANIGUA
Ya ciénagas atraviesan;
ya los espinares suben;
cargados con las mochilas
con la noche se confunden.
Empapados los vestidos
las estrellas les dan lumbre.
Con cauteloso sigilo
la caravana discurre
por resbaladizas sendas
donde los pies se les hunden.
El sudor corre en sus rostros
que polvo y fango descubren.

Las altas palmeras grises
son vigías de las nubes.

Perdidos en la manigua
la callada inquietud sufren.
¿Serán las fuerzas amigas
aquellas que los saludan?
¿O serán los enemigos
que con apagadas luces
en cauteloso silencio
sus huellas ávidos busquen?
Gómez la brújula mira,
intranquilas cejas frunce.
Martí prosigue adelante:
se muestra al cansancio inmune.

La caravana se para.
Se vislumbra una techumbre.
Un bohío, el paisaje
de la manigua interrumpe.
Decididos a él se acercan
aunque enemigo se juzgue.
La madera de la puerta
temerosa y débil cruje.
Mas son amigos cubanos
que otro ánimo les infunde.

De su arribada a la Isla
pliegos dan que la difunden.
Los insurrectos de Ruenes
a poco se les reunen.

EL PRESIDENTE
Martí, es el alma del grupo.
Está Martí en todas partes.
En el consejo, en la fila
llevando a todos mensaje
de seguridad, de triunfo,
de tesón infatigable.

Y cuando tras la tarea
hora es que el cuerpo descanse,
Martí escribe a sus amigos,
patrias crónicas él hace,
que nunca ha habido una guerra
que las armas solas ganen.

"General", Máximo Gómez
llama a Martí y se complace
al ver que los jefes todos
este nombre acuerdan darle.
"General", le llaman ellos
y en la voz popular nace
otro nombre: "Presidente"
que los insurrectos traen.
"Presidente" es la palabra,
"Presidente", es homenaje
que el pueblo rinde a Martí
y su heroico jefe lo hace.

No hay guerrero que no vea
en él, su ídolo más grande.
Le admiran y le respetan
y no se cansan de darle
muestras de su adoración
y gracias por sus afanes.
Uno le brinda boniato
otro agua hervida le trae,
aquel lleva miel de abeja,
otro una naranja grácil,
que oyó decir, de camino,
que en su jugo se complace.
Martí agradece la ofrenda
y sonrie su semblante
y tras de ello continúa
con su trabajo, incansable.

LAS FUERZAS
Maceo ha desembarcado
con Flor Crombet, en Oriente.
Tres mil hombres, por los montes,
tres mil, Maceo posee.
Arsenio Martínez Campos
con veintidós mil ya viene.
Los desembarca en Guantánamo
y los esparce en cuarteles.
Pertrechos de toda clase,
más de mil cañones tiene,
fusiles nuevos que brillan
cuando el fuerte sol les hiere.
En las calles de Guantánamo
las piedras gasta su gente.
Veintidós mil son sus hombres
contra de tres mil machetes.

EL CONTACTO
Cerca está la hispana tropa,
muy cerca de los mambises.
Los seis hombres de Playitas,
con Maceo van a unirse.
Camino en los matorrales
con el machete han de abrirse.
Cuatro tiradores llevan
y González al que siguen
sus diecisiete parientes
armados con sus fusiles.

Cerca está la hispana tropa;
cerca también los mambises.
Balas desgarran el aire,
palmera su plomo fingen
palmeras reales de muerte,
de encendidos tonos grises.

Gritos saltan de "A degüello",
ruido de gente que embiste
y en galopar de caballos
el silencio se destiñe.

El mambí Rafael Portuondo
en presencia de define.
Emocionado saluda
a Martí que lo bendice.
Después de acallado el júbilo,
hacia delante prosiguen.
Los treinta valientes hombres
con confiada fe sonríen.

LAS CARTAS
A Gonzalo de Quesada
y a Guerra, grandes amigos,
Martí ensalza a los valientes
que a su lado muestran brio;
lugartenientes que tienen
en la historia su buen sitio.
Les dice la situación
de los cubanos equipos,
de Luis Bonne con su gente
madura y sus nuevos pinos.
De Goulet y de sus hombres
que ganan heroico brillo.
Del buen Pedro Pérez que anda
a pie con gran gentío
por las puertas de Guantánamo
hostigando al enemigo.
De Planas y sus jinetes
y Garzón, negro bravío,
pulcro de hechos y de traje,
cuyo coraje es un río.
La lista fuera más larga

de haber más tiempo tenido.
Martí trabaja sin tasa,
dicta, escribe de continuo;
seis hombres no da abasto
para copiar sus escritos.

Todo pasa por sus manos,
todo registra su oído,
desde el deber militar
al comportamiento cívico.

Noticias que en Camagüey
la revuelta ya ha prendido
y que en Holguín y las Tunas
hay fuego bien encendido.
Asombro causa a la gente
su fino genio político
que hace del deber y el hombre
una unidad sin resquicio.

EL CONVOY
El General Gómez parte
para atacar un convoy,
que llega a Palma Soriano
cargado de munición.
Los cuarenta hombres que lleva
cuarenta mambises son,
con machetes en cuya hoja
desnuda, les cabe el sol.

Cerca de Remanganaguas
se detiene el pelotón.
Desde una loma cercana
Gómez divisa el convoy
que bien protegido lleva
el comandante español.

Gómez envía a la plaza,
en busca de información,
a un isleño de su grupo
llamado Carlos Chacón.

Carlos Chacón, feroz Judas,
Carlos Chacón, el traidor,
va a vender sus camaradas
al comandante español.
Ximénez de Sandoval
escucha su delación.
Carlos Chacón busca el oro.
Sandoval busca el honor;
dos caminos que van a la muerte,
a la muerte van los dos.

REGRESO AL CAMPAMENTO
"Masó con trescientos hombres
ha llegado". Martí escribe
a Gómez que de Chacón
noticias aún no recibe.
Cansado ya de la espera,
regresar al fin decide.
Marchan hacia el campamento
desencantados y tristes;
mas también sienten contento
de Masó y de sus mambises.
Marchan hacia el campamento.
Tropas hispanas los siguen.

EL COMBATE
En la Boca de Dos Ríos
está la muerte en acecho.
Máximo Gómez, Martí,
con Ángel Guerra, Borrero,
Manuel Piedra, José Lara

y con el coronel Bello,
trazan planes, pues disponen
de Masó y de sus trescientos.
El sol de mayo contemplan
los ociosos insurrectos
que aguardan la orden de marcha
en respetuoso silencio.

Catorce disparos abren
al aire catorce huecos.
Hispanos clarines llegan
por las llanuras del cielo.
Una voz grita "Emboscada".
Todos alerta se han puesto.
Acuden a ver qué ocurre
Martí, Gómez y Borrero
"Una emboscada" es el grito
que levanta el campamento.
Gómez ordena "A caballo".
Montan los jinetes presto
y a enfrentarse al enemigo
galopando van dispuestos.
En el vado de Dos Ríos
la confusión va en aumento.
Crecido está el Contramaestre
y son muchos los guerreros
que al no poder vadearlo
han de perderse dispersos.
Gómez atraviesa el río
con Guerra, Masó y Borrero
y con cerca de cien hombres
va buscando el flanco izquierdo.
La senda de la derecha
toma la fuerza de Bello,
unos veinte hombres, Martí
está a la cabeza de ellos.

Rasga el zarzal el machete
que aprietan firmes los dedos.

Gómez intenta horadar
los muros de plomo y fuego
que las tropas enemigas
le oponen desde sus puestos.
En vano una vez y otra
intenta romper el cerco.
Están cerradas las filas,
los disparos son intensos
y ordenar ahora la carga
sería el propio degüello.
Las fuerzas de Martí llegan
a la cerca de un potrero,
donde la avanzada hispana
les abre furioso fuego.
Las fuerzas cubanas cargan
y se llevan en el pecho
de sus cabellos, la cerca
y en sus machetes de acero
la vida de los infantes
que temerosos no huyeron.

Mas había otra emboscada
tras un árbol gigantesco.
Martí al divisarla grita:
"Al asalto"; pero Bello
herido es ya retirado
por quienes sobrevivieron.

Solo ha quedado Martí,
con un solo compañero,
Miguel Ángel de la Guardia,
mas no desiste por ello.
Por la libertad de Cuba

no hay sacrificio pequeño.
La muerte no es fin, es tránsito,
hay que morir combatiendo.
Los enemigos fusiles
son como acerados dedos
que señalan a Martí
como al héroe supremo.

LA MUERTE
Los enemigos fusiles
son como acerados dedos
que señalan a Martí
fríos, persistentes, quietos.
La décima de un segundo
basta para hacer un muerto.
Que no disparen. Martí
es el que está frente a ellos.

Toda el agua de los ríos
cierra sus ojos abiertos.

La décima de un segundo…

La tierra, oculta en el césped,
tiembla de angustia y de miedo.

La décima de un segundo…

El aire aterrorizado

ha contenido su aliento.

La décima de un segundo…

Atado a las negras ramas
se agita impotente el fuego.

La décima de un segundo
basta para hacer un muerto.

Un segundo es poca cosa
en el reloj de lo eterno.
¿Y un segundo solamente
basta para hacer un muerto?
Un segundo es casi nada,
prisa sólo, fugaz vuelo,
¿por qué ha de llevarse entera
toda una vida, un momento?

Los enemigos fusiles
fríos, persistentes, quietos.
Que no disparen sus balas,
las balas hieren el tiempo,
las balas hieren el aire,
las palmeras y el silencio.

Balas hieren a los hombres.
Martí herido cae al suelo.
Cara al sol del mediodía,
cinco heridas en su cuerpo.

Las almas de los laureles
recogen su pensamiento
y la bandera cubana
llora en un hombro del viento.

El diez y nueve de mayo
del año mil ochocientos
noventa y cinco, Martí,
el héroe cubano, ha muerto.

EL VIENTO HABITADO
El campamento de Gómez
está triste, silencioso.
Ni tan siquiera a mirarse
se atreven los unos a otros.
La luna vela la muerte,
el fuego vela rescoldos.
Miguel Ángel de la Guardia
está en un rincón angosto.
Los generales Masó
y Gómez se sienten solos.
Martí, el héroe, ya ha muerto.
Un contenido sollozo
recorre todos los pechos,
se prende en todos los ojos.
El viento sopla en el monte
y es un susurro su soplo
en donde habita un mensaje
que parecen oir todos.

La savia de tu palabra,
sea con nosotros.
La madurez de tu idea,
sea con nosotros.
El agua de tu honradez,
sea con nosotros.
La canción de tu esperanza
sea con nosotros.
La arena de tu humildad
sea con nosotros.
La semilla de tu genio,
sea con nosotros.
La estrella de tu verdad,
sea con nosotros.
El laurel de tu valor,
sea con nosotros.
La llama de tu trabajo,

sea con nosotros.
Tu amor a la libertad,
sea con nosotros.
Tu diligencia incansable,
sea con nosotros.
Tu gran generosidad,
sea con nosotros.
Tu sentido del deber,
sea con nosotros.
Tu amor doliente por Cuba,
Martí, sean con nosotros.

LA FOSA ANÓNIMA
Todo ha quedado en suspenso,
inquieto, turbado y grave.
Vibra por todo Dos Ríos
algo indecible en el aire.
Martí ha muerto. Allí en el suelo
su valiente cuerpo yace.
Martí ha muerto. Los soldados
españoles aún no saben
que aquel civil insurrecto
fue su oponente más grande,
y lo entierran con los otros
muertos en aquel combate.
Las arecas le hacen paso
Por no querer lastimarle.
Los pájaros han venido
por vez postrera a mirarle.
Martí ha muerto. Silenciosa
la tierra acoge el cadáver
y lo guarda con cuidado
como su joya más grande.
Cual anónimo soldado
en fosa anónima yace.

Pronto corre la noticia
por el monte y por el valle.
Martí ha muerto. Los caminos
se lo dicen a las calles.
Las calles a las paredes
de las casas habitables.
Y en el alma de los hombres
campanas de dolor tañen.

Estupor siente la tropa
a la orden del comandante.
Los altos jefes ordenan
desenterrar el cadáver,
que enemigo principal,
principal entierro vale.
Se hace aprisa un ataúd
con unas cajas sobrantes
y lo embalsaman, que espera
Santiago para enterrarle.

EL HÉROE
Por el cañaveral pasa,
por la manigua y el río,
por el poblado en silencio,
junto al callado bohío;
el cortejo funeral,
pasa con solemne rito.
Lo ven pasar los cubanos
con hosco ceño fruncido,
inmóviles de estupor,
como el maizal bajo el frío.
También las cubanas miran
con el semblante afligido
y rezan una oración
que tiene patrio sentido.
El cortejo funeral

pasa con triunfante signo
mostrando solemnemente
al héroe Martí, vencido.

Martí, el héroe cubano.
Martí el hombre de su siglo.
Martí coloso de América.
Martí, legendario, mítico.
Misionero de la patria
por los extranjeros pisos.
Forjador de un credo justo
que ampare el derecho cívico.
Ordenador de los hombres
con su sabio eclecticismo.
Mesías del ideal
presto siempre al sacrificio.

Jefe en la vida y la muerte
del patrio nacionalismo.
Precursor de la unidad
de hispanoamericanismo.
Titán del mar antillano
que hizo del deber oficio.
Adalid de incorruptibles.
En democracia, caudillo.
Redentor de duros yugos.
Guía del pueblo oprimido.
Oráculo de prudencia.
Espejo de los políticos.
Dirigente de la historia.
Portador de alto destino.
Alma del pueblo cubano.
Vencedor al ser vencido.
Martí, el héroe cubano,
Martí el hombre de su siglo,
Martí coloso de América,

Martí, universal latido.
El cortejo funeral
se acerca ya a su destino.
Algunos cubanos siguen
desde lejos su camino.

EL ENTIERRO
Negro muro de silencio
cerca Santiago de Cuba.

Tropa española se acerca
llenando el alma de angustia.
Mil doscientos hombres vienen
formando larga columna,
con los fusiles al hombro,
las espadas en las fundas.
Entre ocho soldados llevan
unas parihuelas rústicas.
Sobre ellas, un ataúd
que mirar apesadumbra.
José Martí yace muerto
en su postrera tribuna.
Los mil doscientos soldados
el paso lento acentúan.
La solemnidad del pueblo
a ninguno se le oculta.
Los tambores funerales
son como rítmicas púas
que va clavando el sonido
en la multitud ceñuda.

Los cubanos, en silencio
siguen la funeral ruta.
Martí ha muerto. La imposible
frase, quedo se susurra.

Se niegan los oídos a escucharlo.
Se niega la razón a compren-
                              [derlo.
Y se niegan los ojos a mirarlo.
Y se niega hasta el alma a
                              [conocerlo.
Camino del camposanto
el pueblo reza y murmura.
Torvos grupos, lentamente,
se paran ante la tumba.

Sandoval, el comandante,
a los cubanos pregunta,
si alguien quiere hacer elogio
de la persona difunta.
Nadie contesta ni mueve.
¿Qué palabras dirá Cuba
que honren a ser tan ilustre?
¿Qué otra voz sino la suya,
la que se llevó la muerte,
puede honrar tan gran figura?
El silencio es homenaje
que todo el pueblo tributa
al que era todo elocuencia
para y por su amada Cuba.

Negro muro de silencio
cerca Santiago de Cuba.

LAS HONRAS
Sandoval, el comandante
así le dice a la gente:
"Cuando hidalgos hombres
                              [luchan
los odios desaparecen.
En estos nobles despojos

no un enemigo se siente.
El militar español
lucha hasta el fin, que es la
                                    [muerte,
mas para el muerto contrario
respeto y honores tiene.

El que honra a aquel que lo ha
honrado,
sólo paga lo que debe.
Caballeroso enemigo,
noble, arrojado, y valiente,
cual jamás lo tuvo España,
fue Martí el cubano héroe.

FINAL
"Se sale tan contento
del mundo, cuando una obra
grande y digna se ha hecho".
La cubana República
está ya amaneciendo.
Martí la trae a Cuba
desde su heroico cielo.

Sobre los autores

AMAURI GUTIÉRREZ COTO (Cuba) es poeta y ensayista. Licenciado en Letras por la Universidad de La Habana, Master of Art por New Mexico State University y actualmente hace su PhD en University of Arizona donde es instructor de español. Ha publicado los siguientes ensayos: *Acerca de lo negro y la africanía en la lengua literaria de Motivos de Son* (Pinar del Río, 2002), *Orígenes y el paraíso de la eticidad* (Santiago de Cuba, 2010) y *El grupo de Lezama Lima o el infierno de la trascendencia* (Madrid, 2012) y los poemarios *Diario de un intruso* (Pinar de Río, 2002) y *Aprendiz de mudo* (Madrid, 2013). También ha realizado las siguientes compilaciones: *Polémica literaria entre Gastón Baquero y Juan Marinello* (Sevilla, 2005 y Lexington, KY, 2011), *Verdad y razón y otros ensayos* de José Ferrater Mora (Sevilla, 2007), *Clavileño, revista literaria* (Sevilla, 2010), *La amistad que se prueba: cartas cruzadas: José Lezama Lima-Fina García Marruz, Medardo Vitier y Cintio Vitier* (Santiago de Cuba, 2010) y *El Padre Las Casas y los cubanos*, en coautoría con Ana Cairo (Bayamón, PR, 2007, 2008, 2009 y Ciudad de La Habana, 2011).

ANA SERRA (España) es profesora Asociada en Español y Estudios Latinoamericanos, en el Departamento de World Languages and Cultures, en American University, Washington DC. Es autora del libro *The "New Man" in Cuba, Culture and Identity in the Revolution* (University Press of Florida, 2007) y prepara su segundo libro titulado provisionalmente *Cruces transatláticos: Diáspora y relaciones poscoloniales entre Cuba y España*. Sus más recientes ensayos incluyen "Postcards from Abroad. Visitors in the Cuban Special Period," en *Cuba in a Global Context: International Relations, Internationalism, and Transnationalism,* editado por *Cathie* Krull (2014) y "Nostalgia colonial y espejos cóncavos. España y Cuba en 1959-61" en *Caribe abierto. Ensayos críticos*, editado por Juan Carlos Quintero Herencia (2012).

ANTONIO CANDAU (España) (Q.E.P.D.) fue profesor titular de literatura peninsular en la Universidad Case Western Reserve desde el 2001 hasta septiembre del 2013. También se desempeñaba como director del Departamento de Lenguas y Literaturas Modernas. Obtuvo su doctorado en Lingüística y Literatura hispánica en la Universidad de Massachusetts en Amherst. Entre sus publicaciones se cuentan los libros *Las provincias de la literatura* (2002) y *La obra narrativa de José María Merino* (1992) y la edición de *Viejas historias de Castilla la Vieja. La mortaja. La partida* (2007), además de innumerables artículos y capítulos de libros.

ARMANDO CHÁVEZ RIVERA (Cuba) obtuvo su doctorado en literatura hispanoamericana en la Universidad de Arizona en agosto del 2011. Actualmente trabaja como profesor y director del programa de español de la Universidad de Houston-Victoria, en Texas. Ha publicado cuatro libros, entre ellos *Cuba per se. Cartas de la Diáspora* (2009), que resume amplia información sobre escritores y editores cubanos radicados fuera de la isla. Ha recibido becas de estudio y de investigación de la UNESCO (1996), el Programa Mutis y el Ministerio de Educación de Argentina (2001), la Fundacion Tinker (2010), la Biblioteca Pública de Nueva York (2011), y el Centro Harry Ransom de la Universidad de Texas en Austin en coordinación con la Fundación Andrew Mellon (2012). Trabajó y radicó en América Latina por cinco años, desde donde colaboró con revistas culturales y literarias de la región y España. Su actual labor como docente e investigador está concentrada en la literatura hispanoamericana y cubana.

BRÍGIDA PASTOR (España) es actualmente investigadora del CSIC-Consejo Superior de Investigaciones Científicas, Madrid, además de profesora titular en la Universidad de Glasgow (Reino Unido). Ha sido profesora invitada en varias universidades de prestigio y receptora del reconocimiento de la Cátedra de Estudios de Género del Instituto de Literatura y Lingüística de La Habana por su aportación investigadora a la obra de la escritora cubana Gertrudis Gómez de Avellaneda. Sus áreas de investigación incluyen análisis del discurso, cine español y cubano, estudios culturales, literatura y cine cubanos, historia cultural de Cuba, y estudios de género. En la actualidad dirige un proyecto de investigación sobre "Masculinidades en la Ficción Infantil y Juvenil en España y Latina". Es autora de los libros *Fashioning Cuban Feminism and Beyond* (2004) y *El discurso de Gertrudis Gómez de Avellaneda: Identidad Femenina y Otredad* (2002). Ha editado las antologías *Mulher y Caribe: Mulher e Caribe: aproximaçoes a problemática do genero* (2011), *A Companion to Latin American Women´s Writing* (2012) e *Imaginario y realidad en América Latina: memoria, identidad y política sexual* (2012). Entre sus artículos destacan "Reflections on Gender around the Twenty-First Century" (2012). En el 2014 organizó el simposio "Gertrudis Gómez de Avellaneda: ¿Es mucho hombre esta mujer?"

CRISTIÁN GÓMEZ OLIVARES (Chile) es poeta, traductor y crítico literario. Tiene un doctorado en Literatura Hispana por la Universidad de Iowa, y se desempeña como profesor en la Universidad Case Western Reserve. Entre sus libros de poesía se cuentan *Alfabeto para nadie* (2008), *Homenaje a Chester Kallman* (2010), *La casa de Trotsky* (2011) y *La nieve es nuestra* (2012, 2014). Junto a Mónica de La Torre, publicó la antología *Malditos latinos, malditos sudacas. Poesía hispanoamericana made in USA* (2009) y, con Christopher Travis, el número monográfico de la revista *Crítica Hispánica* "Después del centenario: acosos a Pablo Neruda y la poesía chilena contemporánea" (2006). En octubre del 2014 publica su traducción de *The Cosmopolitan*, de Donna Stonecipher, y en el 2015, su traducción de la antología bilingüe de Mónica de La Torre, *Pájaros migratorios/Migratory Birds*. También edita y dirige, con Damaris Puñales-Alpízar, la revista de poesía y crítica *Trasatlántica. Poetry and Scholarship*.

DAMARIS PUÑALES ALPÍZAR (Cuba) es licenciada en Periodismo por la Universidad de La Habana (1994); Máster y Doctorado en Literatura Hispanoamericana por la Universidad de Iowa (2010). Ha trabajado como periodista en Cuba, Belice y México. Desde el año 2010 labora como profesora en la Universidad Case Western Reserve (CWRU), en Cleveland, Ohio, donde enseña cursos sobre literatura, cine y cultura caribeña y latinoamericana, y teoría literaria. Actualmente se desempeña como directora del programa de estudios en el extranjero de CWRU en Cuba. Es autora del libro *Escrito en cirílico: el ideal soviético en la cultura cubana posnoventa* (Santiago de Chile: Editorial Cuarto Propio, 2012). Ha publicado numerosos artículos sobre la cultura española, latinoamericana y cubana, en especial sobre la influencia soviética en la producción cultural en la isla. Fue editora del dossier especial "Cuba: el sabor soviético de una isla tropical. Una visita 20 años después", publicado por la revista académica *La Habana Elegante* en su número de Primavera-Verano del 2012. Su colección de fotos "Cuba Today: A Soviet Inventory" estuvo en exposición durante el otoño del 2012 en la Galería ArtStudio de CWRU. Es directora y editora, junto a Cristián Gómez Olivares, de la revista *Trasatlántica. Poetry and Scholarship*.

GERMÁN SANTANA PÉREZ (España) es profesor titular de Historia Moderna en la Universidad de Las Palmas de Gran Canaria. Sus áreas de investigación incluyen la historia de Canarias, la historia de África, y la historia comparativa entre las Islas Atlánticas, incluida la Macaronesia, el Caribe y los archipiélagos africanos. Su investigación actual se centra en la

relación entre el Caribe y las Islas Canarias y los contactos entre España y
África. Entre sus publicaciones se encuentran *Historia de la marginación
social* (2009), *Las representaciones de la historia moderna en el cine* (2009),
Historia de Canarias (2007), *La puerta afortunada: Canarias en las relaciones hispano-africanas de los siglos XVII y XVIII* (2002), *El comercio en las
Canarias orientales durante el Reinado de Felipe IV* (1999) y E*l comercio
interinsular de Lanzarote, 1635-1665* (1996), entre otras.

MABEL CUESTA (Cuba) es ensayista, poeta y narradora. Graduada de
Licenciatura en Letras Hispánicas por la Universidad de la La Habana en
1999 y Doctora en Literatura Hispánica por la Universidad de la Ciudad de
Nueva York en 2011. Ha publicado *Bajo el cielo de Dublín* (Ediciones Vigía,
2013); *Cuba post-soviética: un cuerpo narrado en clave de mujer* (Cuarto Propio, 2012); *Inscrita bajo sospecha* (Betania, 2010); *Cuaderno de la
fiancée* (Ediciones Vigía, 2005), y *Confesiones on line* (Aldabón, 2003). Sus
cuentos aparecen en *Las musas inquietantes* (Ediciones Unión, 2003); *La
hora 0* (Ediciones Matanzas, 2005); *Havana Noir* (Akashic Books, 2007);
Two Shores: Voices in Lesbian Narratives (Grup Elles, 2008); *Dos Orillas:
Voces en la narrativa lésbica* (Grup Elles, 2008); *Nosotras dos* (Ediciones
Unión, 2011); así como en las revistas *Words Without Borders*, *Conexos* y
Surco Sur. Poemas suyos han sido recogidos en *Antología de la poesía cuba-
na del exilio* (Aduana Vieja, 2011) y en las revistas *Linden Lane Magazine*,
Literal y *Ars*. Sus trabajos de crítica literaria pueden leerse en publicaciones
especializadas de Cuba, Estados Unidos, México, Honduras, Canadá, Brasil,
Colombia y España. Es profesora de Lengua y Literatura Hispanocaribeñas
en la Universidad de Houston.

MADELINE CÁMARA-BETANCOURT (Cuba) obtuvo su doctorado en la
Universidad Estatal de Nueva York (SUNY at Stony Brook). Actualmente
es profesora titular de literatura latinoamericana en la Universidad de South
Florida. Entre otros reconocimientos, ha obtenido el *Rockefeller Resident
Fellowship* en Humanidades en la Universidad Internacional de la Florida y
el *Fulbright Border Program Award*. Sus principales áreas de investigación
son los estudios cubanos y de mujeres. Entre sus publicaciones se cuentan los
libros *Family Frames: Cuban Women Writers, Imagining a Matria* (2008);
La letra rebelde, Estudio de escritoras cubanas (2002) y *Vocación de Casan-
dra: poesía femenina cubana subversiva en María Elena Cruz Varela* (2000),
así como las antologías *María Zambrano: Palabras para el mundo* (2011);
La narrativa de Mayra Montero. Hacia una literatura transnacional cari-

beña (2008); *Cuba: The Elusive Nation* (2000) y *Diálogos al pie de la letra* (1998), entre otras, además de innumerables ensayos.

MAMADOU BADIANE (Senegal), es profesor en el Departamento de Lenguas Románicas e Instituto Afro-Romance de la Universidad de Missouri (USA). Es un estudioso de las literaturas y culturas afrocaribeñas tanto hispánicas como francófonas. Se enfoca sobre todo en las literaturas del Negrismo y de la *Négritude*. Ha publicado varios artículos en francés, en inglés y en español. Es el autor de *The Changing Face of Afro-Caribbean Cultural Identity: Negrismo and Négritude* (2010).

MARÍA HERNÁNDEZ-OJEDA (España) es profesora Titular en el Departamento de Lenguas Romances de Hunter College (Universidad de la Ciudad de Nueva York). Se especializa en literatura transatlántica, y su área de investigación se centra en la relación cultural y literaria entre las Islas Canarias y América. Ha publicado los libros *Canarias, Cuba y Francia: Los exilios literarios de Nivaria Tejera* (Madrid: Editorial Torremozas, 2012), como editora, e *Insularidad narrativa en la obra de Nivaria Tejera: Un archipiélago transatlántico* (Madrid: Verbum, 2009), como autora, así como varios artículos en las revistas *Anuario de Estudios Atlánticos*, *Hispamérica* e *Ínsula*, entre otras.

MIRTA SUQUET MARTÍNEZ (Cuba), graduada de la Universidad de La Habana (Máster de Estudios Cubanos) y de la Univiversidad de Santiago de Compostela (Máster en Teoría de la Literatura y Literatura Comparada). Actualmente escribe su tesis de doctorado sobre la representación de la enfermedad en la literatura cubana (1878-1930). Trabajó como investigadora en el Instituto de Literatura y Lingüística (La Habana); como profesora en la Facultad de Letras de la Universidad de La Habana y en la Universidad de Santiago de Compostela. Ha publicado sus textos en revistas culturales y académicas (*La Gaceta de Cuba*, *Anuario ILL*, *Lectora*, *Convergencia*), y en libros colectivos como *Con el lente oblicuo. Aproximaciones cubanas a los estudios de género*; *Cuba: arte y literatura en exilio*, entre otros. Se interesa en las relaciones entre género, raza y cultura, y en las representaciones de lo patológico y lo no normativo en la literatura.

RITA MARTÍN (Cuba) es escritora y académica. Cursó sus estudios en la Universidad de La Habana, en la Universidad Florida Atlantic y en la Universidad de North Carolina en Chapel Hill, donde recibió su doctorado en filosofía y lenguas romances. En La Habana trabajó como investigadora del Instituto de Literatura y Lingüística de la Academia de Ciencias de Cuba así como profesora adjunta de la Universidad de La Habana. Ha enseñado, además, en UNC-Chapel Hill, Davidson College y Radford University, lugar en el que se desempeña como profesora titular de cultura y literatura hispano-americanas. Sus investigaciones se concentran en el modernismo, la segunda vanguardia hispanoamericana y los estudios comparados. Ha recibido las distinciones Mirta Aguirre 1986, Dana Drake Summer Fellowship 2004 y Radford University Fellowship 2009. Ha escrito numerosos ensayos para diversas publicaciones como el *Caimán Barbudo* y *Revista Iberoamericana*. Entre sus publicaciones sobresalen los siguientes títulos: *Estación en el mar* (Editorial Extramuros, 1992); *El cuerpo de su ausencia* (Editorial Letras Cubanas, 1992); *Homenaje a Eugenio Florit* (Ediciones Universal, 2000); *Sin perro y sin Penélope* (Ediciones Universal, 2003); *Tocada por el astro* (La Torre de Papel, 2006); *Flores no me pongan/Virginia* (Baquiana, 2009); *Poemas de nadie, antología personal* (Letras Cubanas, 2013). En proceso de edición se encuentran: *En la garganta del diablo* (antología bilingüe español/italiano de 20 poetas cubanos) y *El secreto de Virgilio* (ensayos). En el 2013, la revista hispanoamericana de cultura, *Otrolunes*, dedicó la sección Punto de Mira a un estudio de su obra poética y narrativa. Conduce la bitácora de creación *Grafoscopio* y edita la sección de reseñas del *MIFLIC Review*.

WALFRIDO DORTA (Cuba) realiza su doctorado en el programa *Hispanic and Luso-Brazilian Literatures and Languages* en el *Graduate Center* (*The City Univ. of New York*, *CUNY*), sobre literatura latinoamericana y caribeña del siglo XX. Es profesor adjunto de español en Baruch College (CUNY). Se concentra en la relación entre ideología, intelectuales y literatura. Le interesa la historia intelectual y la teoría crítica. Ha publicado un libro sobre Gastón Baquero (*El testigo y su lámpara*, La Habana: Ediciones. Unión, 2001), y recientemente un texto sobre los escritores del grupo Diáspora(s) en *Revista* Diáspora(s). *Edición facsímil (1997-2002)* (Jorge Cabezas (ed.); Linkgua, 2013). Planea hacer su investigación doctoral sobre dinámicas culturales en Cuba de los últimos 30 años; algunos proyectos culturales (Paideia, Diáspora(s), Omni Zona Franca) y su relación con el Estado.

ÁNGELES MATEO DEL PINO
ADELA MORÍN RODRÍGUEZ
(EDITORAS)

Ciudadanías. Alteridad, Migración y Memoria

I.S.B.N.: 978-84-7962-710-2

En los últimos años los vínculos entre los ciudadanos se han tornado más complejos, pues vivimos una época de transformaciones sociales, económicas y políticas que han ido modificando nuestra concepción de la realidad. Las sociedades se han vuelto cada vez más multiculturales debido a las crecientes migraciones, más tecnificadas y competitivas, lo que ha puesto de relieve desigualdades, marginalidades y exclusiones de distinta tipología –sociales, económicas, raciales, culturales…–. Desde esta perspectiva, los colaboradores en esta obra, como grupo de hispanistas de España y América Latina, docentes y/o investigadores de la Universidad de Las Palmas de Gran Canaria [ULPGC] y especialistas de diferentes áreas de conocimiento –Cultura, Didáctica, Filosofía, Geografía, Historia, Literatura, Teoría Literaria–, se han planteado este libro como reflexión y estudio de los diversos procesos y experiencias de las ciudadanías que confluyen en la era global, lo que ha posibilitado examinar y analizar algunos fenómenos –migración, exilio, desexilio–, pero también los desequilibrios y los contrastes que se perciben en la actualidad, tanto de carácter económico como social, y que ha dado lugar a actitudes intolerantes, xenófobas y racistas. Este panorama, sin duda, condiciona las relaciones que se dan entre los espacios geográficos. Encuentros y desencuentros que, no obstante, configuran un diálogo trasatlántico e intercultural.

ARACELI TINAJERO
(EDITORA)

Exilio y cosmopolitismo en el arte y la literatura hispánica

I.S.B.N.: 978-84-7962-850-5

En el siglo XXI, en plena época de la globalización, el exilio suele perderse entre lo que conocemos como diáspora, trasnacionalismo y nomadismo. Como cada vez más hay un constante movimiento de personas a otras partes de su propio país o a diversos lugares del mundo, casos específicos del exilio pasan inadvertidos. Los capítulos de este libro presentan casos y experiencias del exilio en el arte, la literatura, la vida real y el ciberespacio por extensión. Aquí Carlos Martínez Assad presenta a la Ciudad de México como espacio cosmopolita y ciudad de exilios también; Rafael Lemus analiza el exilio de Martín Luis Guzmán en Nueva York; el caso de los exiliados republicanos en Monterrey, México, es estudiado por Edith Mendoza Bolio; por su parte, Natania Remba hace una lectura de los símbolos judaicos en el arte de Víctor Manuel, Frida Kahlo y José Gurvich; Eugenio Suárez-Galbán Guerra ofrece una cabal relectura de "El regreso" de Francisco de Ayala; Lauran Bonilla-Merchav se enfoca en el arte del pintor costarricense Manuel de la Cruz González exiliado en La Habana; Cecilia Enjuto Rangel examina la primera y única película sobre el exilio republicano hecha por exiliados en México: En el balcón vacío; Ainoa Íñigo se centra en el sujeto transatlántico y el exilio en la novelística de Roberto Bolaño; Raquel Rivas Rojas analiza la literatura del desarraigo venezolano en las obras de Juan Carlos Méndez Guédez, Miguel Gomes, Eduardo Sánchez Rugeles y Liliana Lara; y por último, Gabriel Peveroni comparte un texto creativo en proceso de creación donde el escritor ensaya un par de puntos de fuga: la construcción de una novela que demuestre la máxima: "todos los caminos conducen a Shanghai", y la moderna sensación de interconexión que brindan las redes sociales entre viajeros migrantes que no coinciden ni en tiempo ni lugar. Vistos en conjunto, los capítulos de este libro no solo ofrecen estudios innovadores en torno al exilio y el cosmopolitismo sino que sin duda alguna abren nuevas líneas de investigación.